NO OLHO DO FURACÃO

AMÉRICA LATINA NOS ANOS 60/70

Dados Internacionais de Catalogação na Publicação (CIP)
(Câmara Brasileira do Livro, SP, Brasil)

Cannabrava Filho, Paulo
No olho do furacão : América Latina nos anos 60/70 / Paulo Cannabrava Filho. – São Paulo : Cortez, 2003.

Bibliografia.
ISBN 85-249-0902-1

1. América Latina – Condições econômicas 2. América Latina – Condições sociais 3. América Latina – História 4. América Latina – Política e governo 5. Jornalismo – Aspectos políticos – América Latina 6. Repórteres e reportagens I. Título. II. Título: América Latina nos anos 60/70.

03-0001 CDD-980

Índices para catálogo sistemático:

1. América Latina : História social 980

Paulo Cannabrava Filho

NO OLHO DO FURACÃO

AMÉRICA LATINA NOS ANOS 60/70

CORTEZ EDITORA

PLAZA Y VALDES
PYV
EDITORES

NO OLHO DO FURACÃO: América Latina nos anos 60/70
Paulo Cannabrava Filho

Capa: Estúdio Graal
Preparação de originais: Eloísa Aragão
Revisão: Maria de Lourdes de Almeida; Eliana Martins
Composição: Dany Editora Ltda.
Coordenação editorial: Danilo A. Q. Morales

Esta obra foi publicada simultaneamente no México e no Brasil, estando disponível para referências e aquisição nas duas versões, que podem ser encontradas através dos sites e endereços dos editores.

Direitos para esta edição
CORTEZ EDITORA
Rua Bartira, 317 — Perdizes
05009-000 — São Paulo-SP
Tel.: (11) 3864-0111 Fax: (11) 3864-4290
e-mail: cortez@cortezeditora.com.br
www.cortezeditora.com.br

Impresso no Brasil — janeiro de 2003

Agradecimentos

Há muita gente a quem agradecer por me ajudar a fazer este livro. Gente que perguntava: *por que você não escreve um livro?* Pessoas que me estimularam; outras que nem se deram ao trabalho de ler e não gostaram; editoras que me entregaram o original sem nenhuma observação, outras que nem o devolveram; tudo isso colaborou para que eu me decidisse a encarar o desafio. Tenho de agradecer principalmente os que tiveram a paciência de ler e de me aconselhar: Myltainho (Mylton Severiano), o primeiro a apontar as falhas de estilo; o Wladir Dupont, a Nicia, Iza e Ziga Trajber, o Ruizão (Rui Fernando Barbosa) que fez uma ótima revisão de alguns de meus textos. A Bia, que além de ser personagem do livro (esteve o tempo todo na tormenta), chamou a atenção pelas falhas de minha memória, e verteu o texto para o espanhol. A Coco Manto e a Meri Lao que contribuíram para precisar alguns fatos e apontaram falhas no texto em espanhol. A meus filhos, Iberê e Iatã, pois foi pensando neles que me animei. É o nosso legado. E finalmente ao Cortez, esse velho marinheiro que me disse com emoção: *"Quero este livro para a Cortez"*. Aqui está.

Sumário

Introdução

Las cosas no son como
las vemos, son como
las recordamos

de autor anônimo

Este livro reúne uma seqüência de relatos de fatos vividos, acompanhados de reflexões sobre pouco mais de uma década em que nossa América Latina esteve em chamas: a chama da criatividade e o fogo dos fuzis iluminando processos revolucionários que perseguiam a construção de um homem novo, num mundo livre e solidário. Tempo em que as utopias deixavam o plano da enteléquia para materializar-se em transformações da realidade.

Muitos dos que protagonizaram esses anos gloriosos estão mortos. Somam milhares em todo o continente. A eles, minha homenagem. São nossos heróis e mártires, exemplos de comportamento ético, de total desprendimento em busca da redenção de nossos povos. Outra parte guarda apenas a recordação desses tempos cuja história tem sido escamoteada. Espero que para eles sirva nossa intenção de resgatar o valor de seus sonhos e atos. E às novas gerações, minha esperança de que a nossa utopia volte a ser o objetivo maior de suas vidas. Não faltam exemplos edificadores para isso.

Pensei primeiro em escrever um livro de história. Embora ele seja necessário, chamaria apenas a atenção do mundo acadêmico, e não das pessoas comuns, que não sabem, por exemplo, quem foi Carlos Marighela nem ouviram falar em Simón Bolívar. Também considerei a possibilidade de fazer ficção, mas esta, por mais próxima que estivesse da realidade, abstrairia os personagens reais dessa maravilhosa saga. Por isso preferi o recurso do testemunho, da reportagem retrospectiva.

Com uma única ressalva: sobre a morte de Néstor Paz, que conheci pessoalmente, assim como a de vários outros integrantes da guerrilha de Teoponte, na Bolívia, escrevi com base em relatos de companheiros que estavam com ele. Como perdi os apontamentos da época e o contato com os sobreviventes, desenhei um itinerário plausível de sua coluna guerrilheira. Todas as demais narrações são absolutamente fiéis à realidade. Dela fui ora testemunha ora protagonista ou coadjuvante, ou seja, estava no olho do furacão.

Os primeiros vendavais dessa tormenta me sacudiram ainda no Brasil. Aqui, o período de 1950 a 1970 foi, sem dúvida, a etapa de maior criatividade na cultura. Com o movimento da Jovem Guarda, da Bossa Nova e do Tropicalismo, recriou-se nossa música; por meio do Teatro Brasileiro de Comédia (TBC), da Escola de Arte Dramática (EAD) e do Teatro de Arena, reinventou-se nosso teatro. Desenvolveram-se nossas universidades e se consolidou a Universidade de São Paulo (USP); construiu-se Brasília, foram fundadas a Companhia Siderúrgica Nacional, a Companhia Vale do Rio Doce, a Petrobrás, Eletrobrás, Nuclebrás entre outras empresas e projetos de igual importância.

No âmbito político-social vivia-se e gozava-se pela primeira vez em nossa história de um regime democrático. Nosso povo estava decidido a ocupar o espaço a que tem direito.

Intelectuais de todas as tendências, depois de pesquisar e discutir durante vários anos a realidade brasileira, realizaram, em janeiro de 1963, o memorável Congresso Brasileiro pelas Reformas de Base. Realizado na Faculdade de Direito do Largo de São Francisco, em São Paulo, discutiu e aprovou projetos que poderiam dar uma nova cara ao Brasil.

Camponeses, até então o estamento social mais marginalizado da sociedade brasileira, organizaram-se em ligas e sindicatos por todo o país e, em 1961, com a presença do presidente da República, João Goulart, no Primeiro Congresso Brasileiro de Trabalhadores Agrícolas, realizado em Belo Horizonte, criaram a até hoje a maior organização social do nosso povo — a Contag, Confederação Nacional dos Trabalhadores na Agricultura.

Os trabalhadores urbanos se fortaleceram em suas bases sindicais, conferindo enorme poder político e de barganha ao Comando Geral dos Trabalhadores (CGT), criado a partir de um Pacto de Unidade Sindical e no respeito ao princípio da unicidade. Sua representatividade fazia com que sua voz fosse ouvida pelos mais altos poderes da República.

Os estudantes secundaristas e universitários também se organizaram, não só para fazer política, mas, sobretudo, para aprender a conhecer o povo e a terra de seu país, por meio da participação na tarefa de alfabetização, do teatro popular e de outras manifestações promovidas pelos Centros Populares de Cultura, os CPCs da UNE — União Nacional dos Estudantes.

Em 1964, as elites encurraladas pela ascensão das forças populares, com apoio ostensivo de agências de espionagem estrangeiras e de grandes conglomerados empresariais transnacionais, conseguiram mobilizar oficiais das Forças Armadas e articular o golpe de estado que a 1° de abril derrubou um governo democrático e popular, legitimamente constituído, para dar início a uma das páginas mais sombrias de nossa história.

É preciso lembrar esses fatos, porque estão na raiz de tudo o que vivemos hoje. E é preciso contar aos que não sabem qual foi a dimensão exata do golpe de 1964.

Havia 14 partidos naquela época. O então Partido Trabalhista Brasileiro, o PTB, no governo, era a terceira bancada em número de parlamentares no Congresso Nacional e tanto a direita quanto a esquerda tinham certeza de que nas próximas eleições se acabaria com a hegemonia dos partidos das elites, a União Democrática Nacional (UDN) e o Partido Social Democrático (PSD).

Os golpistas fecharam o Congresso, extinguiram os partidos políticos, cassaram e caçaram as lideranças políticas e sindicais; decretaram a ilegalidade dos sindicatos e da CGT. Queimaram a sede da UNE e manietaram as universidades: 600 entre os melhores professores, catedráticos e pesquisadores foram demitidos e perseguidos; dois mil alunos foram expulsos das universidades e impedidos de ingressar em qualquer outra escola superior do país.

Para assegurar a hegemonia no comando das Forças Armadas, os golpistas demitiram e perseguiram mais de 10 mil oficiais e suboficiais. Entre os civis, outros tantos foram punidos porque cumpriam com a obrigação de servir a um governo constitucional.

Não havendo cárceres suficientes para os militares, sindicalistas, estudantes e todos aqueles que não se conformavam com a agressão que se perpetrava contra a democracia, usaram os porões de navios de nossa Marinha. Pode-se comprovar, nos primeiros meses após o golpe, a presença de cerca de 12 mil presos políticos e o assassinato de centenas de jovens em todo o país. Cerca de 15 mil patriotas brasileiros tiveram de asilar-se ou refugiar-se em outros países para preservar a vida.

Com o objetivo de impor o recesso na criatividade brasileira foi instituída a censura não só sobre os meios de comunicação, mas sobre toda a atividade intelectual. Mais de 100 obras de teatro e cerca de 30 filmes foram interditados e proibidos. Proibiram-se mais de 70 canções.

Não tardou para que nosso povo, já refeito do susto, voltasse às ruas para lutar pela redemocratização. Ocorreram, então, as grandes manifestações populares que, em 1966, 1967 e especialmente 1968, transbordaram as ruas de muitas capitais, principalmente no Rio e em São Paulo.

A resposta dos golpistas foi de uma violência nunca imaginada em nosso continente. Puseram os tanques contra as passeatas. A cavalaria entrou nas igrejas para espancar os que rezavam pela democracia.

É certo que não houve interrupção no processo de desenvolvimento econômico, mesmo porque, de certa forma, os militares executaram o projeto de desenvolvimento arquitetado pelo governo que haviam deposto. Porém, houve uma mudança de rumo que só provocou o aumento do fosso que separa a minoria rica da maioria da população, os excluídos da sociedade. Por onde quer que se meçam os indicadores de bem-estar social em nossa economia, hoje globalizada, todos os resultados são negativos.

Mesmo assim, nosso povo não se entregou. Continuou lutando como pôde. Temos nossa galeria de heróis — os combatentes que, como último recurso, pegaram em armas contra a ditadura. Centenas de pessoas foram barbaramente torturadas e sofrem até hoje as conseqüências físicas e psíquicas da tortura.

Esse povo lutou contra a carestia. Lutou pela abertura. Lutou pela anistia e lutou pelas diretas já. Chorou a morte de um presidente que significou a esperança do retorno à democracia. Lutou pela Constituinte e pelo *impeachment* de Fernando Collor. Agora continua lutando pela democracia, pois a batalha pelos direitos humanos e pelos direitos dos excluídos é sempre parte da luta pela democracia.

A luta pela anistia transformou-se num movimento que empolgou grande parte da nação brasileira a ponto de tornar-se irresistível. Esse povo queria de volta seus filhos arbitrariamente perseguidos e a reparação das injustiças cometidas. A Lei de Anistia de 1979 foi uma conquista do movimento popular. Como o é também a Constituição de 1988.

Comecei minha militância política em 1956, em São Paulo, fazendo política universitária. Fui diretor do Centro Acadêmico da Cásper Líbero e, em 1958, da União Estadual dos Estudantes (UEE). Nesse mesmo ano, depois de ter viajado por quase todo o Nordeste brasileiro, inclusive às áreas mais pobres do agreste, iniciei minha vida profissional trabalhando como foca no jornal *O Tempo*. Vivi e fui formado nos anos de fogo dessas memoráveis décadas.

Em 1961, quando o presidente Jânio Quadros renunciou e a direita tentou um golpe de estado, estava metido na resistência democrática e trabalhava como correspondente da agência de notícia *Prensa Latina*, com sede em Cuba. Em 1964, quando ocorreu o golpe que instaurou a ditadura militar, era repórter político do jornal *Última Hora*, que apoiava o governo deposto. De 1964 a 1968, fui repórter político no jornal *Correio da Manhã* e chefe de redação na *Rádio Marconi*, os únicos meios de comunicação de massa que se opunham aberta e energicamente contra o regime instaurado.

Militei no Partido Comunista Brasileiro (PCB) desde o tempo de universitário e como o PCB era ilegal, de atuação clandestina, atuava politicamente no Partido Trabalhista Brasileiro (PTB) de João Goulart, Santiago Dantas, Darcy Ribeiro, Leonel Brizola. Após 1964, como comunista trabalhei arduamente, junto com Carlos Marighela, Câmara Ferreira e João Adolfo da Costa Pinto, entre outros, para levar o Partidão a posições revolucionárias. Não conseguimos. Formamos, então, o Agrupamento Comunista de São Paulo, que logo se transformou na Ação Libertadora Nacional (ALN) que pregava a luta armada para derrubar a ditadura e queria fazer uma revolução socialista no Brasil. Assim que em março de 1968, já suficientemente visado, deixei o país para não ser preso.

Acompanhado da minha mulher Bia, com quem me casei em 1960, e dos dois filhos — Iberê com 6, Iatã com 5 anos —, fomos para Cuba. Era o grande símbolo e ao mesmo tempo refúgio para revolucionários de todo o mundo. Em 1970, por minha conta e risco regressei ao Brasil. Achava que aqui era meu lugar. No entanto, a repressão civil e militar unificada na OBAN estava no meu encalço. Consegui fugir para a Argentina onde me juntei com Bia que teve que sair em seguida. De lá fomos para a Bolívia. Quando achamos que havíamos estabilizado trouxemos os filhos. Aí vivemos a euforia de revoluções e a angústia de golpes reacionários. Fui correspondente da agência de notícias *Agence France Presse (AFP)* e me integrei ao governo revolucionário de Juan José Torres. Em 1972, para não sermos presos pelos militares golpistas que haviam assumido o poder na Bolívia, tivemos novamente que fugir e fomos para o Peru.

De 1972 a 1977, trabalhei no diário *Expreso* e me integrei ao processo revolucionário presidido por Juan Velasco Alvarado. Até que também este foi desviado para a direita. Para não sermos entregues à repressão brasileira fomos levados ao Panamá. Aí permanecemos três anos. Fui correspondente da agência de notícias *Inter Press Service New Agency (IPS)* e me integrei à luta de Omar Torrijos pela recuperação da soberania de seu país sobre o enclave colonial do Canal do Panamá. Permanecemos no Panamá até o início de 1980 quando, em março, regressamos ao Brasil. Durante esses 12 anos, além de passar por vários países da Europa, Ásia e África e ter assistido a inúmeros foros internacionais, também pude acompanhar de perto a luta dos sandinistas contra a tirania de Somoza na Nicarágua, a ascensão e queda de Salvador Allende no Chile, a implantação das ditaduras na Argentina e no Uruguai.

Depois de ter me iniciado no jornalismo, sempre e até hoje, tenho sobrevivido da profissão. Mas o jornalismo sempre foi também minha principal trincheira de luta. Por minha dedicação a essa e a outras trincheiras, perseguido pela ditadura, fui obrigado a procurar condições de sobrevivência em outros países. E o fiz trabalhando sempre como jornalista e engajado nas lutas de libertação.

Este livro relata um pouco essa trajetória, mas a disposição dos capítulos não segue uma ordem cronológica. Mantive a seqüência com a qual surgiram quando, em 1999, tomei a decisão de colocar as coisas no papel. A primeira versão foi fruto de uma verdadeira catarse que saiu aos borbotões. Depois fui fazendo os ajustes geográficos, de datas e de nomes dos personagens, dando mais consistência aos fatos. Mantive a seqüência catártica por achar que transmite mais emoção e ajuda ao leitor a compreender o conteúdo político-ideológico da obra.

1. Bolívia

La tierra no es de quien la trabaja.
Es del indio.
(Faixa em manifestação popular em La Paz)

De todos os países que conheci — e não foram poucos: cerca de 40 —, a Bolívia foi o que mais fundo calou em minha alma. Vivi lá exatos 18 meses. Nada, no tempo histórico. Mas na história da minha vida, é como se lá tivesse estado por 20 anos, no mínimo. A força telúrica e a magia da cordilheira fazem com que o sangue da terra se mescle a seu sangue. A garra e a capacidade de resistência das nações indígenas, que preservam ainda hoje suas culturas milenares, atuam como energizante espiritual. O poço de conflitos nas almas dos povos mestiços. A paixão com que o povo faz as coisas que têm de ser feitas — seja uma guerra, seja uma festa.

No início de abril de 1970, mal chegamos a La Paz, Bia e eu, tivemos o primeiro e grande susto. O aeroporto internacional em El Alto, está a pouco mais de quatro mil metros de altitude. É um aeroporto em que o avião não desce: tem que subir para chegar lá. Passamos pela seção de imigração. Enquanto esperávamos a bagagem, alguns passageiros circulavam com pequenos balões de oxigênio para melhor suportar o ar rarefeito. Como não sentimos nada, fomos em frente. Um táxi nos levou a La Paz, situada no fundo de um vale com uns 600 metros de profundidade, e nos deixou no tradicional Hotel Presidente, o mais antigo da cidade. Quartos enormes, com pé direito de cinco a seis metros, janelões, móveis consistentes.

Do hotel, telefonamos para um casal de amigos, Helena Quadros e Juan Capriles, editores da revista *Crítica,* avisando que havíamos chegado. Sugeriram que fôssemos à editora já que não podiam sair porque estavam em fechamento de mais uma edição. Ensinaram o caminho. Subimos uns três ou quatro quarteirões, dobramos à direita mais uns duzentos metros. Algumas ladeiras são tão íngremes que as calçadas têm corrimão para a gente se apoiar. Para chegar à redação, no segundo andar, tivemos que subir uma longa escada. Já estávamos batendo papo com nossos amigos, informando-nos sobre o novo mundo a ser descoberto e conquistado, quando comecei a me sentir mal. Respirava com certa dificuldade. Juan disse que era *sorochi,* o mal-estar causado pela altitude, que iria dar dor de cabeça, mas que eu não devia me preocupar, pois passaria rápido. No entanto, a cada minuto ficava mais difícil respirar. Formigavam-me os lábios, as mãos, as pernas. Disse que me sentia muito mal. Devia estar com cara que confirmava isso. Sugeriram ir a um pronto-socorro.

Desci a escada com dificuldade e precisei de ajuda para entrar num táxi. No pronto-socorro, enfermeiros me carregaram e me transportaram numa maca. Meu corpo todo estava anestesiado, não podia mover as pernas e mal conseguia articular a fala. Bia e Helena, a meu lado, assustadíssimas. Olhei para elas e consegui — acho que consegui — dizer *ciao.* A visão se tornava escura, o corpo paralisado, não podia respirar, a sensação de que chegara o fim. Contaram-me depois que me colocaram máscara de oxigênio e me injetaram sulfato de magnésio na veia, para ajudar a oxigenação do sangue.

Depois que saí da crise, o médico explicou que eu tivera polineurite, causada por falta de oxigênio. Que fora loucura não repousar e enfrentar a vida devagar, até me habituar à atmosfera das alturas. Esse susto, seguramente, me custou a perda de alguns neurônios. A recuperação, porém, foi rápida, e a adaptação também. Pouco tempo depois, já esquiava no nevado Chacaltaya, a seis mil metros, a pista de esqui mais alta do mundo, onde está também o observatório no qual o cientista brasileiro César Lattes descobriu o Meson Pi[1]. Iberê e Iatã, meus dois filhos, em plena infância, pela primeira vez brincando na neve, descuidaram e quase congelaram. Foi preciso reaquecê-los, devagarinho, ao pé da lareira da estação do teleférico. Sofriam porque descongelar dói muito.

Vestidos de diabos, homens dançavam o confronto entre o colonizador e os povos insubmissos

Ao chegar à Bolívia, Bia e eu estávamos sozinhos. Perseguidos pela repressão, conseguimos escapar do Brasil, mas tivemos de deixar os meninos. Iberê e Iatã, então com oito e sete anos, ficaram com meus pais até podermos juntar a família outra vez. Como não tínhamos compromissos com um trabalho fixo, foi possível aceitar o convite de Jens e Úrsula, um casal de amigos alemães que estavam percorrendo a América Latina em uma kombi, para juntos percorrermos a Bolívia. Cruzamos El Tíclio, a passagem mais alta do mundo por estrada de ferro e rodovia (a mais de cinco mil metros), e estivemos na depressão do Chaco, na fronteira com o Pantanal brasileiro. Assistimos ao Carnaval de Oruro, onde saídos do fundo das minas, mascarados de diabos, de negros escravos e de feitores, os mineiros dançavam representando o confronto entre a colônia e os povos insubmissos. Descemos ao mais fundo, *el socavón,* das minas de Potosí, onde os homens trabalham nus e continuam morrendo de silicose[2]. Contam que quando os espanhóis chegaram ao morro chamado de Cerro Rico, acenderam uma fogueira para se aquecer do frio noturno. Pela manhã, sob as brasas corria prata derretida. Hoje o morro parece um queijo suíço. A prata tirada no período colonial seria suficiente para construir uma ponte de Potosí a Madri. Nessa época, Potosí na Bolívia, e Vila Rica (hoje Ouro Preto), no Brasil, estavam entre as cinco maiores cidades do planeta.

Para agüentar o ar gelado das madrugadas, é costume local beber *álcohol potable* e *chicha*[3] únicas bebidas disponíveis nos *bolins*[4] dos pequenos povoados, com suas casas de pedra e adobe mimetizadas na cor da areia e *paja brava*[5] que se espalha pelo horizonte infinito do altiplano. No inverno, a diferença de temperatura é tão grande entre a face das pedras expostas ao sol e a que está sob a terra que elas se partem com grande estalido.

Descemos por encostas em que o ângulo das curvas era tão agudo, que, para vencê-las, era preciso manobrar. Beirávamos abismos em que não se podia ver o fundo. Como era inverno, às vezes, para encurtar caminho, seguíamos pelo fundo do vale, rodando sobre o leito pedregoso e seco dos rios. Passamos pelas planícies de La Higuera, onde, em 1967, fora assassinado o comandante guerrilheiro Ernesto Che Guevara. Era zona militar e o francês Regis Debray e o argentino Ciro Roberto Bustos, integrantes da guerrilha do Che, ainda estavam presos em Camiri. Viajávamos com salvo-conduto para passar pelas numerosas barreiras erguidas pelos caminhos.

Todas as estradas eram poeirentas. Tomávamos banho nos poços dos rios ou nas águas geladas dos córregos formados pelos degelos das altas montanhas. Muito raramente, quando estávamos em alguma cidade, tomávamos banho quente, em casa de algum conhecido. Tínhamos endereços de amigos ou parentes de amigos por toda parte. Quando estávamos no ermo, nossa alimentação era apenas pão e lataria. Mas quando passávamos por alguma cidade ou povoado, deliciávamo-nos comendo nos mercados ou nas feiras o maravilhoso e nutritivo *chairo*, um sopão com grande variedade de verduras e cereais; e os carrês de carneiros carregados de *llajua*, um molho picante.

Nas cidades maiores, nos reuníamos com dirigentes universitários ou sindicais e passávamos horas e horas discutindo os caminhos da revolução boliviana e continental. Os universitários estavam sedentos por radicalizar o processo, por pegar em armas, concluir o que o Che havia iniciado.

Mais tarde, em outras circunstâncias, visitamos Tiahuanaco e Puma Punko. Tiahuanaco são ruínas de uma civilização pré-incaica na qual se pode apreciar grande habilidade e criatividade na arquitetura com pedras lavradas. Puma Punko é um templo do macrolítico. Uma dessas inexplicáveis maravilhas do mundo. Ninguém entende como manejavam blocos de pedra de tais dimensão e peso. Os engenheiros modernos ainda não sabem como mover as pedras tombadas.

A revolução contra os Incas

Vimos de perto o povo e a terra de um país pobre, na época com ingresso *per capita* de 100 dólares por ano, com pouco mais de um milhão de quilômetros quadrados e cinco milhões de habitantes, dos quais 75% eram 100% indígena. A economia do país se assentava basicamente na extração mineral, respondendo por 86% das exportações, 77% só de estanho. As minas empregavam uns 40 mil trabalhadores, a maioria índios completamente desaculturados, resistindo à fome e ao duro trabalho nos fundos das minas com ajuda da coca, mascada na forma de bolotas de folhas misturadas com cinza e mantidas na bochecha. Até hoje, 80% da população boliviana vive na pobreza.

Cerca de 3,5 milhões de almas não utilizavam praticamente nenhum recurso da civilização moderna. Muitos sequer falavam (ou se negavam a falar) o espanhol. Em grande número de comunidades, ainda se preservava intacto o modo de produção inca, muito semelhante ao asiático.

Nessa época, Newton Carlos editava um suplemento no *Correio da Manhã* dedicado à América Latina. Em série de reportagens que escrevi para esse suplemento, lembrava que Marx, ao estudar algumas sociedades não-européias, observou: "... *graças à combinação do artesanato e da agricultura, no interior da pequena comunidade, esta se tornava completamente auto-suficiente e continha em si todas as condições para produzir e reproduzir excedentes*". No altiplano, esse excedente era canalizado pelo soberano inca que mantinha dominação sobre as demais tribos e nações. Somente o fato de ter o controle sobre uma grande produção de excedentes é que explica como os incas puderam desenvolver um sistema de irrigação por canais, de vias de comunicação, construção de grandes edifícios e cidades urbanizadas que até hoje constituem desafio aos técnicos modernos. Também explica o poderio militar inca que dominou, em um único estado, o *Tahuantinsuyo*, com centenas de tribos e nacionalidades que povoavam as terras onde hoje se encontram a Colômbia, Equador, Peru, Bolívia, Chile, noroeste argentino e brasileiro. O istmo onde hoje está o Panamá, já nessa época, era entreposto de troca entre comerciantes incas do sul, e maias e astecas do norte.

Além do modo de produção, o soberano inca impunha a forma de governo, que também ainda se via preservada nas mais remotas comunidades. O governo era exercido por uma assembléia de chefes de família, *os amautas*, que decidiam sobre a aplicação da força de trabalho e distribuição dos bens. Esse poder era compartilhado pelo *yatiri* ou sacerdote, que dirigia o culto à Pacha Mama, a mãe terra, e outras divindades.

Apesar da dominação despótica do inca, a sociedade em sua base era democrática e a produção, socializada. As crônicas dos primeiros conquistadores espanhóis mostram que o modo de produção inca foi preservado, passando o novo colonizador a apropriar-se dos excedentes. Até a forma de governo foi mantida nos *ejidos* — povoados governados comunitariamente com propriedade coletiva da terra. Essa relação foi-se alterando, à medida que o aumento da voracidade do colonizador foi tornando cada vez menos eqüitativa a distribuição dos excedentes.

Foi o vice-rei Toledo quem introduziu o conceito de propriedade individual ao fazer a primeira reforma agrária nas terras da nação *huanca,* no vale do Huancayo, no altiplano peruano. Com o passar dos anos, a passagem e partição da propriedade da terra por herança fez com que existam hoje, nesse vale, proprietários de um único sulco de arado.

Paralelamente, havia o regime de grandes propriedades fundiárias, nas quais os *gamonales* (latifundiários) eram donos de grandes extensões de terras que incluíam povoados indígenas, rebanhos de gado nativo e o que mais houvesse.

Nesse processo, que chamei na época de "revolução contra os incas", houve um profundo e progressivo empobrecimento das comunidades indígenas em todo o altiplano. Na Bolívia, onde o modo de produção inca se mantinha mais preservado, foi a reforma agrária implementada pelo Movimento Nacionalista Revolucionário (MNR), em 1952, que introduziu o conceito de pequena propriedade. Ao proceder a divisão das terras nas regiões mais densamente povoadas, criou o minifúndio e gerou uma nova categoria social, a dos proprietários fundiários, aliados da pequena burguesia urbana, base de sustentação dos governos do MNR e da direita que o sucedeu no poder. (Mais adiante há pormenores sobre a Revolução de 1952).

Pelo fato de a reforma agrária não ter sido acompanhada de outras medidas, como planejamento da produção, mecanização, adoção de preços mínimos, vias de escoamento etc., foi declinando o rendimento dessas terras e a produtividade descendeu a índices alarmantes, a tal ponto de ter sido necessário importar batatas do Peru — justo batata, produto tradicional desde o tempo do incário, quando já se cultivavam mais de 350 variedades do tubérculo nativo da região.

A reforma agrária era necessária para mudar essa situação. As teses da maioria dos partidos políticos qualificavam de feudal esse regime de propriedade, no qual se sustentavam as oligarquias agrária e mineira, que perderam o poder com a Revolução de 1952. Os *gamonales* compravam terras com tantas cabeças de ovelhas e tantos índios. Só que a reforma agrária foi feita de maneira imprópria.

O jornal *Clarín*, de Buenos Aires, registrou, no suplemento de economia de setembro de 1970, que a reforma agrária do MNR, "... *no lugar de beneficiar o camponês que não possuía a terra em si, beneficia, com as voltas que a lei foi dando ao longo dos 17 anos, aos ex-proprietários e se converte em uma reforma para latifundiários*". De fato, dos sete milhões de hectares entregues pela reforma agrária, quatro milhões beneficiaram a 13.147 ex-latifundiários, enquanto outros três milhões ficaram nas mãos de 140.000 camponeses. Por isso faz sentido os líderes indígenas afirmarem: "*a terra não é de quem a trabalha — é do índio*".

... las palabras que encontré fueron las que aprendí en el pecho de mi madre!

A luta pela independência da Bolívia começa em 1809 na Real Audiência de Charcas, em Chuquisaca, hoje Sucre, primeira capital do país e que ainda divide essa função com La Paz — esta a capital legislativa e administrativa, aquela a sede do Judiciário. Em 1825, foi proclamada a independência e o país recebeu o nome de República de Bolívar em homenagem ao libertador. A proclamação da independência ocorreu no salão nobre de um edifício construído pelos jesuítas em 1621 e onde, em março de 1624, por decreto do rei Felipe III de Espanha e bula do papa Gregório XV, foi fundada a Universidad Mayor, Real y Pontifícia de San Francisco Xavier de Chuquisaca.

O velho edifício da Universidade, declarado Patrimônio da Humanidade pela Unesco, rebatizado de *Casa de La Libertad*, junto com a Catedral da mesma época e os casarões coloniais nos transportam para outro tempo. Em 1970, nos casarões da oligarquia despojada do poder, decadente econômica e culturalmente, mas com toda a pose dos tempos da corte, ainda não havia banheiro. As necessidades se faziam em baldes, o banho se tomava em bacias e com jarros de água. Na praça, dando um ar de modernidade em contraste com a arquitetura colonial, uma réplica da Torre de Paris, com uns 20 metros de altura, construída pelo próprio Eiffel.

Não muito longe de La Paz, em pleno altiplano, a propriedade da família Machicado, uma *hacienda* colonial, era um dos latifúndios que abrigavam em suas terras mais de uma comunidade indígena. Nenhuma das revoluções conseguiu anular o poder da família Machicado. Essas terras são visitadas por botânicos e ornitólogos de todas as partes do mundo porque são as únicas onde floresce a gigantesca bromeliácea *Puya Raimondi*, cuja haste florida em forma de bengala se eleva a mais de quatro metros de altura. Suas flores produzem o néctar preferido por uma espécie de beija-flor gigante, também única, de uns 20 centímetros.

A extensão da propriedade havia diminuído e abrigava um belo rebanho de ovelhas. Mas a atividade principal era a exploração das pedreiras de onde continuavam saindo os paralelepípedos para as ruas das grandes cidades, e a pedra britada, para a indústria da construção. Nas proximidades da sede, uma comunidade indígena prestava serviço para os proprietários dessas terras desde os tempos coloniais.

Os herdeiros desse quase feudo eram intelectuais de esquerda. O mais velho, Flávio, economista da escola do argentino Raul Prebisch com quem havia trabalhado na Comissão Econômica para América Latina e o Caribe, das Nações Unidas (Cepal). No período em que foi coordenada por Prebisch, influenciou mais de uma geração com suas teorias estruturalistas e de desenvolvimento com planejamento. Quando chegamos, Flávio coordenava a equipe de cepalinos que elaborou a Estratégia para o Desenvolvimento da Bolívia, no Ministério do Planejamento durante o governo do general Ovando Cándia. No governo seguinte, do general Juan José

Torres, foi ministro da Fazenda. O mais novo dos Machicado, de apelido *Loro*, era simpatizante do *Exército de Libertação Nacional* (ELN), criado pelo Che Guevara, e na década de 1970 ajudou numerosos companheiros perseguidos a escapar da repressão. Nos próximos capítulos há pormenores dessa perseguição e também sobre o Che.

Passamos uns dias no velho casarão colonial assobradado e, segundo voz corrente, assombrado. A parte social da casa, no andar superior, de pé direito de uns quatro metros, paredes forradas de gobelinos, janelas cobertas com cortinas de grosso veludo vermelho, mesa para mais de 20 pessoas de tábuas de carvalho, cadeiras e sofás Luís XV, tudo meio desbotado, mas bem conservado. As cozinhas e os banheiros haviam sido modernizados. No térreo da casa, onde uma vez houve a senzala, assisti a uma assembléia dos trabalhadores.

Como a atividade principal era a extração do granito, os trabalhadores pertenciam ao sindicato filiado à Federação Mineira. Dirigentes da Federação assistiam à assembléia. O líder local, que explicava a seus companheiros a conjuntura, anunciou a presença de um companheiro jornalista brasileiro e revolucionário. Em todo o país os sindicatos estavam aproveitando a abertura democrática propiciada pelo governo do general Ovando para se reorganizarem e reivindicar o reajuste dos salários congelados durante as ditaduras anteriores.

O líder era ótimo orador e minha atenção estava absolutamente presa às suas veementes palavras. De repente, já não entendia o que ele dizia. A veemência era a mesma só que agora ele falava em *aimará*, uma das línguas indígenas dos Andes peruanos e bolivianos. Quando terminou a sessão perguntei a ele o que havia dito, porque eu não compreendia o *aimará*. Ele ficou chocado. *Compañero, perdóname. Creo que me emocioné ... emocionado las palabras que encontré fueron las que aprendí en el pecho de mi madre...* Nunca mais esqueci essa lição. E tive, nesse período, muitas outras lições daquilo que (eu viria a saber mais tarde) se chama semiótica. Aprendi, por exemplo, que uma bandeirola branca presa numa comprida vara sobre o telhado de uma casa significa que ali está à venda álcool potável. Se a bandeirola é amarela é porque há *chicha,* se é vermelha, é porque é *chicha morada*. Lembrei-me de que, nos anos 50, quando eu "descobria" o Brasil, o disco vermelho pintado sobre troncos ou paredes na selva significava que ali havia açaí.

A estratégia para o desenvolvimento previa tornar o país auto-suficiente

Nos primeiros meses na Bolívia, em 1970, conseguia algum dinheiro para o aluguel de um quarto e a alimentação fazendo alguns bicos. Escrevia colaborações para o vespertino *Jornada* e, eventualmente, para alguma agência de notícias. *Jornada* era um jornal de esquerda propriedade do poeta e embaixador Jorge Soares, tendo Ted Córdoba Claure como chefe de redação. Comecei a escrever alguns artigos para *Jornada* a troco de poder almoçar ou jantar algumas vezes na cantina do jornal. Logo comecei a ajudar Ted a fazer o jornal e isso já me permitia um vale de alguns pesos para o final da semana. Depois, fizemos juntos o projeto da Oficina de Jornalismo para a Universidad Mayor de San Andrés. O reitor, Pablo Ramos, aprovou e quis contratar os dois. Só que eu não podia ser contratado porque tinha visto de turista. Mas dava aula assim mesmo. Ensinávamos técnica de redação, diagramação, noções de fotografia. Ted recebia o salário e repartia fraternalmente comigo. Mais que amigos, "éramos hermanos del alma".

Devido a repressão no Brasil, Bia não conseguiu regularizar a documentação para poder exercer sua profissão de odontóloga. Então, cantava regularmente na Peña Naira e dava algumas aulas de violão. A *peña* era um lugar aonde as pessoas iam para tomar vinho e comer *cancha*[6], e nos finais de semana, assistir a apresentação de conjuntos folclóricos musicais ou de dança vindos das comunidades indígenas. Tocavam violão e *charango*[7], *quena, tarka*[8], e *zampoñas*[9] e bumbos. As vezes só *zampoñas*, das mais agudas às mais graves. Bia cantava músicas brasileiras acompanhando-se com violão, e músicas revolucionárias latino-americanas e espanholas. Era um sucesso.

Vinte e oito anos depois, encontrei-me com Coco Manto no México e ouvi dele que "Bia nos enseñó a escuchar musica con contenido social, a prestar atención en las musicas revolucionarias. Antes solo oíamos los huaynitos hablando de orejitas, chis, chis, chis".

Coco Manto, pseudônimo do jornalista boliviano Jorge Mancilla, asilou-se no Peru, em 1971 e pouco depois foi para o México. O exílio terminou, mas ficou por lá trabalhando como editor no jornal *Excelsior*. Pareceu-me exagero, Bolívia tinha um Benjo Cruz, músico e compositor universitário de grande sucesso entre jovens urbanos.

A *peña*, propriedade de Pepe Baillon, professor da Universidade de La Paz, havia sido fundada pelos integrantes do grupo *Los Nairas*, que acompanhavam a compositora e cantora chilena Violeta Parra e abria, nessa época, espaço para apresentação de compositores e intérpretes de música de conteúdo social de todos os países do continente que passavam por La Paz.

Na mesma rua, calle Sagárnaga, poucos metros acima, funcionava o *mercado de brujas*, onde alternavam portas em que atendiam seus clientes ou onde podiam comprar material de trabalho: fetos de *llama*, ervas como a *ayahuasca* e muitas outras. Como nossas mães-de-santo, são curandeiras do corpo, da mente e do espírito. Os métodos, no entanto, são bem diferentes: estão mais para pajelança do que para candomblé.

O primeiro trabalho com contrato que consegui na Bolívia, em 1970, foi resumir em linguagem jornalística e coordenar a edição da versão popular da Estratégia para o Desenvolvimento, programa promovido durante o governo de Ovando Cándia e do qual fiz menção anteriormente. Deu um livro de mais de trezentas páginas, distribuído ampla e gratuitamente. A estratégia, elaborada por intelectuais de tendência cepalina, previa tornar o país auto-suficiente ao final do qüinqüênio. Depois disso, consegui outro contrato para ajudar na divulgação do projeto da Fundição de Estanho, uma empresa mista feita em parceria com a então Checoslováquia socialista. A Bolívia que desde o final do século XIX exportava minério de estanho bruto, com a inauguração da fundição, passou a exportar o produto refinado em barras conseguindo, portanto, mais dólares nas exportações. Ajudei a fazer os folhetos de apresentação da empresa e seus produtos e a produzir o material informativo para a imprensa.

O encarregado da comunicação da empresa era o argentino Adolfo Perelman — intelectual trotskista que, tendo se dado mal com os comunistas e com o governo da Argentina, se auto-asilara em La Paz há muitos anos. Fez escola nessa parte do continente. Intelectuais argentinos e uruguaios, como Jorge Abelardo Ramos e Gõnzalez Bermejo, por exemplo, vinham a La Paz para discutir política e ideologia com ele. Andrés Soliz Rada, jornalista boliviano que me sucedeu na Agência France Presse, quando eu deixei a Bolívia, e hoje dirige o partido Consciência de Pátria (Condepa), era seu mais fiel seguidor. Aprendi muito nos saraus com Perelman. Era um intelectual irrequieto e sério no estudo e interpretação da realidade latino-americana e de comportamento ético irrepreensível. Fervoroso nacionalista, lutou com unhas e dentes para convencer os bolivianos das vantagens de obter produto agregado ao exportar o estanho refinado, até que conseguiu a implantação do projeto da fundição.

A Estratégia de Desenvolvimento contemplava também a instalação de uma usina de pelotização de minério de ferro, que seria extraído em grandes quantidades da região de Mutun, no Sudeste, próxima à fronteira com o Brasil, muito cobiçada então por brasileiros e por argentinos. Essa reserva mineral era considerada a maior do continente e a terceira no mundo. Os cepalinos no governo de Ovando concretizaram o projeto da refinaria, mas não houve tempo para avançar na questão do ferro. O Brasil só perdeu o interesse pelo Mutun anos mais tarde, depois que descobriu as jazidas de Carajás. Mas continuou se interessando pelo gás dos campos petrolíferos de Santa Cruz.

Perelman me fazia lembrar Hermínio Saccheta, jornalista, amigo e mestre que tive no Brasil, que muito me ajudou em meu desenvolvimento intelectual e profissional. Pareciam-se até fisicamente e sobretudo no jeito nervoso de expor as idéias. Nem um nem outro tentou me impingir suas idéias ou as de Trotski. Mas eram deliciosos e instigantes os saraus que promoviam. Nos unia a mesma ânsia por entender nossa realidade e encontrar os caminhos para transformá-la, preservando nossos valores. Muito eu bebi da sabedoria de ambos. Sacheta recebia sempre, na gráfica, nas redações em que trabalhou ou em sua casa, a visita de Edgard Leuenroth[10]. Foi meu primeiro deslumbramento com o anarquismo. Na minha juventude Edgard me impressionava com as histórias que protagonizara. Sobrevivera, porque era feito de pura tenacidade e idealismo, às inúmeras vezes em que foi preso e suas decorrentes e incontáveis pneumonias e tuberculoses. Sua insubordinação a todo tipo de autoritarismo e sua disposição à rebeldia me fascinavam.

Notas

1. O professor César Lattes, nascido em Curitiba em 1924, fundou o Centro Brasileiro de Pesquisa Científica, hoje o Conselho Nacional de Desenvolvimento Científico e Tecnológico. Formado na Universidade de São Paulo (USP) é professor titular na Universidade Federal do Rio de Janeiro (UFRJ) e na Universidade Estadual de Campinas (Unicamp). Em 1947 ganhou projeção internacional por ter descoberto o meson Pi ou Pion, que teve significativas conseqüências por ser partícula responsável pelo comportamento das forças nucleares. Em 1949, ajudou a criar o Laboratório de Física Cósmica de Chacaltaya, da Universidad Mayor de San Andrés, na Bolívia.

2. Acumulação de mineral nas paredes dos pulmões.

3. Álcool etílico 90 graus diluído com um pouquinho de água. A *chicha* é um fermentado de milho de baixa graduação alcoólica.

4. Vendinhas parecidas com pequenos botecos de beira de estrada

5. Uma espécie de capim como a barba-de-bode.

6. Um tipo de pipoca imensa.

7. Espécie de cavaquinho, com cinco cordas, montado sobre a carapaça de tatu.

8. Flautas típicas de diferentes modelos.

9. Instrumento de sopro, parecido com flauta, de diversos tamanhos.

10. Dirigente sindical e intelectual líder de movimiento anarquista em São Paulo, particularmente nos anos de 1910 e 1920.

2. Néstor

La vejez en los pueblos.
El corazón sin dueño.
El amor sin objeto.
La hierba, el polvo, el cuervo.
¿Y la juventud?
En el ataúd.

Miguel Hernández — poeta e guerreiro espanhol

Na madrugada fria de junho de 1970, como soem ser frias todas as madrugadas de La Paz, um grupo de jovens rompeu o silêncio parodiando uma música em moda, com letra cujo coro repetia: Alfabetizar, Ah! Ah! Ah!, Ah! Ah!. Alfabetizar, Ah! Ah!, Ah!, Ah! Ah!. Algazarra de universitários alegres que esperavam o ônibus que os levaria para o interior onde iniciariam um programa de Alfabetização de Adultos, dirigido às comunidades indígenas da região serrana a nordeste de La Paz e aos *cambas*[1], camponeses dos vales da região de Teoponte. Estavam também alguns pais e mães, excessivamente preocupados, recomendando aos jovens que se cuidassem. Eram filhos e filhas de classe média urbana que pela primeira vez saíam de casa com destino a sítios sem qualquer comodidade.

Teoponte é um pequeno povoado às margens do riacho do mesmo nome nas encostas da franja da cordilheira na província de La Paz. Em linha reta está a cerca de 100 km da capital, mas, para chegar lá, é preciso primeiro subir ao altiplano e depois descer a cordilheira. Transita-se por uma estrada de terra, às vezes de pista única, com curvas inimagináveis, baixa-se a vales profundos, sobese por escarpas absurdas, e demora-se umas quatro a cinco horas em automóvel. Uns 45 rapazes e meia dúzia de moças selecionados e treinados pela Federação de Estudantes Universitários continuavam a gritaria enquanto o ônibus subia a ladeira rumo ao altiplano. Já na estrada as vozes e os violões entoavam cantigas da guerra civil espanhol, canções cubanas e chilenas e músicas de Benjo Cruz — universitário como eles. Benjo, poucos dias antes, durante um show na universidade, havia erguido os braços empunhando o violão dizendo: *hoy mi arma es esta. Si es preciso cambiar yo se la cambio.*

Após breve parada para um lanche, o ônibus retomou a descida da cordilheira por caminhos bordejando perigosas ribanceiras. Em poucos minutos se descem milhares de metros e se sente a diferença de clima, o calor úmido, sufocante. Dos dois lados da estrada, pequenas propriedades com plantações de bananas, tomates, abacateiros, algumas mangueiras, hortas, culturas tropicais em contraste com as neves eternas dos picos de Illampu e Ancahuma que ficaram para trás. E lá embaixo a floresta, e bem mais adiante, os alagados. Chegaram à noite. A mata exalava um ar fresco e perfumado.

Desceram, com suas mochilas e muitas malas e sacos, ajudados por quatro companheiros que os esperavam e os guiaram, em fila indiana por uma trilha que margeia a mata mais densa. Já com a lua alta chegaram a um sítio, com um roçado de mandioca e milho, um casebre com umas poucas árvores frutíferas ao lado, e um capoeirão ao fundo. Cinco companheiros estavam à espera do grupo e havia comida para todos. Ali abriram as malas e os pacotes, livraram-se das roupas comuns, vestiram fardas verde-oliva, encheram as mochilas e os cantis, montaram e distribuíram as armas — a maioria velhos fuzis, umas poucas pistolas, alguns revólveres. Cadernos, cartilhas e outros materiais de apoio à alfabetização cobriam as caixas carregadas de munição, granadas e dinamites. Outras caixas com livros e cadernos foram deixadas no ônibus que voltou a La Paz sem que o motorista se desse conta do que estava para acontecer.

Em menos de dez dias, a notícia explodiu em La Paz, causando forte comoção. Jovens universitários de classe média, sob a liderança de Oswaldo "Chato" Peredo, instalaram um foco guerrilheiro na região de Teoponte, retomando o ideário e os objetivos do

Exército de Libertação Nacional (ELN), criado por Ernesto Che Guevara, em 1966.

A derrota e morte do Che em 1967 não serviram de lição

A grave derrota sofrida pelo ELN em outubro de 1967, nas selvas de Ñancahuazú, custou a vida de numerosos combatentes revolucionários, entre os quais o comandante Che Guevara e Coco Peredo, principal quadro boliviano da guerrilha. Os poucos quadros que sobreviveram iniciaram o trabalho de reorganização sob a liderança de Guido (Inti) Peredo Leigue, o argentino Anibal Crespo, o chileno Elmo Catalán e a estudante Jenny Koeller (Victoria). Passaram um período difícil. Cometiam alguns atentados com finalidade propagandística, assaltavam ou seqüestravam para conseguir fundos, brigavam muito entre si, até se matavam. Em junho de 1969, caíram vários companheiros em Cochabamba, entre eles Victoria, desencadeando muitas outras quedas até que a repressão chegou ao aparelho onde estava Inti. Prenderam-no e o assassinaram a coronhadas na sede do Ministério do Interior, em setembro de 1969. Mas o trabalho de reorganização continuou, sob a direção do irmão mais moço dos Peredo, Osvaldo (Chato) Peredo.

Depois da morte do Che, sua figura mitificada, seu exemplo e suas idéias, como numa epidemia incontrolável, contagiam a juventude boliviana. É no meio estudantil onde a organização prolifera. Também no seio da Democracia Cristã Revolucionária, da Juventude Comunista e do Movimento de Esquerda Revolucionária (MIR)[2], criado pelo próprio ELN para atuar como braço político no marco institucional. Além de Adolfo Quiroga Bonadona, presidente da Confederação Universitária Boliviana (CUB), dez outros importantes dirigentes universitários dos diversos departamentos de Bolívia desceram a Teoponte, entre eles, o estudante de teologia Néstor Paz Zamora. No total, eram 67 jovens combatentes sublevados.

A ordem do governo foi não deixar sobreviventes

Um "correio" foi levar as últimas informações para El Chato. O presidente, general Ovando Candia, havia formado um estado maior, sob o comando do general Rogelio Miranda, com a missão de erradicar a tentativa subversiva. Um destacamento de tropas especiais, os *rangers* de Santa Cruz treinados por assessores estadunidenses, recebeu ordens para se deslocar para a região do foco guerrilheiro. A ordem de Miranda era não deixar sobreviventes. Os planos do ELN, de treinar durante pelo menos dois meses, três ou quatro destacamentos guerrilheiros e, só depois de conhecer profundamente a região começar a enfrentar o exército, tinham de ser revistos. Era óbvio que os *rangers* não tardariam a persegui-los e era preciso travar o bom combate.

O sítio aonde chegaram os "alfabetizadores" estava sendo utilizado já havia alguns meses pelo comando da guerrilha e por um destacamento de reconhecimento que mapeava a região. Era um lugar seguro, em área de ocupação escassa, com boa cobertura dada pela família de camponeses que mantinha sua rotina cuidando da roça e da criação. Nos dias seguintes, sob o comando de Chato, ao pé de um monte no fim do capoeirão, cavaram um enorme buraco, na verdade uma caverna, com a entrada estreita e bem disfarçada para servir de esconderijo para armas, munições e outras tralhas de guerra que não podiam ficar expostas no casebre para não comprometer seus moradores. Foi um trabalho duro durante dois dias e quase duas noites, de cavar e espalhar a terra ao lado do roçado de milho de tal forma que parecesse com terra recém arada. Na terceira noite, o comandante Chato reuniu todo o grupo para dar as instruções.

Néstor foi encarregado de comandar um destacamento e marchar em direção ao norte para realizar operações nas comunidades do Cerro de Bala, cruzando as cabeceiras do Mapiri e do Coroico, alcançar o Tipuani e o Cansata e descer em direção a Apolo, na nascente do Turiapo. Esses rios vão formar, já quase na planície, o rio Beni que, bem mais a nordeste se junta com o Guaporé para formar o Madeira, na fronteira com o Brasil. Escolheu para seu segundo, Pepe, quase já formado em medicina, encarregado de cuidar também da saúde do destacamento. Integravam ainda o comando Ñato, Flaco e Colla, este um caboclo com algum conhecimento da geografia da região. Outro destacamento seguiu para leste, rumo a Tipuani, com objetivo de estabelecer uma cabeça de ponte em

Caranavi, ou em Coroico um pouco mais ao sul. El Chato, com o grupo de comando, permaneceu no sítio devendo deslocar-se para outras bases, secretas. A comunicação entre o destacamento e o comando seria feita por emissários ou por rádio, numa operação complexa, cada dia num horário e numa freqüência predeterminada.

Os primeiros dias de marcha por caminhos bastante acidentados renderam pouco. Faziam, no máximo, 20 a 30 km por dia, parando em alguns sítios para conversar com pessoas, criando pontos de apoio entre sitiantes e nos povoados. Depois de muitos dias de marcha, avistaram uma patrulha do exército seguindo por outra trilha mais abaixo a menos de um dia de marcha de distância. Se havia uma patrulha, esta não devia estar muito longe de um destacamento maior. Provavelmente, pronto entrariam em combate. Néstor reuniu os companheiros e decidiram ir em direção ao norte, inclinando para leste, onde poderiam criar duas rotas de fuga: uma para o Peru e outra para os alagados. Outra alternativa era descer rumo leste e um pouco para o sul para tentar juntar-se ao segundo destacamento guerrilheiro na região de Caranavi.

Pepe queria ser médico e guerrilheiro, como o Che Guevara

Pepe era quartanista na faculdade de medicina e fazia estágio no Hospital de Clínicas de La Paz. Estava entre os melhores alunos de sua turma, era muito querido pelos colegas e professores. Estava sendo forjado um grande cirurgião. Como a maioria de sua geração de classe média pacenha, quando ingressou na universidade já era simpatizante do ELN. Estava no segundo ano quando teve a grande alegria de ser aceito como militante e integrou uma coluna guerrilheira. Uma militância clandestina sem combate nem participação em ações de qualquer tipo. Tinha apenas de esperar. Fazer, como treinamento, grandes caminhadas, percorrer trilhas nos *yungas*[3] e estudar e difundir os documentos da organização. Isso o deixava bastante irritado. Queria ação.

Por outros caminhos, sua irmã e seu cunhado também tinham contato com o ELN. Quando se iniciaram os preparativos para Teoponte, muitas famílias se dedicaram às tarefas da organização.

A casa de Ilde, uma atriz argentina e militante do ELN foi transformada em ateliê de costura, onde se faziam calças e jalecos de brim verde-oliva e camisetas. Tornamos a ver Ilde em 1973, quando ela passou pelo Peru escapando da repressão em seu país. Pouco mais de 20 anos depois, os jornais noticiaram que Ilde foi a primeira das avós da Plaza de Mayo a encontrar a neta que havia sido seqüestrada pelos militares que governavam a Argentina na época da ditadura.

Eles estavam lá, mas... eram ignorados pelos meios de comunicação

Naqueles dias de duras caminhadas, havia tempo de sobra para meditar e para refletir, especialmente como tudo havia descambado para uma situação tão crítica. Pepe tinha medo de que alguma coisa pudesse acontecer a seus pais. Subestimaram o inimigo e foram negligentes com a questão da segurança. Quanta gente não comprometida com a organização não vira o que se costurava naquela casa? Subestimaram também a capacidade de resposta do Exército ao foco guerrilheiro. Os *rangers* estavam muito bem treinados e comandados por oficiais que fizeram curso de contra-insurgência nos centros de treinamento em bases que os Estados Unidos mantinham no Panamá. E lhe dava uma angústia maior ainda a falta de comunicação com os demais destacamentos da guerrilha. Como e onde estaria o comandante Chato com o núcleo de comando? Como estaria a reação das bases de apoio em La Paz? Acreditava que se o comando havia decidido iniciar as operações na selva é porque havia articulação para o desencadeamento de ações de todo tipo na capital e nas principais cidades. Contudo, quando ligavam o rádio, não ouviam nenhuma notícia que indicasse a existência de um movimento rebelde. Nenhuma palavra nem mesmo sobre Teoponte. E eles estavam lá, e o exército também estava lá.

Eles não sabiam que o exército já havia prendido e fuzilado alguns guerrilheiros. Um deles, Benjo Cruz, o cantor, foi brutalmente torturado até a morte. El Chato havia destacado uma patrulha com a missão de fazer contato com o destacamento de Néstor e buscar provisões em alguns povoados. Não tardou para o grupo ser interceptado por um esquadrão do exército. Travaram um combate desigual. Feridos e sem munição caíram presos. O comando da tropa oficial exultou ao reconhecer Benjo Cruz que carregava seu violão. Os guerrilheiros estavam atados uns aos outros com arame pelos dedos. Isso aconteceu num povoado, perto de Caranavi, onde Néstor queria encontrar-se com Chato. O assassinato foi testemunhado pela população local, numa manobra intimidatória do exército.

Pouco depois disso, o exército se enfrentou com a retaguarda do destacamento principal, sob o comando de Chato Peredo. Foi outra chacina. Chato e mais sete companheiros conseguiram escapar embrenhando-se no mais denso da mata. Ferido, Chato foi resgatado uns dias depois por um grupo de garimpeiros. Os mineiros se mobilizaram para evitar que Chato fosse fuzilado ali mesmo, em Tipuani. Aí, então, foi formada uma Comissão Pacificadora, integrada por representantes da Igreja, da Universidade, da Cruz Vermelha e da Federação de Radialistas para resgatar e preservar a vida dos outros sete. Chato foi levado preso para La Paz a 12 de outubro de 1970, quando já havia caído o governo de Ovando contra quem combatiam, numa revolução liderada pelo general Juan José Torres, que assumiu a presidência e mandou dialogar com os guerrilheiros. Há mais de um capítulo dedicado a Torres mais adiante neste livro.

Todos acharam que ele estava sonhando... O sono era profundo, definitivo

Pepe caminhava preocupado com Néstor que se debilitava visivelmente a cada dia. Com os *rangers* praticamente nos calcanhares, o grupo não tinha descanso, nem um só minuto livre de tensão. Quando paravam em algum terreno favorável e abrigado, à noite, os *rangers* continuavam atirando, enchendo a noite com o ruído dos disparos e dos galhos partidos.

Néstor era firme em suas decisões, incisivo nas ordens, e sempre preocupado com cada membro do grupo. Quando alguém se cansava a ponto de desanimar, ele caminhava a seu lado, encorajando, ajudando a carregar a mochila já bastante minguada em provisões, mas pesada o bastante para os extenuados jovens. Há cinco dias e cinco noites que estavam tentando romper o cerco dos *rangers* para chegar ao povoado de Coroico, onde achavam que poderiam ter reforço do agrupamento de Chato ou simplesmente conseguir um pouco de provisões nos armazéns locais e tentar obter notícias sobre os demais companheiros. Foi depois de tomar essa decisão que Néstor chamou o grupo para uma reunião e pediu que, se alguma coisa lhe acontecesse, deveriam continuar sob o comando de Pepe. Já se haviam passado quase vinte dias do assalto à draga da Southern, primeira ação da guerrilha, realizada para dar-se a conhecer, logo depois da descida a Teoponte.

Começou a faltar comida. Dispunham de uma exígua ração à base de latas de atum e broto de alguma erva que se comia de manhã e à noite. Caçar ou cortar uma palmeira para obter o palmito, nem pensar. Isso demandaria tempo, faria barulho que chamaria a atenção do exército. Pepe surpreendeu Néstor repartindo sua ração com um companheiro. Sabia que isso vinha ocorrendo e chamou-lhe a atenção advertindo que o alimento que cabia a cada um era o mínimo indispensável à sobrevivência e, portanto, todos deviam comer a sua cota. Mas Néstor argumentou que estava bem, que o companheiro necessitava mais que ele.

Num final de tarde, tiveram que parar para que Pepe fizesse curativo nos pés de alguns companheiros e se improvisasse alguma proteção para os pés na base de fibras de palma. Alguns coturnos estavam estraçalhados. Néstor sentou-se recostando no tronco de uma árvore. Pepe aproximou-se perguntando se tudo estava bem, se necessitava alguma coisa. Néstor confessou que estava muito cansado, que o deixassem descansar alguns minutos. Fechou os olhos. Sonhou, talvez, que estava na Universidade, havia uma grande festa, bandeiras da Bolívia e do ELN por toda a parte. Agora estava no *El Prado*, a principal avenida de La Paz, multidão de gente alegre pelas ruas. Todos iam para o *Palácio Quemado*, sede da presidência da República. A revolução havia triunfado. Caminhava ao lado de seu pai, que há tanto tempo não via. E viu também Jaime, seu irmão, que falava ao povo.

Depois de 40 minutos no improvisado acampamento, Pepe achou que era hora de seguir. Ficar mais tempo significaria risco.

Foi com Ñato acordar Néstor. Mas seu sono era profundo, definitivo. Fizeram uma cova rasa e marcaram bem o lugar para que pudesse facilmente ser encontrado e, um dia, feito um funeral católico como seria de seu agrado.

Anos depois, em 1989, Jaime Paz Zamora, irmão de Néstor Paz e principal dirigente do MIR, assumiu a presidência da República, num dos raros períodos de abertura democrática. Jaime estava longe de poder realizar o sonho revolucionário de seu irmão Néstor. No entanto, certamente conquistou um lugar na história da Bolívia. Seu governo realizou a façanha de limpar o exército dos elementos mais reacionários, profissionalizou a instituição e com isso assegurou o mais longo período de estabilidade política já vivido no país.

Notas

1. Mestiço com índios da floresta, corresponde ao nosso caipira.
2. O Movimento de Esquerda Revolucionária (MIR) havia sido criado para ser o braço político do ELN, organização guerrilheira criada pelo Che e que foi dizimada pelo Exército boliviano.
3. Região de mata tropical nas fraldas da cordilheira.

3. Torres

¿Piensan ustedes que
yo soy el homo sapiens?

General Iriarte, gorila boliviano[1]

Madrugada de 6 de outubro de 1970. Com o jornalista uruguaio Álvaro Lemes estávamos, desde 8 horas da noite, em frente à casa do presidente da República, general Ovando Cándia. Sob um clima de grande tensão, um entra e sai permanente de gente, a maioria fardada, altos oficiais do Exército, um ou outro ministro de Estado. De vez em quando circulávamos pelo jardim ou pelo vestíbulo, para ver se algum de nossos conhecidos nos dava uma notícia fresca.

Desde a tarde do dia 5 estava em andamento o golpe do general Rogélio Miranda, comandante do Exército, contra o presidente Ovando. Com apoio de mais de 200 oficiais e os comandantes das Forças Aérea e Naval, ele se declarara presidente. Ovando não aceitou e a Bolívia ficou com dois presidentes. O vaivém contínuo de militares evidenciava o esforço que se fazia para medir a correlação de forças. Teoricamente, quem tivesse a adesão de maior número de bases militares ou regimentos ganharia a parada.

O general Juan José Torres, recentemente destituído do Comando Geral das Forças Armadas, não escondia sua angústia e seu grande nervosismo. O pessoal mais ligado a ele e os ministros de esquerda do gabinete de Ovando, mais otimistas, ainda acreditavam que o presidente não cederia e botaria os golpistas para correr. Ovando havia tido um papel dos mais importantes na reorganização das Forças Armadas, praticamente destruídas na revolução do Movimento Nacionalista Revolucionário (MNR)[2] em 1952. Depois foi o segundo homem mais poderoso no governo do general René Barrientos[3]. Quando este morreu, em um acidente de helicóptero em 27 de abril de 1969, assumiu seu vice, Siles Salinas, com a intenção de convocar eleições gerais logo em seguida. Ovando não esperou. Deu um golpe e assumiu o governo em 26 de setembro de 1969, e iniciou um governo de caráter progressista, convocando intelectuais de esquerda para seu ministério[4].

Eram 6 horas da manhã quando Ovando assinou sua renúncia e um emissário saiu para entregá-la a Miranda. Nesse momento, Miranda também renuncia e entrega o poder a uma Junta Militar integrada pelos três ministros militares: Exército: Efraim Guachalla[5], Aviação: Fernando Sartori e Marinha: Alberto Albaracín, que junto com Miranda havia ocupado o Palácio Quemado, sede da Presidência. Albaracín foi quem, pressionado por jornalistas em uma entrevista coletiva, nervoso por não ter a mesma fluência das perguntas nas respostas, apelou: *Calma! Piensan ustedes que yo soy el homo sapiens?*. Não. Nem ele nem seus companheiros de Junta, nem o próprio general Rogélio Miranda, que semanas antes, como comandante do Exército do presidente Ovando, havia ordenado a verdadeira chacina da Guerrilha de Teoponte. Com esses três, somaram cinco os presidentes.

Parecia que tudo estava terminado. Fui para casa preocupado, pensando qual seria a melhor maneira de escapar com segurança de La Paz. Estava convencido de que uma junta fascista no governo não tardaria nem três dias para localizar-me e entregar-me aos militares brasileiros.

Deveriam ser umas 7 horas. Com Bia, arrumávamos uma pequena mala dialogando sobre as alternativas para deixar o país. Poderia ser de ônibus: primeiro ônibus urbano, até El Alto, depois intermunicipais até o Titicaca e aí se veriam as possibilidades de cruzar a fronteira para o Peru. Outra alternativa seria obter ajuda de alguém que nos levasse de automóvel. Também poderia ser de avião, caso se conseguisse dinheiro suficiente — o que não era nada fácil. E havia também a alternativa de pedir asilo político nas embaixadas da Argentina ou do Peru, a de mais fácil acesso.

A Guerra de comunicados foi decisiva para a vitória

Estávamos conjeturando sobre possíveis rotas de fuga quando alguém bate forte na janela do quarto. Aliás, quarto, sala e cozinha num mesmo espaço e um pequeno banheiro, no bairro de Sopocachi Alto, que havíamos "herdado" do jornalista francês Jean Leclerc, que retornara à sua base em Paris. O ruído das batidas nervosas prosseguia e ouvimos a voz alterada por emoção: *Canna! Abre..., soy yo, Lemes.*

Lemes estava bastante excitado: *"Qué haces aquí, carajo! Torres disse que não aceita a Junta e se sublevou. Está aquartelado na Base Aérea de El Alto, com apoio dos Mustangs*[6]*. Você não acha que devemos ir para lá?"* Torres havia se proclamado presidente. Era o sexto em dois dias.

Fomos tomados de igual emoção e entusiasmo. Se vai haver resistência ao golpe, só temos que nos somar. Lemes tinha um 38 enfiado na cinta, abaixo do umbigo. Eu, minha Bereta e minha Laika, que por sorte estavam carregadas. E lá fomos nós rumo a El Alto.

Fomos de táxi. O trajeto foi tranqüilo, pouca gente pelas ruas. As notícias ainda não se haviam espalhado. O coronel Egberto Olmos, comandante do Grupo Aéreo de Combate, havia oferecido sua base para ser o Quartel General da resistência. A uns 100 metros do portão da Base o trânsito estava interrompido. Soldados formavam um cordão proibindo a aproximação inclusive de pedestres. Encontramos Augusto Montesinos Hurtado[7], jornalista, grande e leal amigo. Havia sido secretário privado do efêmero ex-presidente Siles Salinas, conhecia todo mundo, sobrevivia colaborando com os jornais locais e com uma emissora de rádio. Logo apareceu outro jornalista, um italiano cujo nome não me lembro, colaborador do *Unità*[8].

Insistimos com os soldados para que chamassem um oficial. Veio um sargento. *"Somos jornalistas e queremos entrar"*. *"Não se pode"*. *"Sim, podemos. Avise seu superior"*. Veio um tenente. Insistimos. *"Queremos falar com o general Torres. Quem está com ele? Sabemos que o ministro Ortiz está com ele. Por favor, diga ao ministro Ortiz que o jornalista brasileiro, que trabalhou com ele, outros jornalistas, um uruguaio, um italiano e Augusto Montesinos que ele também conhece, estão aqui para defender a posição assumida pelo general Torres"*. O tenente entrou e pouco depois voltou acompanhado do jornalista Ted Córdoba[9] e nos levaram para dentro da base.

Ted era amigo do general Torres, amigo também de Pepe Ortiz e de Jorge Gallardo, os três personagens principais do comando da sublevação que se desencadeava. Torres nos recebeu e explicou suas intenções. Oferecemos nossa ajuda e ele ordenou que nos entendêssemos com Ted e Pepe Ortiz. Integramos então o que se poderia chamar de pequeno núcleo de informação e contra-informação. Torres se convenceu facilmente de que a revolução que se iniciava devia ter uma só fonte de informação. Então decidiram que o porta-voz seria Ted Córdoba. Dos telefones públicos nas proximidades da base e do aeroporto, passávamos para as agências de notícias e para as rádios as informações. Do comando saíam os comunicados militares e os pronunciamentos de Torres.

Jorge Mancilla, mais conhecido como Coco Manto, jornalista e poeta maior, de plantão na *Rádio Altiplano*[10], entendeu prontamente a situação e manteve um canal aberto para as informações que eu e Montesinos passávamos. Ele dava as notícias em espanhol e logo fazia um comentário em quíchua. A participação de Coco na rádio dos mineiros foi, sem dúvida, um dos fatores decisivos para a vitória de Torres, informando, mobilizando e sensibilizando o povo.

A luta se travava em duas frentes. A do comando, articulando e costurando adesões de oficiais com mando de tropa. E a dos comunicados. Uma verdadeira guerra de comunicados. E os sublevados levávamos vantagem nessa guerra porque tínhamos do nosso lado o aparato de comunicação dos sindicatos de trabalhadores e o apoio de profissionais antifascistas em quase todos os meios de comunicação.

Ainda de manhã, pouco depois do anúncio, transmitido pela rádio do Batalhão Colorados de Bolívia[11], dando conta de que estava instituído um Triunvirato e que o general Miranda assumia a direção do País, a rádio leu uma declaração em que Torres afirmava que, com o apoio dos oficiais honestos e respeitadores do povo, assumia o poder provisório da República. Nessa altura havia realmente uma grande confusão no país, ninguém sabia quem era quem e para onde se iria caminhar. Mas Torres sabia que estava empolgando as massas.

Em torno das onze horas da manhã, Torres fez um emotivo pronunciamento pelo rádio. Enfático, mencionava o apoio de importantes bases militares e frisava que o que mais importava era o apoio que vinha recebendo do povo, porque sua intenção era instituir uma democracia com participação popular para vencer o atraso e acabar com a exploração. Foi o suficiente para que trabalhadores deixassem suas fábricas para armar barricadas pelas ruas de La Paz. No Altiplano, mineiros bloquearam e minaram com suas dinamites as principais estradas de acesso à capital. Estudantes apoiados por milícias de trabalhadores começaram a ocupar algumas rádios, colocando-as em cadeia com a rádio Altiplano. Emocionados, jovens oficiais desobedeciam a seus superiores e desertavam para somar-se às tropas leais a Torres.

O coronel Samuel Gallardo, irmão de Jorge Gallardo, que havia sido ministro do Trabalho de Ovando, articulou, a pedido de Torres, o apoio das organizações de trabalhadores. Estes deflagraram uma greve geral que realmente paralisou todo o país. À noite começaram a chegar à base, para dialogar com Torres, os dirigentes das principais organizações de trabalhadores, partidos de esquerda e a esquerda dos partidos de centro. Líderes carismáticos, de longa trajetória de luta, como Juan Lechín Oquendo, presidente da Central Operária Boliviana (COB) e do Partido Revolucionário de Esquerda Nacional (PRIN); Filemon Escobar, do Partido Operário Revolucionário (POR); Simón Reyes, do Partido Comunista Boliviano (PCB); os dirigentes da COB, da poderosa Federação de Trabalhadores Mineiros (FTM), da Central Universitária Boliviana (CUB), da Federação Universitária, e outras.

A presença da liderança operária, tida como comunista, eriçou grande número de militares. Tratava-se de uma hostilidade histórica. Logo corria a advertência: "*Los comunistas quieren acabar com la institución armada y sustituírla por milicias obreras*"[12]. Seguiram-se momentos de grande tensão. A unidade das forças revolucionárias, por um fio. Só a grande capacidade de liderança e o respeito que impunha a personalidade de Torres permitiu que, com muito custo, a situação fosse controlada.

No final da tarde, enquanto a Junta golpista prestava juramento no palácio presidencial, alguns Mustangs da base de *El Alto* faziam vôos rasantes intimidatórios sobre agrupamentos de adeptos dos fascistas. À noite, também chegaram os emissários do general Miranda, autonomeado presidente. Formavam uma comitiva encabeçada pelo general Fernando Sartori, comandante da Força Aérea e um dos membros da Junta. Os emissários tinham como missão negociar com Torres e seus homens uma eventual divisão do poder. A notícia que demos pelas rádios foi a de que eles vieram para dar um ultimato aos revolucionários, mas acabaram se convencendo de que Torres tinha razão e aderiram à resistência democrática. Uma fantástica mentira que produziu um golpe tremendo na Junta e principalmente em suas bases de apoio. Os emissários de Miranda nesse instante estavam presos e incomunicáveis na Base Aérea. Não tinham, portanto, como confirmar nem como desmentir uma notícia que semeou grande confusão nos comandos das diversas guarnições. Às 5 da manhã, chegaram outros emissários informando que a Junta se rendera.

No lugar de fogos, usavam dinamite

Por volta de meio-dia, começou a descida rumo a La Paz. De todas as minas da Bolívia haviam chegado a *El Alto* caminhões lotados de mineiros. Vinham de Catavi, Siglo XX e Huanuni, grandes minas que, em 1965, foram palco de verdadeiro massacre praticado pelo exército contra os mineiros. Alguns portavam velhos fuzis Mauser da primeira guerra, com os quais haviam lutado na revolução de 1952; todos com várias pencas de dinamite penduradas pelo corpo. Torres saiu em carro fechado, escoltado por três jipes militares. Foi-se formando o cortejo: caminhões repletos de soldados armados, caminhões repletos de mineiros armados, automóveis dos residentes na região.

El Alto, onde estão situadas duas bases militares e o Regimento Tarapacá, de blindados, além do *Aeroporto Internacional J. F. Kennedy*, a 4.000 metros de altitude, era um bairro popular com uns 150 mil habitantes, principalmente trabalhadores industriais e ferroviários. Depois de *El Alto*, começa a descida para La Paz, que está numa espécie de cratera, a 400 metros abaixo. O sinuoso caminho de descida cruza vários bairros de extrema pobreza.

O cortejo descia fazendo um barulho incrível. Tiros de fuzis e rajadas de metralhadora para o ar. Os mineiros acendiam pavios curtíssimos em suas bananas de dinamite e as faziam explodir no ar, sobre as cabeças da massa popular. O povo vibrava. Levou-se quase duas horas para fazer um percurso que normalmente se faz em menos de 20 minutos. Havia uma multidão, que reunida ocupava mais de dez quilômetros para saudar a marcha triunfal. Mais uma hora para cruzar a cidade por ruas apinhadas de gente e chegar à Plaza Murillo, onde está o Palácio Quemado, sede da Presidência da República, nessa altura já ocupado pelo major Rubén Sanchez que se havia sublevado em apoio a Torres. Sanchez comandava o Batalhão Colorados de Bolívia, tropa de elite e uma das mais importantes guarnições militares de La Paz. Ao lado do Palácio, no prédio do Congresso, a liderança das organizações operárias, camponesas e estudantis, com os partidos de esquerda, haviam instalado o Comando Político da Classe Operária e do Povo e os discursos proclamavam o Poder Popular.

Eu estava ao lado de Torres quando ele entrou no Palácio e havia fotografado tudo: a descida de El Alto, as ruas de La Paz, a entrada no Palácio e os primeiros passos de Torres como presidente. No dia seguinte, quando reabriram o aeroporto Kennedy, chegaram dezenas de jornalistas europeus, norte-americanos e latino-americanos, ávidos de informação e de fotografias. Os únicos que tínhamos fotos do que acontecera éramos eu e Antonio Eguino, na época sócio de Jorge Sanjinés na produtora de filmes Ukamau[13]. Como Eguino estava filmando, fez umas poucas fotos. Mas cedeu-me filmes e o laboratório. Vendemos nossas fotos como pão quente. Inclusive fotos para capa de importantes revistas. Dividimos o faturamento, o que, para mim, na dureza em que me encontrava, foi uma bênção, pois se a coisa virasse já tinha recursos para mobilizar-me.

O primeiro ato de Torres no Palácio foi exigir uma reunião com seu pessoal mais chegado para tomar pé da situação e começar a formar a equipe de governo. Lá fora a massa, espremida na Praça Murillo, exigia sua presença, com gritos e muitos tiros. Torres foi então ao terraço para acalmar o povo. Foi uma reação impressionante, um barulho ensurdecedor. Torres estendeu os braços e o silêncio se fez. Deram-lhe um microfone e ele iniciou um emotivo discurso, expondo suas razões e intenções. Com o apoio do povo conseguira deter os fascistas e agora era o momento de iniciar a revolução libertadora. O povo vibrava e, aos gritos, exigia: *"muerte a los gorilas... los militares al cuartel... todo el poder para el pueblo"*. Torres disse que o estavam chamando para prestar o tradicional juramento de posse na Presidência da República. Estendeu a mão direita, cruzou o dedo médio sobre o indicador, como é costume dos bolivianos, e iniciou seu juramento. *"Juro ante mi pueblo trabajar por él y por la revolución liberadora."*

A reação da massa foi estrondosa. Mas continuavam gritando: *"el pueblo en el poder."* Torres mantinha seu braço estendido e, assim que o silêncio voltou, acrescentou: *"y tengan ustedes la certeza de que iremos hasta donde el pueblo nos lleve."* Foi outra grande explosão de júbilo popular. Dinamites e tiros por todo lado — até mesmo uma bala perdida podia atingi-lo naqueles momentos. Porém, esses são momentos em que os líderes parecem iluminados e protegidos por uma aura sagrada e nada lhes pode acontecer.

Para os Estados Unidos, era preciso cortar o mal pela raiz

O general Juan José Torres, de origem humilde, filho de pais mestiços, era um homem de baixa estatura porém forte, olhar confiante e firme. Tinha carisma e era muito querido, tanto por seus companheiros de armas como pelos civis que lhe eram próximos. E o povo também estava aprendendo a admirá-lo e a devotar-lhe carinho. Chamavam-no de *Petizo* ou de *Ekeko*[14]. Fez uma carreira militar brilhante; ajudara o general Ovando a assumir a presidência da República depois da morte de Barrientos e tentativa de um golpe militar. Assumiu então o posto de comandante-em-chefe das Forças Armadas. Na realidade, dividia o poder com Ovando, que realizava um governo nacionalista e democrático.

Em junho de 1967, dois meses depois de iniciada a guerrilha do Che, o exército havia ocupado as minas, mantendo os mineiros sob estrita vigilância. Em setembro de 1969, logo depois de assumir o poder, Ovando mandou retirar a ocupação e anulou uns decretos anti-sindicais, dando margem a que os mineiros iniciassem a reorganização de seus sindicatos e de seus espaços políticos. A Central Operária Boliviana (COB) ressurge com toda sua força e realiza, em maio de 1970, seu IV Congresso, que reelege Juan Lechín Oquendo presidente, e reitera a linha antiimperialista e pelo socialismo.

Torres mantinha contato permanente com o setor mais progressista do gabinete de Ovando. Em 1969/70 ocorreram dois fatos que aguçaram a ira da direita, principalmente os setores mais ligados aos interesses dos Estados Unidos e da CIA. Em novembro de 1969, em reunião da Junta Interamericana de Defesa[15], Torres solidarizou-se com os militares peruanos[16] e, em vibrante discurso, defendeu que os militares deviam deixar de ser guarda pretoriana de interesses forâneos e converter-se em combatentes ativos da libertação de seus países.

Em setembro de 1970, Torres integrou a delegação boliviana que participou na reunião dos países não-alinhados[17] em Lusaka, na Zâmbia. Aí manteve estreitos contatos e formou frente com as delegações do Peru e Cuba. A delegação retornou ao país com disposição de aprofundar as reformas que vinham sendo promovidas. Ovando, no entanto, não resistiu à pressão de seus oficiais direitistas, que agiam concertadamente com a CIA, e extinguiu a função de comandante-em-chefe das Forças Armadas, exercida por Torres, alegando ser essa função prerrogativa do presidente. Torres continuou na ativa, porém sem uma função específica e sem tropa. Depois de Torres, foi destituído o ministro das Minas, Marcelo Quiroga Santa Cruz, intelectual de esquerda que mais tarde seria um dos fundadores do Partido Socialista e, nesse momento, se enfrentava com os grupos monopolistas. Foi o início do fim do governo de Ovando. Miranda, no comando do Exército, encorajou-se achando que chegara sua vez e armou o golpe. Torres reagiu e virou a mesa com apoio popular.

No Panamá, também em 1968, o governo de Omar Torrijos propiciava uma revolução social no âmbito interno e uma verdadeira guerra diplomática contra os Estados Unidos na frente externa. O Chile, governado pela Democracia Cristã, com Eduardo Frei na presidência, assegurava uma abertura democrática — e a esquerda estava pronta para ganhar as eleições, com o candidato Salvador Allende, do Partido Socialista. Tudo isso contrariava a estratégia dos Estados Unidos com relação à América Latina. Para eles, era preciso cortar o mal pela raiz.

Nessa época, os Estados Unidos pretendiam impor uma divisão de trabalho no hemisfério, para assegurar sua hegemonia. A Argentina seria grande produtora de alimentos e teria um reduzido parque industrial de tecnologia de ponta, por possuir mão-de-obra mais bem habilitada. Para o Brasil, as indústrias que requerem insumos e mão-de-obra baratos e reserva estratégica para a produção de alimentos e manutenção da biodiversidade. O resto: resto. Essencialmente mercados consumidores, exportadores de produtos primários, com alguns meios de produção necessários para manter o nível de consumo. Chegamos aos anos da globalização com a estratégia realizada e isso é considerado o maior feito histórico da política exterior dos Estados Unidos — maior que a participação da Segunda Guerra Mundial. Em outras palavras, conquistou o Brasil e desmontou sua infra-estrutura produtiva sem dar um tiro.

As lideranças populares vitoriosas abriram mão de qualquer participação no governo

Depois de jurar diante do povo, Torres ingressou no salão de atos da Presidência da República. Aí teve de prestar juramento formal e ser instituído presidente. A ala esquerda do que fora a equipe ministerial de Ovando estava toda lá, hipotecando apoio. Mariano Baptista Gomúcio (da Educação), Marcelo Quiroga Santa Cruz (das Minas), Pepe Ortiz (do Planejamento) e seus cepalinos, Flávio Machicado e Gustavo Luna, entre outros. Torres queria todos eles na sua equipe de governo. Pepe Ortiz não quis o Ministério de Planejamento, aceitou ser ministro de estado, — um ministério sem pasta para fazer política —, indicou Luna para o Planejamento e Machicado para a Fazenda. Jorge Gallardo assumiu o Ministério do Interior — que cuida da segurança do Estado, e seu irmão,

Samuel, o Estado Maior das Forças Armadas. Estavam também presentes líderes sindicais e os representantes do Comando Político da Classe Trabalhadora e do Povo, liderados por Juan Lechín Oquendo. Torres os chamou e ofereceu quatro ministérios para serem preenchidos pelo Poder Popular. A Assembléia instalada em caráter permanente do outro lado da praça rechaçou a oferta. Torres insistiu oferecendo então oito ministérios, a metade de seu gabinete. Os líderes pediram prazo de 12 horas para dar a resposta.

No dia seguinte, 8 de outubro de 1970, quando Torres, com metade de seu gabinete, esperava a lista das lideranças populares, teve notícias de que havia grande inquietação nos comandos militares. Unidades de Oruro e de Santa Cruz, além do comandante do Colégio Militar, coronel Hugo Banzer, não aceitavam a idéia de "entregar o país aos comunistas". Banzer, com ajuda de Ovando, articulava para unir forças contra a permanência de Torres. Não conseguiu, mas Torres teve de ceder para manter a correlação de forças a seu favor. As lideranças populares abriram mão de qualquer participação no governo, anunciaram que permaneceriam em Assembléia Permanente para fiscalizar os atos do governo e propor medidas de interesse popular, e anunciaram o início do processo para, em maio, instalar a Assembléia Popular. Temendo levar o país a uma guerra civil, Torres formou um gabinete parecido com o de Ovando, de corte nacionalista e desenvolvimentista, aberto ao diálogo com as forças populares e manteve bom número de oficiais de duvidosa lealdade em postos de comando.

Ted Córdoba continuava como seu porta-voz e foi nomeado Secretário Privado do Presidente, cargo que, no Brasil, corresponde ao de chefe da Casa Civil. Logo convenceu Torres de que seu lugar não era no Palácio, e sim organizando a comunicação de apoio à Revolução. Era preciso ter um jornal e uma televisão, porque sem meios de comunicação seria difícil fazer avançar o processo. Torres pediu que ele formalizasse a proposta. Ted pediu minha ajuda e fizemos o projeto para um jornal diário e para uma emissora de televisão. Viajei para Santiago e Buenos Aires em busca de equipamentos e materiais gráficos. A idéia era arrendar as instalações do vespertino *Jornada*. Torres aprovou de imediato e encarregou Ted de executar o projeto. Jorge Soares ficou sem o seu jornal, mas ganhou o posto de embaixador, nada menos que na Embaixada da Bolívia no México. Lançamos, então, o diário *El Nacional*. Ted era o diretor; eu, secretário de redação, ou seja, editor. Logo Ted entrou de cabeça no projeto da televisão, deixando-me praticamente sozinho. Fazíamos um tablóide com cara de jornal popular, informando sobre os atos do governo revolucionário e dando espaço para os intelectuais de esquerda se manifestarem.

À medida que a conspiração contra Torres evoluia, o jornal e seu pessoal passaram a ser alvo de ameaças, particularmente do grupo paramilitar da ultradireita Falange Socialista Boliviana (FSB). Isso obrigou o coletivo de trabalhadores a organizar um esquema mínimo de defesa. A COB cedeu um fuzil e vários pentes, que ficavam sob a custódia de um linotipista. De um assessor do Ministério do interior, jornalista Mario Rueda Peña, conseguimos uma metralhadora portátil. Como parte do esquema de defesa, havia muitas bananas de dinamite, estopins e pavios guardados nas gavetas das escrivaninhas dos jornalistas.

Notas

1. General Iriarte foi um dos comandantes das tropas que combateram a guerrilha do Che. Pressionado por jornalistas durante uma coletiva de imprensa, nervoso por não ter a mesma agilidade das perguntas nas respostas disse: *¡calma! ¿piensan ustedes que yo soy el homo sapiens?*

2. Movimento Nacionalista Revolucionário que comandou a sublevação na área urbana que culminou com a Revolução de 1952. Há referências pormenorizadas sobre esse movimento no Cap. 5.

3. O general de aviação René Barrientos foi treinado na Escola das Américas, unidade de treinamento que os Estados Unidos mantinham em uma de suas bases militares no Panamá. Barrientos assumiu o poder por meio de um golpe de estado e governou a Bolívia de 1964 a 1969.

4. Marcelo Quiroga Santa Cruz, ministro das Minas; Mariano Baptista Gomúcio, ministro da Educação, José Ortiz, ministro do Planejamento, Flávio Machicado, encarregado da Estratégia de Desenvolvimento, Alberto Bayle e outros.

5. Guachalla foi quem presidiu o Tribunal de Guerra que em 1967 julgou os guerrilheiros do ELN, presos em Camiri.

6. Mustang: avião monomotor a jato de fabricação inglesa. Estavam artilhados com foguetes e metralhadora ponto 50.

7. Jornalista boliviano. Mais tarde, exilado no Peru, foi correspondente da revista *Visão* e depois da *Veja*.

8. Era um jornal diário do Partido Comunista Italiano (PCI), editado em Roma.

9. Chefe de redação do vespertino *Jornada*, no qual o autor deste livro era colaborador.

10. Emissora de grande potência de propriedade da Federação dos Trabalhadores nas Minas.

11. Uma das principias guarnições da capital e também a guarda presidencial.

12. A preocupação tinha razão de ser, pois, em 1952, a revolução operário-camponesa liderada pelo MNR acabou com o Exército e criou as milícias operárias.

13. A Produtora *Ukamau* ganhou prêmio no Festival pelo filme *Sangue de Condor* que conta o drama imposto por programas de esterilização de mulheres financiados e executados por ONGs estadunidenses. O filme foi rodado numa isolada comunidade indígena.

14. *Petizo* significa baixinho e *Ekeko*, um anão da mitologia incaica que carrega nas costas todas as coisas de que um homem necessita.

15. A JID foi criada no âmbito da OEA, por iniciativa dos Estados Unidos, para ser o braço armado do Tratado Interamericano de Assistência Recíproca, mais conhecido como Tratado do Rio de Janeiro de 1947. Esse tratado reza que qualquer agressão armada perpetrada por um Estado contra qualquer Estado americano, será interpretado como um ataque a todos.

16. No Peru, em outubro de 1968, o general Juan Velasco Alvarado liderou um grupo de coronéis num movimento que culminou com a deposição do então presidente Belaunde Terry e a instalação de um governo revolucionário, cujas principais bandeiras eram libertar-se da ingerência dos Estados Unidos nos assuntos internos e colocar as Forças Armadas no comando de um processo de desenvolvimento autônomo, que começou com uma reforma agrária radical e a expropriação dos campos de petróleo. Neste livro é dedicado mais de um capítulo ao Peru dessa época, em particular o de número XIV.

17. O Movimento dos Países Não-Alinhados era um foro de articulação política e de estratégicas dos países em desenvolvimento no âmbito das Nações Unidas. Defendia a eqüidistância dos dois blocos em confronto na Guerra Fria.

4. Assembléia

El Palacio Legislativo há dejado de ser el
Templo de las Leyes para convertirse en
el cenáculo del Primer Soviet en América del Sur

Mario Gutiérrez, presidente de Falange Socialista[1]

A dominação espanhola sobre o Alto Peru (Bolívia) foi das mais cruéis. Era demasiado grande a riqueza que extraíam de suas minas. Como o escravo africano não se adaptava bem às grandes altitudes, optaram por escravizar os nativos. Incas, aimarás e outras nações menores eram sociedades organizadas, com suas crenças, artes, seus idiomas, modos de produção. Essas culturas dominavam técnicas arquitetônicas anti-sísmicas, irrigavam seus cultivos por meio de canais, dominavam a ourivesaria e teciam magistralmente. Os espanhóis os obrigavam a deixar de ser camponeses ou artesãos, alienavam-nos, drogavam-nos e os "queimavam" como carvão nos fundos das minas.

A resistência dos povos indígenas à opressão foi sempre uma constante. O maior herói boliviano, Túpac Katari, liderou, em 1780, uma grande rebelião que levou dois anos para ser sufocada. Em 1809, outra sublevação, protagonizada pela oligarquia rural, liderada por Pedro Domingo Murillo, criou a *Junta Tuitiva* de La Paz, que exigia a independência. Esta, no entanto, vai ocorrer somente em 1825, e o país passou a se chamar Bolívia. Abandonou, então, a subserviência aos comerciantes do Prata, para aliar-se aos do Peru.

Com a independência, consolidou-se o poder da *rosca*, a oligarquia proprietária de latifúndios e minas, que manteve a mesma estrutura de dominação e exploração imposta pelos espanhóis. O crescimento das populações urbanas, a modernização, a partir de 1920/1930, provocou sucessivos confrontos das massas com o poder. Nesse clima, surgiram as organizações sindicais e políticas até hoje poderosas, como a Central Operária Boliviana (COB), a Federação dos Trabalhadores Mineiros (FTM), o Partido Comunista Boliviano (PCB) e o Movimento Nacionalista Revolucionário (MNR). Em 1951, o MNR[2] ganhou as eleições e foi impedido de tomar posse. Assumiu, então, a liderança da oposição num movimento de protesto que iria culminar com a grande insurreição popular de 1952.

A Revolução Boliviana de 1952 foi a maior revolução social nas Américas, depois da Revolução Mexicana de 1910, e só seria suplantada, a partir de 1959, pela Revolução Cubana. Após infringir uma derrota total ao exército e substituí-lo por milícias populares, acabou com o poder das oligarquias agrária e mineira, liquidou com os latifúndios por meio da reforma agrária e nacionalizou as minas de prata e estanho que fizeram a fortuna dos clãs Patiño[3], Hotschild e Aramayo, os conhecidos barões do estanho.

A revolução teve, como principais dirigentes, Victor Paz Estensoro, do MNR, e lideranças operárias de grande projeção, como Hernán Siles Suazo e Juan Lechín Oquendo, que garantiram a participação dos trabalhadores e organizaram as milícias operárias. Essa revolução de caráter nitidamente anti-oligárquico teve, paradoxalmente, o apoio da Falange Socialista (FSB).

Victor Paz Estensoro foi presidente de 1952 a 1956, e o vice Hernán Siles Suazo, assumiu a presidência de 1956 a 1960. Reeleito, Victor Paz governou de 1960 a 1964. No final de seu mandato, fez aprovar por plebiscito uma emenda que lhe garantiu a reeleição. Assumiu, assim, novamente a presidência tendo o general René Barrientos como vice — o qual, três meses depois, desfechou-lhe um golpe e assumiu a presidência, tendo o general Ovando Cándia como vice. Com todos os percalços, o MNR, oriundo de uma revolução radical, foi o único poder na Bolívia, de 1952 a 1964.

E foi o MNR, um partido de pequena burguesia urbana com forte apoio de massa, que, uma vez no poder, conduziu a reorganização do Estado e do Exército e também da atividade sindical, até que foi alijado do poder pelo golpe dos generais René Barrientos e Ovando Cándia. A máquina do estado, no entanto, continuava sendo *emenerrista*. O partido era muito bem organizado, com ampla participação dos estamentos médios dos principais centros urbanos e das grandes massas camponesas.

No suntuoso palácio da oligarquia, o povo instalou o primeiro Soviet em terras americanas

A velha e imponente catedral, o *Palácio Quemado,* sede da Presidência da República e o Palácio Legislativo, este de construção mais recente, dominam a paisagem da *Plaza Murillo,* a principal da cidade de La Paz, cenário de grandes manifestações e importantes acontecimentos históricos.

Nessa praça, a 7 de outubro de 1970, em meio à multidão, uns três mil operários e mineiros, armados com velhos *mausers*[4] e pencas de dinamite, deram salvas ao novo presidente, o general Torres, que afirmava que a revolução que se iniciava iria até onde o povo a levasse. Essa mesma multidão encheria a praça dez meses depois, a 20 de agosto, para exigir que o presidente lhe entregasse armas para assegurar o cumprimento de sua promessa. Relato esses fatos nos próximos capítulos VI e VII.

Pouca coisa tinha mudado no cenário da histórica praça. O Palácio Legislativo, onde outrora se reuniam os representantes da *rosca,* ou os profissionais da política tradicional, permaneceu fechado por muitos anos. Ele foi reaberto e ocupado pelo Comando Político da Classe Operária e do Povo no mesmo dia em que Torres ocupou o Palácio Quemado. Depois de passar por uma reforma, o suntuoso palácio, com cúpula de cristal colorido sobre um plenário de luxuosas cadeiras Luís XV, foi entregue a trabalhadores dos campos e das cidades que integravam a Assembléia do Povo. O presidente da radical Falange Socialista Boliviana (FSB), Mário Gutiérrez, refletindo o sentimento da burguesia tradicionalista diante desse fato, disse que *"o Palácio Legislativo deixava de ser o Templo das Leis para converter-se no cenário do Primeiro Soviet na América do Sul."*

Os integrantes da Assembléia rechaçavam qualquer paralelo com o modelo soviético lembrando que, em 1952, após o triunfo da revolução, a Central Operária Boliviana (COB) se erigira em poder real e não legal e obrigara o governo a ditar as medidas reclamadas pelas massas populares. Nesse momento, comprovou-se a força concentrada do proletariado e das organizações profissionais e políticas. Essa era a força do Comando Político da Classe Operária e do Povo, agora consolidado na Assembléia Popular, que se constituiu como órgão de direção política dos trabalhadores e do povo.

Estatutariamente, a Assembléia deveria ter em sua composição 60% de operários: 132 delegados de organizações proletárias; 53 delegados de organizações de classe média; 23 delegados de organizações camponesas e 13 delegados dos partidos políticos. A Central Operária Boliviana (COB), as Federações dos Sindicatos mineiros e das Fábricas — *fabriles* —, e outros sindicatos e federações, como a dos bancários, dos trabalhadores na imprensa, Confederação de Estudantes Universitários etc., constituíam a força principal que deveria dar conteúdo e direção à Assembléia. Outra grande e poderosa organização era a Confederação dos Camponeses, com amplas bases, mas de liderança pouco experiente, que não conseguia muito espaço entre os antigos e experientes líderes operários.

Além das organizações de trabalhadores, tinham assento na Assembléia os representantes dos partidos políticos de esquerda: Partido Comunista Boliviano (PCB)[5], de Mario Monje, Kole Cueto, Simón Reyes etc; Partido Comunista Marxista Leninista (PCML)[6], dirigido por Oscar Zamora; Partido Socialista Boliviano (PSB), de Marcelo Quiroga Santa Cruz; Movimento da Esquerda Revolucionária (MIR)[7], com lideranças saídas da Democracia Cristã (DC) e intelectuais marxistas independentes ou egressos do MNR; o Partido Revolucionário de Izquierda Nacional (PRIN), do líder mineiro Juan Lechín; o Partido Operário Revolucionário (POR)[8], de Guillermo Lora; Democracia Cristã Revolucionária (PDC), ou seja, a esquerda dissidente da Democracia Cristã; e o Movimento Revolucionário Espartaco, um grupo de intelectuais espartaquistas[9], liderado pelo professor René Zavaleta Mercado.

Antes mesmo que se instalasse a Assembléia Popular, havia certa apreensão com relação à posição que seria adotada pelo governo diante de uma provável dualidade de poder. A contradição era evidente. Torres nomeara uma comissão para elaborar o projeto de uma nova Constituição que deveria ser aprovada em plebiscito, após o que seriam convocadas eleições *"en las cuales la majestad de la soberanía popular designe a sus legítimos mandatarios."* Paralelamente, o que se apresentava como objetivo estratégico da Assembléia era a assunção plena ao poder. A 1° de maio, na sessão inaugural, os representantes operários haviam dito um categórico *não* à nova Constituição, às eleições e a qualquer tipo de parlamento tradicional. Buscando conciliação, o governo lembrava a origem comum do governo revolucionário e da Assembléia Popular nas jornadas de 7 de outubro.

A Assembléia Popular instituiu a participação do trabalhador na gestão das empresas

A sessão inaugural da Assembléia Popular ocorreu em 1° de maio, com participação de todas as organizações de trabalhadores e todos os partidos de esquerda, e a assistência discreta dos ministros de esquerda de Torres. A principal decisão foi que a Assembléia começaria seus trabalhos em 26 de junho. De 1° de maio a 23 de junho de 1971 foram realizadas em todo o país as Assembléias Populares Distritais para eleger os delegados para a Assembléia Popular Nacional. Todas as organizações sindicais, no nível departamental (estadual) e nacional, também elegeram seus delegados assim como todos os partidos políticos de esquerda.

Em meados de junho, véspera da instalação da Assembléia, o país vivia um clima de forte tensão, com crescentes rumores de golpe. No dia 19, a Confederação Nacional de Empresários Privados lançou documento conclamando o povo a unir-se contra o caos e a anarquia reinante e contra o perigo de comunização. No dia seguinte, o governo respondeu que se a ameaça de locaute dos empresários fosse concretizada, os meios de produção seriam entregues aos trabalhadores. Nessa mesma época, a direita criou o Exército Cristão Nacionalista (ECN), que começou suas atividades ocupando uma rádio na capital e declarando guerra ao "governo comunista". Era tal a expectativa de golpe que, quando se instalou a Assembléia Popular, em 26 de junho de 1971, a primeira disposição aprovada em sua primeira reunião formal dizia: "*... em caso de golpe de estado, a Assembléia Popular determina que a primeira resposta das massas trabalhadoras será a greve geral e a ocupação imediata dos locais de trabalho ... e, como expressão do poder operário, assumirá a direção política e militar das massas em combate e lutará até expulsar do país definitivamente a direita, o fascismo e o imperialismo*".

Instalada a Assembléia Popular, elegeu um *praesidium* para conduzir seus trabalhos e, para presidi-la, o mais velho e popular líder operário do país, presidente da Central Operária Boliviana (COB), presidente do Partido Revolucionário da Esquerda Nacional (PRIN), Juan Lechín Oquendo.

Lechín começou a trabalhar muito jovem nos fundos das minas, onde também foi apontador, conquistou postos de direção sindical, cresceu como líder até que teve um papel decisivo ao lado de Siles Suazo, na revolução do MNR de 1952. Foi ministro no primeiro governo emenerrista de Paz Estensoro (1952/56) e, desde essa época, manteve-se como um dos mais importantes dirigentes dos trabalhadores bolivianos. Tinha 57 anos quando foi eleito presidente da Assembléia Popular.

Estávamos testemunhando o fato de que pela primeira e única vez na América do Sul, oficiais e soldados, em aliança com a classe operária e camponeses organizados, com apoio de intelectuais de esquerda, detiveram um golpe fascista, tomaram o poder, instalaram um governo revolucionário e se instituiu uma Assembléia Popular.

Contudo, tanto a sessão inaugural como as primeiras sessões da Assembléia Popular evidenciavam que, apesar de ter em sua composição 60% de operários, faltava, sobretudo, coesão na frente de esquerda. Entre intelectuais e dirigentes se perdia um tempo enorme discutindo conceitos e teorias, até mesmo qual o papel e a responsabilidade final da Assembléia. A ultra-esquerda afirmava que essa não era ainda a revolução da classe operária e agitava o país com ocupações de terras e outras propriedades. Havia quem perguntasse se primeiro teriam de ser capturados os meios de produção e postergar a tomada do poder, ou se deveria antes capturar o poder para controlar os meios de produção. Só não se discutia o sexo dos anjos.

Assim mesmo, a Assembléia aprovou projetos importantes, como o apresentado pela Federação Sindical de Trabalhadores Mineiros, instituindo a co-participação dos trabalhadores na condução e administração da *Corporação Mineira da Bolívia (Comibol)*, o principal suporte econômico do país, monopolizadora da extração e da comercialização dos minérios. O gerente geral da empresa deveria ser escolhido pela diretoria de uma lista de três nomes propostos pela Federação Mineira. O governo não se opôs à participação, mas trabalhou para que fosse aprovado seu projeto, no qual a escolha e nomeação do gerente geral eram prerrogativa do Presidente da República.

A Assembléia Popular também aprovou resolução em favor da pronta expropriação e entrega do jornal *El Diário* a uma cooperativa a ser formada pelos trabalhadores da empresa. O jornal pertencia à família Carrasco e defendia os interesses da oligarquia. A 7 de outubro, quando foi deflagrada a greve geral em apoio a Torres, o jornal tinha sido ocupado por seus trabalhadores. Torres transformou essa resolução em decreto.

O plenário discutiu, sem conseguir aprovar, a criação de Tribunais Populares para substituir a Justiça burguesa. O próprio governo admitiu que *"a Justiça na Bolívia chegou a um total relaxamento"*, e seria preciso uma renovação total do Poder Judiciário. Mas daí a admitir tribunais populares havia uma distância muito grande, e obteve o apoio da classe média para abortar tal idéia.

Outro projeto de grande transcendência aprovado foi apresentado pela *Federação dos Trabalhadores na Imprensa (FTP)*, que reconhecia a Bolívia como um país trilíngüe, isto é, admitia como idiomas oficiais, além do espanhol, o quíchua e o aimará, idiomas falados por 80% da população.

As forças que garantiram a vitória da revolução de 1952 foram sem dúvida as milícias operárias criadas pela COB que, contudo, logo foram dissolvidas por Paz Estensoro. E foram essas mesmas forças que a 7 de outubro de 1970, com a greve geral e os mineiros armados, garantiram a subida de Torres ao poder. Era natural, portanto, que os dirigentes operários apresentassem projeto recriando e institucionalizando essas milícias.

A primeira sessão não esgotou a discussão sobre o tema e o projeto ficou para ser aprovado no segundo período de reuniões, convocado para 7 de setembro. Não obstante, algumas dessas milícias já estavam criadas no norte de Cochabamba, com o apoio da Assembléia Departamental, para custodiar terras ocupadas por camponeses, sem nenhuma relação com as autoridades militares.

Finalmente, em agosto, quando se desencadeou o golpe contra Torres, o comando político da Assembléia transformou-se em comando militar da resistência. Também foram aprovadas duas resoluções da Comissão de Segurança e Defesa. A primeira propunha a expulsão da missão militar estadunidense do país, e a segunda afirmava a necessidade de restabelecer relações com Cuba, Chile e China. Da primeira resolução não se falou mais. A segunda teve acolhida quase imediata do governo.

O círculo vicioso do processo político na América Latina

O primeiro período de sessões da Assembléia, em que pese a pouca produtividade, deixou entrever certa agressividade diante dos objetivos do governo e forte determinação de levar a cabo seus propósitos. A reação do governo, no entanto, surpreendeu a todos. No dia seguinte à instalação, o diário oficial *El Nacional*[10], saudava o evento e afirmava que a *"Assembléia Popular é em grande parte responsável pela marcha do atual processo revolucionário. Suas diretivas e sua atitude poderão clarificar o caminho que o povo boliviano começou a percorrer desde o 7 de outubro"*. No dia 24, um segundo editorial parecia pretender anunciar que o governo aceitava definitivamente a *Assembléia Popular* como um fato consumado e superava as antigas proposições de ressuscitar o parlamento de velho estilo. E nos dias seguintes, referindo-se a algumas medidas adotadas pela *Assem-*

bléia, os editorialistas oficiais diziam que a *"Assembléia Popular se identifica com a linha do governo revolucionário e se converte em sustentáculo do processo revolucionário"*.

O pensamento das forças populares representadas na *Assembléia*, no entanto, diferia bastante do exposto pelo governo. No geral, reconheciam e respeitavam a abertura democrática real presidida por Torres. Mas consideravam as medidas democráticas e antiimperialistas adotadas resultado de pressão de massa e não cumprimento de um programa de governo. Não aceitavam a afirmação de que o proletariado estava avançando positivamente no caminho da revolução e afirmavam que o processo avançava lentamente em direção aos objetivos do proletariado.

O segundo período de sessões, convocado para iniciar-se a 7 de setembro, não se chegou a realizar, interrompido que foi o processo revolucionário pelo golpe de estado desfechado pela direita militar, em aliança com a Falange Socialista e a direita do MNR, com o apoio da CIA e dos governos militares do Brasil e da Argentina. Um golpe que contou com o visível apoio das classes médias dos principais centros urbanos. Na Bolívia, o processo foi muito mais radical que no Brasil de 1964. Radical nas medidas adotadas pelo governo, radical na aceitação do poder da Assembléia Popular e radical no confronto. O comando político e militar em que se transformou a cúpula da Assembléia Popular culpava pela derrota o fato de o general Torres haver se resistido a entregar armas ao povo. Acreditavam que com cinco mil trabalhadores armados, sob o comando de comunistas e guerrilheiros do ELN bem treinados, mais as tropas do Batalhão Colorado de Bolívia, comandadas pelo major Rubén Sanchez e outras tropas que se manteriam fiéis à revolução, era possível derrotar os golpistas.

Torres e seus colaboradores viam, de um lado, a incapacidade das esquerdas de se unirem em torno do processo revolucionário, e, de outro, a traição de seus companheiros de armas, as causas principais da derrota. Uns e outros tinham razão. Porém, se saísse vitorioso, Torres não teria a mesma condição de governabilidade. Muito cedo se aguçariam as contradições entre seu governo e a Assembléia Popular e, talvez antes mesmo que isso ocorresse, a articulação direitista recomporia suas forças e o golpearia.

Há um denominador comum entre o processo histórico dos países hispano-americanos e o brasileiro. No Brasil, cada vez que o crescimento e ascensão das populações urbanas faziam a correlação de forças pender para o lado da modernidade, da justiça social, dos partidos populares, os detentores do poder, sentindo-se ameaçados, se organizavam para manter o *status quo*. Se conseguissem formar uma aliança para manter o controle sobre os centros de decisão, ótimo! Era um avanço. Caso não o conseguissem, viravam a mesa, utilizavam a força bruta.

Foi assim no Brasil do final do século XIX. A Revolução Liberal que ameaçava com uma ruptura foi frustrada. O exército imperial impôs a "*ordem*", com o golpe do marechal Deodoro da Fonseca e as sucessivas ditaduras militares da Primeira República. A Revolução de 1930 foi a primeira vitória significativa do povo brasileiro. Houve de fato a ruptura. Desalojaram-se do poder as velhas e carcomidas oligarquias e foram abertos os caminhos para a construção da modernidade. Não demorou muito, no entanto, para a contra-revolução se articular e voltar atrás na ordem política e social.

O ano de 1964 é outro momento em que o sistema esteve ameaçado pelo desequilíbrio de forças em favor das massas populares. Essa é a explicação para o golpe contra João Goulart e para a ditadura militar. Um filme que projetado muitas vezes, com o roteiro ligeiramente modificado, de acordo com as exigências do novo cenário. Foi assim na Guatemala de Jacobo Arbenz, na República Dominicana de Caamaño Deño, na Argentina de Héctor Cámpora, na Bolívia de J. J. Torres, no Chile de Salvador Allende, no Peru de Velasco Alvarado, no Equador de Guillermo Rodriguez Lara/Jaime Roldós, em Granada de Maurice Bishop, no Panamá de Omar Torrijos, na Nicarágua da Frente Sandinista[11].

É o círculo vicioso que vem garantindo o sistema de acumulação capitalista por meio da exploração dos povos e da submissão aos interesses da potência hegemônica de turno: ora Espanha, ora Portugal, ora Grã-Bretanha ou Estados Unidos, principalmente os Estados Unidos, hoje sob o manto da globalização.

Notas

1. A Falange Socialista, organização paramilitar radical de direita, foi criada em 1938 por um grupo de bolivianos, nessa época asilados no Chile, liderados por Oscar Unzaga e inspirado no Movimento Falangista do general Francisco Franco da Espanha. Mesmo sendo um partido pequeno, tinha uma militância economicamente poderosa e possuía brigadas paramilitares, grupos de extrema direita armados e muito agressivos.

2. O MNR surgiu em 1941, sob a liderança de Victor Paz Estensoro.

3. Simón Iturre Patiño (1868-1947), dono de minas na Bolívia, foi um dos homens mais ricos do mundo. Seus herdeiros no Grupo Patiñas têm grandes investimentos no Brasil e muitos outros países.

4. Fuzis de fabricação alemã do tempo da Primeira Guerra Mundial.

5. Mantinha linha pró-soviética.

6. De linha maoísta (de Mao Tse-Dong, líder da Revolução Chinesa).

7. Formado para ser o braço político do Exército de Libertação Nacional (ELN).

8. De linha trotskista.

9. Seguidores do pensamento da líder revolucionária alemã Rosa Luxemburgo.

10. Diário criado para apoiar o governo de Torres. O autor desta obra foi o chefe de redação desse jornal enquanto durou.

11. Sobre esse tema, o autor desta obra escreveu a *Breve história da política de agressão dos Estados Unidos na América*, Jaca Book, Milão, 1975.

5. Banzer

Entre las piedras
el corazón de un hombre se fermenta
pregunta desolado cuáles son las derrotas
o si es un signo su tristeza en la noche
o si acaso tenemos enemigos
alojados también en nuestro pecho.

Stella Calloni — poeta e jornalista argentina

O coronel Hugo Banzer conspirara contra o presidente Ovando, e desde que Torres assumira o poder, em 7 de outubro de 1970, já estava conspirando contra ele. A 11 de janeiro de 1971, já tinha tudo pronto para um golpe que acreditava decisivo. Banzer estava no comando do Colégio Militar Gualberto Villaroel, do Exército, controlava guarnições importantes de Santa Cruz e Oruro, tinha a seu lado vários generais, contava com o apoio das organizações de empresários e da Falange Socialista Boliviana.

Além dos falangistas, participavam da conspiração velhos dirigentes do Movimento Nacionalista Revolucionário (MNR), que apesar de ser ainda a maior força política estava agora na semiclandestinidade.

Torres, contava com apoio das guarnições que lhe eram fiéis, particularmente a do Batalhão Colorados de Bolívia, comandado pelo major Rubén Sanchez e o complexo militar de El Alto com a base aérea e seus mustangs artilhados. Com isso, e a pronta e eficiente mobilização popular, conseguiu deter esse golpe. Em dez meses que durou o governo de Torres, não houve uma só semana em que não fosse preciso apagar um incêndio, ou seja, desarticular uma conspiração, acalmar um grupo de insurretos, desmentir rumores alarmistas. Jorge Gallardo, no Ministério do Interior, conseguia manter os principais conspiradores sob estrita vigilância.

Entre pressões desestabilizadoras da esquerda e ações sediciosas da direita, Torres foi avançando no processo revolucionário.

Os comandantes dos *rangers*, que combatiam a guerrilha de Teoponte e de lá vieram a El Alto apoiar a resistência antifascista, não voltaram ao campo de batalha. Simplesmente recolheram suas tropas aos quartéis. Nos primeiros dias de governo, Torres pediu a intermediação da sociedade civil para resgatar com dignidade o que havia sobrado da guerrilha do ELN, um punhado de jovens sob o comando de Chato Peredo.

Outra herança que Torres recebeu dos governos anteriores foram os remanescentes da guerrilha de Che Guevara presos em Camiri — o francês Régis Debray, o argentino Ciro Bustos e quatro bolivianos. Havia uma grande pressão internacional orquestrada pela França por causa de Debray. Torres queria soltá-los, mas havia forte resistência no meio castrense. Afinal, argumentavam os militares, havia sido realizado um julgamento. Para conseguir seu objetivo, Torres numa operação quase que clandestina, a 23 de dezembro de 1970, fez com que um avião transportasse Bustos e Debray para o Chile e publicou o decreto de extradição de ambos e de anistia para os quatro bolivianos.

Nos dias de grande agitação que precederam a subida de Torres, os jornalistas de *El Diário* haviam ocupado o jornal em conseqüência da posição radicalmente pró-fascista da família Carrasco, proprietária da empresa. Seguindo o exemplo do que já havia ocorrido no Peru com o diário *Expreso*, Torres aprovou a entrega do jornal à administração de seus trabalhadores. Foi nesses dias que conheci os jornalistas peruanos Francisco (Paco) Moncloa e Pedro Higa, respectivamente diretor editorial e diretor da cooperativa que administrava o diário *Expreso*[1], expropriado pelo governo de Velasco Alvarado. Eles foram dar assessoria aos colegas bolivianos.

Na área social, Torres providenciou o reajuste salarial dos trabalhadores e estudos sobre como assentar os sem-terras da região de Santa Cruz, organizados na União dos Camponeses Pobres (Ucapo), controlada pelos comunistas de linha chinesa, que realizava ocupações naquelas bandas.

Anteriormente, o governo do general Ovando havia nacionalizado a Gulf Oil, que explorava petróleo em Santa Cruz. Havia exigência de indenização. Torres negociou a dívida, mandou expropriar a empresa mineira Mina Matilde, exploradora de estanho. Estabeleceu relações diplomáticas com países socialistas como a URSS, Alemanha Democrática, Hungria, Polônia, China. Começou a vender produtos para o Peru e para o Chile. Iniciou os estudos para nacionalização das usinas de açúcar. Em parceria com a Checoslováquia, instalou uma refinaria de estanho, aumentando o valor agregado do principal produto de exportação. Estabeleceu relações com Chile e Cuba, dois tabus até há pouco impensáveis. Chile por causa da guerra expansionista que custou à Bolívia a perda do litoral, Cuba pelas feridas ainda abertas da guerrilha de Che Guevara.

A Bolívia teve duas guerras movidas por interesses britânicos. A guerra do Pacífico, de 1879 a 1883, por causa do salitre. Os ingleses jogaram o Chile contra o Peru e a Bolívia, e esta ficou sem o território de Antofagasta, no litoral, enquanto o Peru perdeu Arica e Tarapacá. De 1932 a 1935, por causa do petróleo, houve a guerra do Chaco em que a Bolívia perdeu para o Paraguai grande parte de seu território na região do Chaco[2]. Essas guerras deixaram seqüelas e ainda hoje a Bolívia continua reivindicando seu direito a ter acesso ao mar.

Na arena política, o governo tentava formar uma frente de sustentação e deu todo apoio ao Comando Político da Classe Operária e do Povo na organização da Assembléia Popular, com início marcado para 1º de maio de 1971, junto com uma grande manifestação de rua em comemoração ao dia do trabalho e em apoio ao processo revolucionário.

Esse foi um primeiro de maio realmente espetacular. As entidades sindicais organizaram uma marcha da qual participaram cerca de 50 mil trabalhadores, disciplinadamente, em blocos divididos por organização e por departamento[3], pedindo armas para defender a revolução. Atrás vinham os estudantes, curados das feridas e suscetibilidades causadas pelo massacre de Teoponte e, pela primeira vez, apoiando também o processo revolucionário. E o povo nas ruas aplaudindo.

Durante o período de preparação dessa grande manifestação, a direita soltou o boato de que seria decretado o comunismo, de que as milícias operárias substituiriam o Exército, e que todo tipo de propriedade privada, tal como na Rússia (*sic*) seria tomada, que os empresários seriam fuzilados etc. etc. ... Paralelamente, um congresso de empresários exigia do governo ação militar para proteger a propriedade privada. Não obstante, pelo menos nesses dias, a direita e as brigadas falangistas ficaram quietas em suas casas. Mas não seria por muito tempo.

Torres, num dado momento, acumulou muita força. O coronel Samuel Gallardo, foi promovido a general e chefe do Estado Maior das Forças Armadas. O outro Gallardo, Jorge, era o ministro do Interior, encarregado da segurança do Estado.

No intento de formar uma base de apoio, Torres mandou preparar uma plataforma de governo que servisse de base às discussões com as lideranças dos partidos políticos e das organizações de trabalhadores. A proposta propunha o que fazer em todos os setores da economia e até mesmo previa a transferência dos poderes da República integralmente para a Assembléia Popular. O PCB de Jorge Kolle Cueto, Mário Monje e Simón Reyes, o MIR, formado pela esquerda da Democracia Cristã e marxistas independentes, o Partido Socialista de Marcelo Quiroga Santa Cruz e dissidentes do PRIN de Lechín, todos manifestavam abertamente seu apoio ao governo de Torres. Não obstante, negavam-se a dele participar e ameaçavam expulsar quem aceitasse um convite para integrar o gabinete.

Torres tentou de tudo para formar uma frente política de sustentação a seu governo. Não conseguiu. Seus ministros, Jorge Gallardo, Hugo Torres Goytia e José Ortiz buscaram entendimentos com a esquerda, a ultra-esquerda, o centro, centro-esquerda e até com o MNR de Victor Paz Estensoro. O maior problema é que continuava existindo uma desconfiança atroz entre a esquerda e os apoiadores de Torres. Outro problema era a política do sem compromisso. Não comprometer os objetivos estratégicos de cada partido — socialismo, comunismo, seja lá o que fosse — com alianças com um governo que consideravam reformista e pequeno-burguês, liderado por militares de tradição golpista.

O vazio político nas hostes de Torres animou o MNR a reorganizar-se. Hernán Siles, que havia ajudado a depor Victor Paz em 1964, se reconcilia firmando com o velho caudilho o Pacto de Lima. Isso foi em meados de abril de 71 e marca a entrada para valer do MNR na conspiração para derrubar o governo de Torres. Era só o que faltava para os militares golpistas. Só com o apoio dos radicais da Falange Socialista não seria possível ter garantia de governabilidade. Mas, com a longa experiência de poder do MNR, com ampla militância na classe média, e cujos quadros eram preparados para governar, sim.

A conspiração contava com o apoio do Brasil, da Argentina e da CIA

O coronel Hugo Banzer, depois do fracassado golpe de 11 de janeiro de 1971, asilou-se em Buenos Aires, onde, com o general Rogelio Miranda, assumiu o comando da conspiração. Os conspiradores tinham a assessoria direta de dois agentes da CIA, um deles o coronel aviador Landy, desmascarado pelo jornal *Washington Post*. Tinham também o apoio ostensivo do regime militar brasileiro, então presidido pelo general Emílio Garrastazu Médici. E o apoio camuflado da direita e dos militares argentinos. Camuflado porque o general Agustín Lanusse, já comprometido com um processo de abertura democrática, não queria se expor. Banzer era o homem de confiança do governo militar brasileiro e Miranda era fiel ao da Argentina na disputa surda que se travava entre os dois países pela hegemonia sobre a Bolívia, de olho nas enormes reservas de ferro, petróleo e gás.

O general Hugo Bethlem, ex-adido militar e ex-embaixador do Brasil em La Paz, assumiu a coordenação da ajuda brasileira aos conspiradores, auxiliado pelo adido militar na embaixada boliviana em Brasília, o coronel Juan Ayoroa. Este, por sua vez, trabalhava com a ajuda de Mário Busch, um ex-nazista da SS, a polícia militar dos serviços de segurança de Hitler, que chegou a Bolívia em 1952 e ajudou a organizar os comandos paramilitares do MNR. Busch tinha contato com ex-nazistas residentes na Bolívia, na Argentina e no Peru. Na época se denunciou um contubérnio entre os ex-nazistas, grupos sionistas e a máfia, apadrinhado pela CIA, todos sócios nos lucrativos tráfico de armas, tráfico de dólares e tráfico de drogas.

As fontes que tornaram público esse casamento[4] eram muito quentes. Em março de 1970, Alfredo Alexandre, de origem judaica, proprietário do diário *Hoy*, em La Paz, pouco depois de começar a denunciar um contrabando de armas avaliado em 50 milhões de dólares desviado para Israel, foi simplesmente apagado do mapa. A bomba veio num buquê de flores no dia do aniversário de sua esposa. Destruiu a casa inteira. Esses e outros fatos comprovam que não há diferença entre os que aprisionavam seus adversários em campos de concentração, e os queimavam em fornos, com os que com duas únicas bombas liquidaram com quatro gerações das cidades de Hiroshima e Nagasaki, ou dos que comandam o massacre dos palestinos. Para eles, tudo é válido quando o lucro compensa!

Também se denunciou na época que havia alguém recrutando mercenários na Austrália, na Europa e em Israel. Mais tarde, essa presença foi confirmada. Para o Pentágono e a CIA era uma grande jogada estratégica. O objetivo era reverter a situação não só na Bolívia, mas também no Peru e no Chile; e o ex-presidente peruano Belaunde Terry estava metido na conspiração.

Banzer tinha sob seu comando os militares que haviam sido afastados por Torres. Tinha também apoio de oficiais da ativa — quase todos com comando de tropa — muitos dos quais Torres acreditava que lhe seriam fiéis num confronto com os fascistas. Sem a menor dificuldade, Banzer estabeleceu-se em Santa Cruz com o comando subversivo.

Em meados de julho, o golpe já estava armado para ser desencadeado no início de setembro. A 11 de agosto, os cadetes do Colégio Militar se sublevaram e explodiram a antena da rádio Altiplano, que fazia proselitismo em favor do governo de Torres. O general Reque Terán, comandante do Exército, apaziguou os cadetes e assegurou ao presidente e seus ministros que a situação estava sob controle. Até os jornalistas sabiam que Reque Terán conspirava com Banzer, mas Torres negava-se a acreditar e continuava afirmando que era homem de sua confiança. Nunca eu havia visto tanto cinismo na traição.

Poucos dias depois, outra sublevação, desta vez dos *rangers* de Santa Cruz, tropas especiais preparadas e armadas pelos Estados Unidos para a luta antiguerrilheira. Reque Terán continuava dizendo que tudo estava sob controle.

Em 18 de agosto, Oscar Eid Franco, dirigente da Confederação Universitária Boliviana (CUB), dirigiu um apelo a todas as organizações populares para compor o próprio aparato militar. Pela primeira vez os estudantes pediam a união da esquerda para apoiar Torres. Concomitantemente, convencido por uma série de evidências apresentadas por seu ministro do Interior, Jorge Gallardo, o governo o autorizou que se pusesse em marcha um operativo para prender os chefes da conspiração, inclusive Banzer, ostensivamente em Santa Cruz. Jorge Gallardo enviou para lá um destacamento policial comandado pelo seu segundo na hierarquia do ministério, Mário Rueda Peña, que também era jornalista e militava na esquerda. O operativo prendeu uma centena de civis em Santa Cruz, La Paz, Cochabamba, Oruro, Sucre e Tarija. Mário Rueda, que havia perdido dois irmãos mortos na guerrilha de Teoponte, pessoalmente prendeu Banzer. Mas, a maioria dos oficiais com comando de tropa que conspiravam continuaram em liberdade e a pressionar pela libertação de seu líder.

Em 19 de agosto, uma grandiosa manifestação popular organizada pela direita percorreu as ruas de Santa Cruz contra o governo de Torres. Ao final, umas três mil pessoas se concentraram diante da delegacia onde estavam os prisioneiros detidos na véspera, exigindo que fossem libertados. Os poucos guardas que faziam a segurança não resistiram à pressão da massa e os comandos armados falangistas libertaram os presos. Assustado, o governo decretou estado de emergência em todo o país.

Em La Paz, a liderança popular pedia armas e convocou para o dia seguinte uma grande manifestação de apoio à revolução e para exigir a entrega de armas. Jorge Gallardo e o major Rubén

Sanchez tinham planos de armar cerca de três mil milicianos e Torres havia, finalmente, consentido. À noite, jornalistas e políticos fizeram plantão no Ministério do Interior para ter informações sobre o que se passava em Santa Cruz.

Dispararam as metralhadoras sobre estudantes amarrados uns aos outros

No dia 20, no final da tarde, grande e compacta multidão se concentrou na Plaza Murillo, em frente ao *Palácio Quemado*. Falaram os principais dirigentes da Assembléia Popular e aprovaram formar o Comando Militar da Classe Operária. O povo urrava pedindo o cumprimento da promessa de entregar armas. Torres, em emotivo discurso no terraço do Palácio, chamou à unidade todas as forças antiimperialistas, acusando o MNR de estar na conspiração, queixa-se de não ter encontrado compreensão das esquerdas e prometendo dar armas ao povo. Juan Lechín fez o discurso de encerramento anunciando que a Assembléia Popular garantirá a vitória expropriando os meios de produção.

Na mesma hora, em Santa Cruz, na *Plaza 24 de Septiembre*, outra multidão exigia o fim do comunismo e a libertação dos presos políticos.

Nesse dia, um grupo de paramilitares da Falange Socialista invadiu a Universidade de Santa Cruz, ocupada por estudantes fiéis à revolução. Os falangistas espancaram cruelmente a todos eles e os prenderam acorrentados uns aos outros numa sala de aula. Horas mais tarde, em represália por Banzer ter sido levado preso, outro comando, com falangistas e tropas do exército, voltou à Universidade e disparou suas armas automáticas sobre os 30 jovens acorrentados. Foi um massacre que deixou 12 mortos e outros tantos feridos gravemente. Enquanto isso, outros grupos falangistas atacavam e depredavam as sedes das organizações sindicais.

Enquanto a manifestação organizada pela Assembléia Popular exigia armas a Torres, as rádios de Santa Cruz, em cadeia, diziam que as forças de Banzer e Miranda já tinham sob controle Santa Cruz, Tarija, Beni e Pando. O governo acreditava ter La Paz, Oruro,

Sucre e Potosi. A correlação de forças militares, se verdadeira, era inteiramente favorável a Torres. Em La Paz e proximidades estavam as unidades mais bem armadas e treinadas, a aviação e os blindados. Nessa mesma sexta-feira, Oruro e Cochabamba se somaram aos golpistas.

Sábado, 21, às 6 da manhã, o Regimento Castrillo, principal unidade da Cidadela Militar de Miraflores, se sublevou contra Torres. Além desse regimento, esse quartel abrigava o comando das Forças Armadas, o comando do Exército e da Força Naval, a Escola de Alto Estudos Militares e o Colégio Militar do Exército.

Em torno das 16 horas já se lutava por toda parte na cidade de La Paz, e a aviação atirava contra os focos de concentração de tropas fiéis a governo.

De madrugada, o Colégio Militar se sublevara. Tropas leais a Torres conseguiram recuperar Oruro, porém, já era tarde. La Paz estava sitiada. Torres tinha a seu lado unicamente o Batalhão Colorados de Bolívia de Rubén Sanchez. Em Santa Cruz, um triunvirato militar, integrado pelo general Jaime Florentino Mendieta e os coronéis Hugo Banzer e Andrés Selich, havia se declarado no exercício da presidência da República. Às 21 horas, quando os tanques chegaram à praça Murillo, o general Torres e o major Rubén Sanchez já haviam abandonado o Palácio. No dia seguinte, às 18 horas, o coronel Hugo Banzer, com 50 anos, prestou juramento como novo presidente e nomeou um gabinete com os principais dirigentes falangistas e emenerristas.

Em 1975, Torres foi brutalmente assassinado por agentes banzeristas em seu exílio na Argentina, vítima da Operação Condor, articulada pelo general Pinochet, com o apoio da CIA, envolvendo os aparatos repressivos das demais ditaduras latino-americanas. Vítimas dessa operação, foram também assassinados o líder do Partido Socialista Boliviano, Marcelo Quiroga Santa Cruz; o general Prats, que fora chefe de Estado Maior do Exército de Salvador Allende; Orlando Letelier, que ocupara a função de Ministro de Relações Exteriores também de Allende; o coronel Hoyos Rúbio, que crescia como um possível sucessor do general Velasco Alvarado no Peru; os equatorianos general Rodriguez Lara e o ex-presidente

Jaime Roldós; os senadores uruguaios Zelmar Michelin e Héctor Gutiérrez[5].

190 golpes de estado em 155 anos de história republicana

Em 1980, em cerca de 122 mil hectares de terras plantadas, a Bolívia produzia 220 mil toneladas de folhas de coca, o que representa 2.209 toneladas de pasta básica e umas 750 toneladas de cocaína cristalizada pura. Na época, isso representava um movimento de mais de um bilhão de dólares anuais, dos quais uns 450 milhões ficavam inteiramente no país. Para se ter uma idéia do que representa esse montante para a economia, registre-se que, em 1985, todas as exportações da Bolívia alcançaram 670 milhões de dólares. Na era Reagan, isto é, de 1982 a 1985, quando Ronald Reagan era presidente dos Estados Unidos, parte do dinheiro da CIA/Narco[6] servia para financiar os *contras*, ou seja, os grupos mercenários que combatiam o governo sandinista na Nicarágua. O peruano Vladimiro Montesinos[7], recrutado pela CIA na década de 1970 quando era capitão, também foi peça importante do narcotráfico, um poder que erige e derruba governos a seu bel-prazer.

Banzer governou a Bolívia com mão de ferro de 1971 a 1978, mas terminou o mandato convocando eleições. Em uma aliança de centro-esquerda, venceu Hernán Siles Suazo, do MNR de esquerda. Venceu mas não levou. Sua posse foi impedida por um golpe militar liderado pelo general Juan Pereda Asbun. De 1978 a 1979, seja por golpe, seja por nomeação do Congresso, Bolívia teve quatro presidentes: David Padilla Azaútia, Walter Guevara Arce, Alberto Natuch Busch e Lídia Gueiler.

Em junho de 1980, em novas eleições convocadas por Lídia Gueiler, Hernán Siles venceu outra vez. De novo não assumiu a presidência. Ocorreu então o 190º golpe de estado no regime republicano e sua posse foi impedida. Desta vez o general de turno foi Luis García Meza, conhecido chefe de uma das máfias do tráfico de drogas. Foi um escândalo mundial.

Antes, os traficantes financiavam seus candidatos e influíam indiretamente no governo. Com García Meza assumiram de vez.

Ele exerceu, de julho de 1980 a agosto de 1981, uma das mais sanguinárias ditaduras da Bolívia. Mandou assassinar dezenas de líderes sindicais e políticos, entre os quais, o líder do Partido Socialista (PSB), o intelectual Marcelo Quiroga Santa Cruz.

Desmoralizados e isolados internacionalmente, os militares depuseram García Meza e decidiram dar posse ao Congresso que havia sido eleito em 1980. Com isso, em outubro, Hernán Siles pôde assumir a presidência, eleito no Congresso por uma coligação de centro-esquerda. Era o fim de 18 anos de instabilidade, golpes e descalabros provocados pelos militares e seus apoiadores de sempre.

Essa nova aliança de esquerda, no entanto, enfraqueceu-se rapidamente em razão das concessões que o governo foi obrigado a fazer para garantir governabilidade, tendo um Congresso de maioria de centro-direita. Sem apoio, Siles antecipou as eleições para 1985, quando pela quarta vez foi reeleito Victor Paz Estensoro. Conseguiu eleger-se em aliança com a Ação Democrática Nacionalista (ADN), um partido que só existia em função de Banzer — que havia sido o mais votado no primeiro turno. Paz demitiu cerca de 4.800 mineiros da empresa *Siglo XX*, entre outras ações ditadas pelo FMI para estabilizar a economia.

Na eleição de maio de 1989, Gonzalo Sanches de Lozada[8], do MNR, que havia sido ministro de Planejamento de Victor Paz, venceu no primeiro turno, mas não obteve maioria. No segundo turno, para surpresa geral, a ADN de Banzer se aliou com o MIR para eleger Jaime Paz Zamora o qual tomou posse em agosto propondo um pacto social para salvar o país.

Apesar de criticado pela esquerda e não aceito pela direita, Jaime Paz conseguiu não só estabilizar a economia como fazê-la crescer em média de 3 a 4 por cento ao ano, acumulou reservas de 400 milhões de dólares e, fato inédito, conseguiu apoio do Club de Paris para um plano de Guerra à Pobreza. A esquerda se dividiu, e o MIR enfraquecido não conseguiu bom desempenho na campanha sucessória.

Em setembro de 1993, a ADN voltou a aliar-se com o MNR e elegeu Gonzalo Sanchez de Lozada. Depois disso, já se trata de história atual. A aliança ADN/MNR reelegeu Banzer.

Notas

1. Mais adiante, neste livro, o capítulo 14 é dedicado ao *Expreso*.

2. Região vizinha ao pantanal mato-grossense.

3. O Estado boliviano é dividido em departamentos, cuja administração é nomeada pelo governo central.

4. Está mais para "menage" do que para casamento, por isso falamos em contubérnio.

5. Stella Callonni, poeta e jornalista argentina, eterna amiga, escreveu um livro sobre a Operação Condor que foi lançado em Buenos Aires, em maio de 1999. Quem quiser saber detalhes, não pode deixar de ler.

6. A CIA realizava operações em parceria com traficantes para arrecadar fundos para financiar guerras secretas.

7. Oficial de inteligência do exército peruano, era ajudante de ordens do primeiro ministro, general Mercado Jarrín, quando foi recrutado pela CIA. Foi quem, no Peru, instrumentalizou o governo de Fujimori em função de seus interesses pessoais e da CIA.

8. Um cidadão que fala espanhol com sotaque estadunidense, conhecido como Gony.

6. Resistência

Ah viajero,
No es niebla,
ni silencio,
ni muerte,
lo que viaja contigo,
sino
tu mismo con tus muchas vidas

Pablo Neruda — poeta chileno

A intenção da resistência ao golpe fascista de Banzer, comandada pela Assembléia Popular, a 21 de agosto de 1971, era dominar o morro Laikakota pelas encostas do lado norte, para, então, desde o cume e das encostas do lado sul atacar a cidadela militar de Miraflores, enquanto um destacamento do Batalhão Colorados de Bolívia, comandado pelo major Rubén Sanchez, atacaria o quartel pela frente, vindo por uma avenida. Não se sabe se por vazamento de informação ou porque acharam que o morro era estratégico para a defesa do quartel e a ocupação da cidade, mas o fato é que tropas golpistas do Regimento Castrillo chegaram primeiro a Miraflores e receberam os milicianos à bala de metralhadora e morteiros.

O Laikakota é o divisor de águas, no sentido leste / oeste, e praticamente divide a cidade em dois setores, lado norte, onde há bairros populares e o Regimento Colorados de Bolívia, e o sul, formado de bairros de classe média e da cidadela de Miraflores. É também vertente de um riacho que corre para oeste, baixando para os bairros de burguesia mais abastada. Na época ainda se preservava um pouco de vegetação nas encostas do morro, e no lado sul havia um parque ajardinado, que muita gente usava para descansar e aproveitar a bela paisagem, com parte da cidade abaixo e o imponente pico nevado do Ilimani no horizonte oeste — o mais belo cartão postal de La Paz.

A batalha heróica do Laikakota foi impressionante, relatada poucos minutos depois, ainda sob forte emoção, por milicianos de várias tendências que se esconderam em minha casa.

Os principais líderes da Assembléia Popular estavam lá, com estudantes e trabalhadores, porém havia pouca gente com armas — uns com velhos fuzis Mauser, outros com algumas das 600 peças, entre fuzis, submetralhadoras, pistolas, munições e granadas que na noite anterior o ministro do Interior, Jorge Gallardo, havia entregado a Juan Lechín, presidente da Central Operária Bolíviana (COB) e da Assembléia Popular. A potência de fogo era muito desigual em favor dos golpistas, mas os milicianos lutavam com uma disposição fora do comum. Havia gente sem armas, escondida em buracos abertos por morteiros esperando a queda de um inimigo, ou mesmo de um companheiro, para tomar-lhe a arma e continuar lutando.

Apesar do número de baixas, os milicianos conseguiram botar para correr as tropas do Regimento Castrillo e se apoderaram de grande quantidade de armamento e munição. Foi uma vitória incrível. Deixou todo mundo perplexo, até os próprios milicianos, de posse de armamento moderno que alguns nem sabiam como utilizar. Então, desceram pela encosta sul e começaram a disparar contra a cidadela de Miraflores. O esperado ataque de outro destacamento revolucionário pela frente do quartel ainda não se produzira. Os vitoriosos de Laikakota desceram com intenção de iniciar sozinhos o ataque, acreditando que logo poderia vir o reforço.

Quando o reforço chegou, não foi suficiente. O grosso do Batalhão Colorados de Bolívia continuava combatendo do outro lado da cidade. As tropas de elite da Cidadela de Miraflores estavam muito bem armadas. Os milicianos combateram arduamente até que, pela retaguarda, chegaram uns carros de assalto do Regimento Tarapacá, em defesa do quartel, obrigando-os a se dispersarem. Também os mustangs em vôos rasantes começaram a metralhar possíveis concentrações de tropas do Batalhão Colorados de Bolívia e de milicianos nas encostas do lado norte da cidade. A luta terminou pouco depois da meia-noite, na madrugada do dia 22 de agosto. Foram mais de oito horas de combate, com um saldo de mais de 600 mortos e milhares de feridos.

Os acontecimentos se precipitavam para uma guerra civil

Os acontecimentos se precipitavam, possivelmente para uma guerra civil de conseqüências imprevisíveis. Albert Brun, chefe da sucursal de Lima e diretor regional da *Agence France Presse* (AFP), da qual eu era correspondente na Bolívia, providenciou reforço para a cobertura dos fatos. Veio Michel Iriart, um veterano jornalista francês de muitas batalhas, que era chefe da Agência no México e que chegou no último avião a posar em *El Alto* na noite de sexta-feira. Depois disso, fecharam o aeroporto para pouso e decolagem. Albert Brun, de Lima, mantinha contato com os cabeças da conspiração emenerrista[1]. Eu, em La Paz, tinha acesso aos líderes do torrismo e aos da esquerda. Michel Iriart era uma máquina de produzir textos, a uma velocidade incrível. Monitorava as rádios dos golpistas e dos torristas, enquanto eu circulava pelos diversos cenários nos quais se produziam os fatos, passando-lhe informação por telefone.

No final do dia, os correspondentes de agências de notícias e de jornais se concentravam na *West Coast*[2] para despachar informações. Logo saímos, eu e o Júnior Carvajal, repórter do matutino *Presencia*[3]. Queríamos ir ao Laikakota ver em que pé estava a batalha. Nas imediações encontramos alguns dirigentes sindicais que caminhavam cabisbaixos, quase arrastando seus velhos fuzis. *¿Qué pasó, compañeros? — Se nos acabó el parque, no hay como seguir peleando. Los hijos de puta nos han matado a montones. Nos vamos a la casa!*. Foi então que me ocorreu ir à morgue do Pronto-Socorro da cidade.

Éramos alvos fáceis na noite enluarada

Não era fácil caminhar pelas ruas, com os franco-atiradores no alto dos edifícios ou nos telhados de algumas casas, e os comandos falangistas atirando no que se movimentasse. Caminhávamos, Carvajal e eu, um de cada lado da rua, rentes às paredes, um dando cobertura ao outro, perscrutando telhados e janelas. Éramos alvos fáceis na noite enluarada.

No Pronto-Socorro, perguntamos sobre a situação das pessoas, queríamos saber quantos mortos e feridos havia. Disseram-nos que fôssemos lá para o fundo. Entramos, atravessamos um corredor imundo, cheio de tranqueiras, até um pequeno pátio interno. Ali havia uma pilha de cadáveres vestidos e uns quatro nus, arrumados um ao lado do outro. Um funcionário de avental, que um dia fora branco, lavava um cadáver, utilizando uma pequena mangueira atada a uma torneira. Carvajal não se sentiu bem, saiu. Perguntei se tinha os nomes das vítimas. *No, hasta ahora no están identificados, si buscas a alguién, puedes verificar se está* — disse o funcionário apontando a pilha. Puxei o cadáver de uma moça com lenço vermelho no braço, com um blusão cáqui no qual se podiam ver pequenos buracos de balas, provavelmente de M-16. Num dos bolsos, uma carteirinha da Confederação Universitária Boliviana. Os demais, uns 16, eram homens, nenhum que eu pudesse identificar. Carvajal veio me buscar. Tinha anotado o nome de uns 30 feridos que estavam sendo atendidos. Os mais graves eram levados de ambulância para o hospital militar. Telefonei para Iriart dando a informação.

Saímos com intenção de ir para minha casa. Era o aniversário de Bia. Durante a semana, tínhamos planejado comemorar com alguns amigos e ela estava só em casa com os meninos, os nossos e os de alguns amigos; e com Matilde, nossa empregada. Foi um 21 de agosto que nunca mais esquecemos. Estava preocupado, queria saber da situação em casa. Morava perto do Laikakota, numa rua em que havia dois hospitais e que era zona militar. Quando chegamos, com todo o cuidado, à praça do Estádio, mais ou menos na metade do caminho, um grupo de estudantes havia acabado de incendiar um carro de assalto com coquetéis Molotov. Pararam-nos gritando: *Pátria o Muerte!* Instintivamente respondi: *Venceremos*! Identificamo-nos como jornalistas e companheiros. Informaram-nos de que os milicianos haviam tomado o Laikakota e lutavam para ocupar o quartel de Miraflores. De um telefone público passei as informações para o Iriart.

Seguimos a caminho de casa, parte dele escoltado por três combatentes do Exército de Libertação Nacional (ELN) criado por Che Guevara. Lá estavam muito assustados, mas bem. Algumas balas disparadas na área do Laikakota haviam atingido as janelas dos cômodos da frente, deixando todos apavorados. Foi preciso acalmar e colocar os meninos nas áreas mais protegidas da casa. Comemos alguma coisa. Carvajal queria ir para sua casa. Acompanhei-o até a praça do Estádio, imaginando que lá poderia haver gente do ELN para escoltá-lo. Havia.

Voltei sozinho, as ruas em silêncio e vazias, já noite alta. Logo escutei o barulho de um motor, provavelmente um tanque. Escondi-me atrás da mureta do jardim de uma casa. Uma tanqueta e um carro de assalto passaram, varrendo as fachadas das casas com seus holofotes. Esperei que passassem e fui atrás, com cuidado, encostado às paredes. Nunca o caminho de casa fora tão longo. Entrei na rua. Creio que nesse momento me viram, porque uma luz iluminou a esquina atrás de mim. Corri uns 50 metros, com todas as forças, e entrei em casa. Esperavam-me com a porta aberta. Foi só fechar a porta que o holofote de um carro de assalto iluminou a fachada. Diziam por alto-falante que ninguém devia sair de suas casas, porque fora decretado toque de recolher.

A casa era térrea, mas, como o terreno era em aclive, para entrar era preciso subir uma escada estreita, que ladeava a parede da garagem, com porta no nível da calçada. Tinha duas salas, um quarto, cozinha e banheiro. A sala e a cozinha davam para um pátio interno, pequeno, gramado e cheio de gerânios, onde havia uma edícula com mais um quarto e banheiro, que era o quarto dos meninos.

Passado o susto me dei conta da nova situação. Estavam em casa nove pessoas que haviam combatido no Laikakota. Estavam imundos e com suas armas. Entre eles, Mario Monje e mais quatro dirigentes comunistas, além de quatro combatentes do ELN. Estavam ali dirigentes de dois agrupamentos que sempre alimentaram grande animosidade entre si, principalmente o ELN contra o PCB, por causa da questão do Che Guevara. Monje era meu amigo, e dois dos *elenos* — nome dado aos militantes do ELN — também. Cada um, isoladamente, achou que nossa casa, por estar próxima, poderia ser um bom refúgio. Apesar das diferenças, comunistas e *elenos* lutaram juntos contra os golpistas e foram cordiais e solidários uns com os outros no rescaldo da batalha. Foi importante, na condução da batalha do Laikakota, a participação de uns 30 combatentes do ELN, bem treinados, que souberam comandar os civis, sem preparo militar mas com muita vontade de lutar e vencer.

Quando amanheceu, para nossa surpresa começou a haver grande movimento de gente na rua em frente à casa situada a uns cem metros do Hospital Militar. Eram pessoas preocupadas, procurando por seus familiares, que formavam fila para serem atendidas. E havia soldados e carros militares por toda parte. Essa movimentação facilitou um pouco nossa vida. Alguns companheiros, menos visados, puderam sair e mesclar-se com essa gente. Devagar, no correr do dia, conseguimos tirar todos eles. Ficaram as armas: fuzis, dos velhos e dos novos, pistolas, revólveres e um bocado de dinamite, rolos de pavios e caixas de detonadores.

Ainda nesse dia, de manhãzinha, era preciso alimentar toda aquela gente. Matilde, que trabalhava no serviço da casa, era uma jovem índia excepcional. Tinha noção de tudo o que estava ocorrendo e ajudava a gente inclusive a cuidar de umas tantas bananas de dinamite estocadas no armário da cozinha. Saiu para comprar pão e alguns frios e demorou muito para voltar. Perguntamos preocupados porque demorou tanto se havia uma *bodeguita*, espécie de pequena mercearia, quase em frente da casa e outra a uns 100 metros, na avenida. Explicou que fora comprar em duas padarias a quase um quilômetro de distância para não levantar suspeitas. Conheciam-na nas vizinhanças e sabiam que não havia porque comprar tanto pão e tanta comida. Medida de segurança elementar, que não havíamos tomado e que ela intuitivamente adotou.

No dia seguinte essa moça recebeu de uma amiga da família o recado de que seu irmão havia morrido e que sua mãe a chamava. Pediu licença e foi. No dia seguinte estava de volta. *"Porque no quedaste com tu madre más tiempo? Porque mi hermano está muerto, y muerto está; ahora hay que cuidar a los vivos. Yo vine a ayudarlos a cuidar a los vivos."* Seu irmão era recruta do exército e morrera combatendo aos que ela estava ajudando. Matilde ficou conosco até o último momento que estivemos em La Paz. Ao despedir-se, recomendou:

"Si vuelven acá, pongan un aviso en la radio, en el programa aimara, que yo vengo."

Vivi para testemunhar a cena seguinte, de um barbarismo sem paralelo

Na manhã de 23 de agosto, segunda-feira, estudantes, que na véspera haviam ocupado a Universidade Maior de San Andrés (UMSA), receberam ultimato das novas autoridades de governo para evacuarem o prédio em poucas horas. Esta universidade está num edifício de 15 andares, de bela arquitetura inspirada na arte tiahuanacota[4], situado em uma praça circular no final do Prado, a principal avenida de La Paz. Dispostos a não obedecer e a fazer valer a autonomia universitária, grupos de jovens começaram a erguer barricadas com paralelepípedos. Nos cavaletes com cartazes espalhados pela praça se lia: : *"Libertad para los presos! Respeto a la autonomía de la U. Fuera los asesinos. Muerte a los gorilas. Viva la revolución!"* entre outras frases.

Em torno das 11 horas, chegaram uns 200 soldados do exército e uns três ou quatro blindados. Deram uns tiros para esvaziar a praça e a isolaram com cordas. Os jovens que estavam por ali não tiveram alternativa senão a de refugiar-se na universidade. Eu estava fazendo fotos. Tinha de sair dali. Comecei a andar em direção ao outro lado. Alguns soldados me viram e, simplesmente, começaram a disparar rajadas com seus fuzis automáticos — FALs. Corri quase me arrastando, para ficar abaixo da linha de fogo. Pedaços de reboque caíam sobre mim. Com todas as minhas forças, dei uns saltos e um mergulho em direção à corda de isolamento, onde estavam vários jornalistas e populares curiosos. Colegas tão assustados quanto eu me levantaram. Havia jornalistas de todas as partes. A notícia de que haviam disparado sobre o correspondente da AFP — *Agence France Presse* — correu o mundo. Mal interpretada, em Paris, companheiros brasileiros entenderam que eu havia sido morto. Houve até um que foi encarregado de fazer meu necrológio. Mas não foi dessa fez. Vivi para testemunhar a cena seguinte, de um barbarismo sem paralelo.

Com os estudantes refugiados na universidade, os blindados e as tropas ocuparam a praça fronteiriça e iniciaram uma incrível balaceira contra a fachada do prédio. As balas de fuzis e metralhadoras destruíram o saguão de entrada, quebraram vidros e paredes dos primeiros cinco andares. Por volta das 14 horas, vieram os *mustangs*, disparando metralhadora ponto 50 contra os andares mais altos. E vieram outra e outra vez. Eram dois aviões. Vinham em vôo rasante sobre o Prado, disparavam, ganhavam altura, davam uma volta de 180 graus e arremetiam de novo. Agora disparavam foguetes. O impacto abria rombos enormes nas paredes. Dava para ver do outro lado do prédio. Indignação geral. Até apoiadores do golpe ficaram chocados. A Igreja formou uma comissão civil para negociar a saída dos jovens. Nessa altura já havia 12 estudantes mortos e 30 feridos. No final, saíram presos uns 300 rapazes e moças entre 15 e 18 anos. Se havia armas, não passavam de um ou dois revólveres calibre 22.

Acreditava-se que a luta de resistência prosseguiria como guerrilha

Jornalistas bolivianos e correspondentes de várias partes do mundo haviam transformado as instalações da empresa de comunicação *West Coast* em verdadeira central de informações. E sempre havia muitos jornalistas estrangeiros na Bolívia. Num momento a atração era a guerrilha do Che, noutro, o julgamento de Camiri, localidade em que foram julgados e mantidos presos alguns participantes da guerrilha. Logo depois, a presença dos presos Régis Debray e Ciro Bustos, seguida da operação de libertação dos mesmos. Golpes de estado na freqüência média de mais de um por ano, além do segundo foco guerrilheiro do ELN em Teoponte, e o governo revolucionário de Torres. Tudo isso em um país fantástico, de fortes tradições, um verdadeiro mosaico de nacionalidades vivendo em paisagens de grandes contrastes. O ponto de encontro dos jornalistas era o bar do Hotel Copacabana, em pleno Prado, ou os apartamentos dos jornalistas ali hospedados.

A partir de domingo, 22 de agosto, dividia o tempo entre buscar, redigir e transmitir informações e ajudar na operação de esconder armas e companheiros, montada por combatentes do ELN. Eles me forneciam os endereços de onde recolher e para onde transportar as preciosas cargas. Usava a kombi da produtora *Ukamau*, solidariamente cedida pelos cineastas Jorge Sanjinés e Antonio Eguino. No pára-brisa e na janela traseira estava colado um cartão escrito *Prensa* e, dentro, uma pasta continha papéis com carimbos e assinaturas do Ministério do Interior.

El "Negro" Damomio[5], do jornal *La Opinión*, de Buenos Aires, chegou a La Paz creio que dia 22. Trazia uma carta do editor internacional, amigo, irmão e poeta Francisco (Paco) Urondo[6]. Eles estavam convencidos de que o ELN, reforçado com tropas do Batalhão Colorados de Bolívia, e com o próprio major Rubén Sanchez, iria iniciar um novo foco guerrilheiro nas selvas bolivianas. De concreto, no entanto, só havia o fato de Sanchez ter lançado um manifesto nesse sentido. El "Negro", um tipo humano excepcional, figura antológica das rodas boemias de Buenos Aires, me cobrava o tempo todo: *"Caña, tu me estas escondiendo algo. Caña, tu andás metido en la vaina y no me contás, carajo! Que amigo eres..."*

Uma tarde, eu estava esperando um companheiro na porta de *West Coast*, "El Negro" se plantou a meu lado. Nisso chegou a kombi, dirigida por Armando. Então eu lhe disse: *"Negro, quieres ver las cosas que están ocurriendo, verdad? Móntate en el auto y ya verás."* Empurrei-o para a carona da kombi, Armando foi para trás, assumi o volante e parti.

Estávamos iniciando mais uma operação de "mudança". Sentados no chão da kombi sem os bancos de trás estavam El Flaco y Genny — companheira de Armando. Sentado sobre uma caixa de dinamite, Armando, com um cigarro aceso. Cada um com seu fuzil, bastante munição e algumas granadas. Eram M-16, capturados na batalha do Laikakota. El Negro olhou para a cena e ficou pálido e mudo. Fomos ao primeiro endereço. Companheiros que nos esperavam carregaram uns tantos pacotes com armas, bem embrulhadas. Fomos ao segundo endereço, mais pacotes de armas e dois companheiros. Aí comecei o trajeto para o terceiro endereço, tomando o cuidado de fazer, primeiro, as devidas manobras para ter certeza de que ninguém nos seguia.

A operação era cheia de risco. Por toda a parte havia barreiras controladas por soldados do exército ou por paramilitares falangistas. Os companheiros que estavam comigo não queriam entregar-se. Comecei a me arrepender de estar com Damomio. Um risco absolutamente desnecessário para um colega que nada tinha a ver com isso. Perigosa violação das normas de segurança. Felizmente tudo saiu bem. Descarregamos todas as armas e só na volta passamos por uma barreira militar — que nos deixou passar por sermos da imprensa. Horas depois, já na *West Coast,* El Negro Damomio recuperou a fala. Queria saber dos planos de resistência do ELN, quem eram os comandantes. Não havia planos. Só vontade de resistir e a certeza de que o prioritário nesse momento era salvar a pele e o máximo de armas possível.

A situação ficava a cada momento mais favorável aos golpistas. Não obstante, ainda se alimentava alguma esperança de que algum fato novo pudesse reverter a situação. Na segunda-feira, fora transmitida por uma rádio local uma mensagem do major Rubén Sanchez dizendo que de algum lugar do país se organizava a resistência. Havia grande esperança de que Sanchez, com seus homens e armas, aderissem ao ELN.

Em 1967, combatendo a guerrilha em Ñancahuazú, Sanchez fora preso pelo destacamento de Inti Peredo. Nesse convívio cresceu respeito e admiração entre ambos. Durante os preparativos para a resistência, Sanchez era o contato dos governistas com os elenos. A verdade, no entanto, é que nessa mesma noite, Torres, Rubén Sanchez e mais 25 colaboradores de seu governo se asilaram na embaixada do Peru. Ema de Torres, esposa do general e seus filhos, na embaixada da Argentina.

Na quinta-feira, enquanto se preparava o traslado de Torres em um avião militar para o Peru, a jornalista brasileira Helena Quadros, residente na Bolívia e amiga pessoal de Torres, me procurou em *West Coast* e me entregou uma fita-cassete com mensagem gravada do general Torres, conclamando o povo à resistência. Transcrevi a mensagem e foi feito um resumo, distribuído imediatamente para os jornalistas. Depois escondi a fita pensando que em lugar seguro, ali na própria West Coast. Quando fui procurá-la no dia seguinte, não estava mais lá. Na mensagem, Torres explicava porque se retirou do palácio e chamava o povo a ocupar novamente o poder da República. *Deseo que el pueblo ocupe de nuevo su palácio y forje su propio destino ... que guarden las armas y las municiones para combatir la santa alianza falange-gorila-movimientista*[7]. Dizia também que não entregou armas ao povo porque *"confiaba que las fuerzas armadas participaban leal y activamente del proceso revolucionário. Caimos porque actuamos inconexa y desordenamente"* — acrescentava. No mesmo cassete havia uma mensagem de Rubén Sanchez afirmando que continuaria lutando: *naci para luchar por las clases oprimidas."*

* * *

À medida que os golpistas foram dominando a máquina do Estado, foi se desenvolvendo a repressão. Havia no quartel de *Viacha* 32 dirigentes políticos presos, além de 242 estudantes. Os mortos até então admitidos eram mais de 200. Entre eles, o sacerdote Lefevre, decano da faculdade de sociologia da Universidade de La Paz e Rubén Carvajal, filho do major Rubén Sanchez. O novo governo não informou sobre o número de baixas militares. No entanto, no dia 23 de agosto realizaram uma pomposa solenidade para sepultar 27 oficiais mortos no confronto.

Pior que os agentes do governo eram os comandos falangistas. Na madrugada de domingo, Ted Córdoba saíra com o jipe para levar a suas casas alguns funcionários da Televisão Nacional. No caminho foram interceptados por um comando da Falange. O chefe reconheceu Ted e ordenou que abrissem fogo. O jipe ficou em frangalhos e todos os passageiros feridos. Assim mesmo conseguiram escapar e levaram Ted para uma Clínica privada. Os falangistas souberam que Ted sobrevivera e juraram que não o deixariam vivo. Foi organizada então a operação de resgate para levar Ted, recém-saído da UTI cirúrgica, onde lhe extraíram sete balas, da clínica para a embaixada do Uruguai.

A Falange tinha como alvo preferencial os quadros da pequena burguesia urbana, jornalistas, professores, intelectuais em geral comprometidos com a Assembléia Popular. José Luiz Alcazar, correspondente da Interpres Service (IPS) e secretário executivo da Federação dos Trabalhadores na Imprensa (FTP); Juan Carlos Salazar, correspondente da Deutch Press Argentur (DPA) e secretário de Liberdade de Expressão da mesma Federação; José Baldívia, secretário executivo da Federação de Radialistas, conseguiram se refugiar no convento dos dominicanos de La Paz. A repressão ficou sabendo, os falangistas ameaçaram caçá-los. Foi, então, realizada outra operação de resgate, e os jornalistas foram levados disfarçados à embaixada da Argentina.

O significado do gesto

O cerco se estreitava. Na tarde de 6 de setembro começou o fim da aventura boliviana. Estava em *West Coast*, sentado diante de um telex, preparando informação. Hugo Salmón, advogado e ex-correspondente da AFP, aposentado, mantinha a função de gerente da agência. Em pé, apoiado no balcão, conferia notas fiscais e outros comprovantes de gastos para fechar as contas do tumultuado mês de agosto. Nisso, com grande estardalhaço, entraram três carabineiros[8] armados de metralhadora e dois policiais civis. Outros soldados ficaram do lado de fora, cercando as entradas. "?*Quién es el corresponsal de France Presse?*" — perguntou um policial civil, encostando-se no balcão, do lado oposto a Salmón.

Havia outros jornalistas escrevendo à máquina ou digitando telex. Silêncio sepulcral e grande tensão. Hugo Salmón, com toda a calma e gentileza que lhe era característica, interpela o policial: "*¿Qué quiere usted? ?En qué puedo servirle?*" O policial o observa e reconhece o advogado de grande prestígio na cidade. "*Doctor, venimos por el corresponsal de France Presse,*" responde o policial. "*Muy bien, ¿qué es lo que quieren? Yo soy el corresponsal de France Presse.*" "*Pero doctor, debe haber algún engaño. A usted yo lo conozco.*" Salmón, com toda tranqüilidade, pega no bolso interno do paletó sua credencial e mostra. "*Ve usted? Soy el corresponsal de AFP.*"

"*Pero doctor, nos dijeron para llevar un gringo, un extranjero e además bien más joven que usted.*" "*Ah! Si!..*" replica Salmón. "*Había, de hecho, un francés que vino para cubrir los acontecimientos de agosto, pero ese ya se fué, hace dos o tres días no más.*"

Os tiras se convenceram e se foram com os soldados que os escoltavam. Assisti a isso tudo quase sem respirar, fingindo que lia uma folha contínua do telex. Salmón, que em nenhum momento perdeu a serenidade, me olhou peremptório: "*tenemos que providenciar tu salida. Ya. No hay duda de que pronto sabrán donde buscarte. Tuviste suerte de que estos no te conocían.*"

Fui a um telefone público alertar a Bia, pedir que arrumasse o que fosse possível em algumas poucas malas e preparasse os meninos porque a qualquer momento estaríamos escapando, pois a repressão já estava em nosso encalço.

Outro dia li uma crônica de Gilberto Dupas sobre o livro que um filósofo francês escreveu sobre o significado do gesto. Lembrei-me da beleza do gesto de Hugo Salmón, que colocou em risco a própria vida, salvou-me e garantiu segurança à minha família.

Naquela tarde, Salmón foi ao Ministério do Interior ver se conhecia alguém em quem se pudesse confiar para pedir ajuda, conseguir um salvo-conduto ou um visto de saída. Esperei no seu carro. Não encontrou ninguém. O Ministério estava em mãos falangistas. Levou-me para casa. Localizei o Flaco, pedi sua presença e ajuda. Dei-lhe a chave da casa e o telefone do proprietário e lhe pedi que se encarregasse de dar boa utilização a tudo que não podíamos levar: livros, discos, roupas, comida... e que queimasse os papéis mais comprometedores. Não resisti à tentação e coloquei no fundo de uma das malas um pacote com uma seleção dos últimos telegramas enviados para a *France Press* e alguns documentos. Tenho-os até hoje. Foi o que me permitiu relembrar todos os acontecimentos aqui relatados com certa precisão.

Hugo Salmón veio no início da noite. Fizemos hora circulando. Bem mais tarde subimos para o aeroporto internacional em El Alto. Entramos por uma porta secundária. Nossas malas foram levadas para um depósito e de lá direto para um avião da Lufthansa que nos levou a Lima. Salmón havia arranjado tudo. Quatro passagens sem o *check-in*, o envio das malas sem passar pela alfândega, e o nosso embarque sem passar pela imigração. Conseguiu tudo isso com o seu prestígio de advogado e com dinheiro da AFP. Albert Brun nos esperava no aeroporto internacional de Callao, no Peru e nos levou a Lima, numa cinzenta manhã de 7 de setembro de 1971. No Brasil, os militares desfilavam em comemoração ao dia da independência.

Notas

1. Paz Estensoro, principal dirigente do Movimiento Nacionalista Revolucionário (MNR) estava em Lima, articulando seus correligionários na Bolívia.

2. A *West Coast* era uma empresa de comunicação dos Estados Unidos, equipada para telegramas, telex e telefonia internacional.

3. Jornal diário, pertencente à Cúria Metropolitana de La Paz.

4. Referente a Tiahuanaco, civilização pré-incaica que habitou o altiplano boliviano entre La Paz e o Lago Titicaca. São de rara beleza a Porta do Sol e a Porta da Lua, lavradas em pedra.

5. Damomio nessa época era repórter do *Opinión*, jornal que abrigava o pensamento da intelectualidade de esquerda. Seu proprietário era o judeu argentino Timerman. Damomio, boêmio incorrigível, morreu de cirrose nos anos 1970. *Opinión* foi obrigado a fechar com o endurecimento da ditadura militar.

6. Havia conhecido Paco Urondo havia alguns anos, em Cuba. Alojava-me em sua casa quando viajava a Buenos Aires. Percorremos juntos grande número de cidades argentinas. Mais adiante há longa referência sobre essa viagem. Paco foi assassinado pela repressão militar Argentina.

7. Referia-se aos fascistas de Falange Socialista, aos militares golpistas e aos dirigentes do MNR.

8. Polícia Militar sob comando do Ministério do Interior.

7. Che e Monje

Aprendimos
comandante
que nadie puede
consolarnos
porque quienes nos pueden
consolar
Necesitan consuelo

Tomás Borge — poeta e guerrilheiro nicaragüense

No início da década de 70, o culto ao Che Guevara havia alcançado seu auge. Em quase todo o mundo, se fomentava o mito do guerrilheiro heróico. Era o ideal para a formação do homem novo num mundo que se queria transformado sob a égide do amor e da solidariedade. Músicos, cantores, poetas, pintores reverenciaram o herói de La Higuera[1], que dera sua vida pela libertação da humanidade. Jovens se rebelavam contra o sistema ou contra o sufoco social, armando-se ou alienando-se ou pregando paz e amor, carregando os pôsteres do Che ou vestindo alguma roupa que lembrasse sua figura. Parecia o advento de um novo Cristo.

Na Bolívia, o Che Guevara tinha um significado muito especial. Seu Exército de Libertação Nacional (ELN), fora derrotado na região do Ñancahuazú, mas sobrevivia clandestino nas principais cidades do país, anunciando que preparava nova ofensiva guerrilheira. Além disso, a morte do Che causara um trauma em quase toda a sociedade. A esquerda tradicional carregava um certo complexo de culpa pela sua derrota e parecia querer redimir-se. A jovem esquerda queria realizar o seu sonho.

Quando se falava da morte de Guevara, buscava-se também a culpa. E o apontado como culpado era Monje, o novo Judas. E eu pensava como poderia estar se sentindo alguém com tamanha carga sobre si. Queria conhecer que raios de conflitos viveria esse homem. E nos tornamos bons amigos. Com suas confidências e alguns fatos que testemunhei, livre de paixões, tento aqui reconstruir a sua versão dessa história e exorcizar fantasmas.

Mário Monje Molina: filho de índios de uma das nações aimara que habitam o altiplano boliviano. Pele escura, de um bronze chegado ao negro, bem mais alto que o comum dos bolivianos, altivo, olhar penetrante. Professor, estudioso e bem informado, se expressa em aimara, quíchua, espanhol e russo. Fala fluente, pensamento claro e inquiridor com grande poder de convencimento. Ingressou cedo no Partido Comunista Boliviano e freqüentou uma das escolas de quadros do Partido Comunista Brasileiro (PCB), época em que conheceu militantes como Carlos Marighella, Câmara Ferreira e outros.

Mário Monje era secretário geral do Partido Comunista na época em que o Che instalava a guerrilha. Era corrente a afirmação de que Monje o traíra ao retirar o apoio de seu partido depois de haver-se comprometido. Não há, no entanto, documento algum que indique apoio do partido ou de algum de seus dirigentes à guerrilha.

Havia um anticomunismo exacerbado nas hostes da direita que encontrava eco na própria esquerda. Isso ocorria em toda a América Latina e cresceu apoiado pelo antipartidarismo de setores da esquerda influenciados pelo triunfo da Revolução Cubana e pela teoria do foco. E Monje foi transformado em bode expiatório. Era preciso ter um culpado pelo fracasso da guerrilha. Havia gente na esquerda que via mais demônios no Partido Comunista e mais culpa em Monje do que na própria CIA e no serviço de inteligência do exército boliviano.

O envolvimento de Monje começou em 1962, ano em que conheceu Ernesto Che Guevara. Daí até 1964 conversou com ele várias vezes. Nessa época, com base nas condições da Bolívia que havia conhecido em 1953[2], Che acreditava que ali não havia perspectiva para desenvolvimento de guerrilha no país. Fidel Castro, com quem

Monje também estivera várias vezes nessa época, compartilhava dessas idéias. Ambos consideravam as dificuldades do terreno, particularmente no altiplano, a difícil situação geográfica como país mediterrâneo, sem condições de receber ajuda externa, e recomendavam que o destino da Bolívia era esperar a revolução triunfar nos demais países.

Em 1964, realizou-se a conferência de partidos comunistas da América Latina, convocada para discutir as formas de enfrentar os problemas do continente. Por iniciativa da delegação boliviana, foi aprovada resolução sobre a não-intervenção nos assuntos internos de cada país. Igualmente era definido que os partidos comunistas e operários deveriam enfrentar os problemas em seu país, tendo apenas a solidariedade dos demais. A repercussão do sucesso da Revolução Cubana, principalmente na juventude, era foco de preocupação de todos os partidos comunistas da América Latina.

No final de 1965, Monje (então secretário político do PCB) viajou para Cuba com oito companheiros para treinamento militar. Sua viagem coincidiu com a ida a Cuba de uma delegação à Conferência Tricontinental, integrada por três representantes do PCB e oito do recém-criado Partido Comunista Marxista Leninista (PCML), dissidência de Oscar Zamora, de linha maoísta.

Em fins de 1963, Zamora iniciara um movimento divisionista no seio do PC boliviano e os cubanos lhe ofereceram ajuda, com a condição de que desencadeasse a luta guerrilheira. Nessa época, Regis Debray[3] aparece com freqüência em La Paz e em algumas zonas do interior, como correspondente de *Liberation*, uma revista de estudantes de Paris, de linha anti-soviética e pró-chinesa. No II Congresso do PCB, realizado em 1964, a dissidência rompe com o partido e surge o Partido Comunista Marxista Leninista (PCML), liderado por Zamora. Este, porém, abandona seus aliados cubanos para jurar fidelidade à China. Bem mais tarde, o próprio Che, em conversa com Monje, reconheceria que havia se enganado ao confiar em Zamora. Esse II Congresso havia reiterado a linha de preparar o partido para o emprego de todas as formas de luta, justificando o treinamento militar de alguns quadros.

Monje e o PCB estavam convencidos de que o caminho era o da insurreição popular

Em Cuba, Monje percebe que ainda havia muito entendimento entre os cubanos e os comunistas bolivianos dissidentes liderados por Zamora e alerta a direção de seu partido sobre isso. Não lhe deram ouvidos. Afinal, tinham oito quadros comunistas treinando luta armada, entre os quais Monje, o secretário político. O treinamento durou seis meses.

Em fevereiro de 1966, Monje reuniu-se com Fidel Castro. Inquirido, Monje explicou as razões pelas quais seu partido enviava quadros para treinamento militar em Cuba mesmo sem ter a intenção de iniciar uma guerrilha. Acreditava que as experiências da Bolívia com a insurreição popular de 1952 e mais tarde, em 1964, com o golpe de Barrientos, mostravam que o partido deveria estar preparado para atuar em momentos de crise. Repetindo-se uma situação aguda, o partido poderia conduzi-la por melhores caminhos.

Monje estava convencido de que a insurreição, o levantamento popular, era o que fatalmente viria a ocorrer na Bolívia, e que isso não descartava a guerrilha como uma forma de luta. Fidel contestou que o importante era decidir-se pelo foco guerrilheiro. Colocar-se adiante dos acontecimentos, ao invés de esperar passivamente que a insurreição ocorresse. Achava que o plano do PCB nada tinha de concreto, não assinalava um prazo. A reunião terminou sem nenhum acordo, mas Fidel ficou esperançoso de que Monje evoluísse às posições de apoio ao foco. Estava convencido de que o desencadeamento de focos guerrilheiros por toda a América Latina incendiaria o continente, assegurando as condições de vitória.

De fato, por toda a América Latina surgiam movimentos revolucionários. Masetti[4] havia ido à Argentina para criar o Exército Guerrilheiro do Povo (EGP) e, mais tarde, surgiriam grupos como o trotskista Exército Revolucionário do Povo (ERP) e os Montoneros, no interior do peronismo. No Peru, os focos guerrilheiros do Exército de Libertação Nacional (ELN)[5] de Hector Bejar, em 1963, e do Movimento da Esquerda Revolucionária (MIR)[6], em 1965. Outro grupo guerrilheiro se insurgiu na Colômbia, com as Forças Armadas Revolucionárias da Colômbia (FARC), liderado por Manuel Marulanda, o famoso *Tiro Fijo,* que ainda hoje está ativo. Ainda na Colômbia surgiu outro Exército de Libertação Nacional (ELN) de inspiração cubana, que ganhou notoriedade com a adesão do padre Camilo Torres, assassinado em 1966. Na Venezuela a guerrilha das Forças Armadas de Libertação Nacional (FALN), fundada em 1962, inicialmente conduzida pelo Partido Comunista Venezuelano (PCV) e depois por Douglas Bravo[7]. Asilado no Uruguai, Leonel Brizola comandava, desde 1965, as tentativas de desencadear a guerrilha como forma de derrotar a ditadura no Brasil[8]. Vivia-se, em cada partido comunista, o auge das discussões sobre linha política e formas de luta para derrotar as ditaduras e criar condições para a revolução socialista.

Em maio de 1966, já com data marcada para retornar à Bolívia, Monje foi chamado para uma nova reunião com Fidel Castro. Em nome do internacionalismo proletário, Fidel pede que o PCB garanta a segurança de um revolucionário que precisaria cruzar a Bolívia para regressar a seu país e realizar a revolução. *"Se trata de un compañero que conocíamos los dos y de quien nadie podía poner en duda sus condiciones de revolucionario y el innegable derecho de retornar a su país"* — disse-lhe Fidel. Tinha de passar pela Bolívia, precisava de ajuda e pedia a Monje que escolhesse quatro companheiros para protegê-lo. Seriam quatro cubanos e quatro bolivianos. Monje aceitou. Não foi explicitado concretamente de quem se tratava, mas era fácil imaginar. Monje pediu a Fidel que acalmasse os estudantes que haviam feito treinamento nas férias e que estavam loucos para entrar em ação. Fidel concordou não só com isso, mas também com que o problema boliviano ficasse em mãos do PC boliviano.

Ao final, Fidel solicitou que essa questão ficasse em segredo entre os dois. Monje, no entanto, ao regressar à Bolívia sentiu-se na obrigação de comunicar a seus companheiros da direção do partido. Logo depois, realizou-se o congresso do Partido Comunista do Uruguai (PCU), em Montevidéu, onde Kolle Cueto, membro do secretariado do PC boliviano, passou a informação para Arismendi[9] e outros comunistas presentes. O segredo ficou conhecido internacionalmente e Monje perdeu a confiança dos cubanos. Nessa ocasião, Kolle dialogou também com Leonel Brizola em busca de entendimento, pois já se sabia que um movimento seria desencadeado no Brasil.

Monje regressou a seu país em pleno processo eleitoral que reconduziu Barrientos à presidência da República e, depois disso, começou a armar as condições para, atendendo ao pedido de Fidel, assegurar a passagem do revolucionário e seus companheiros pela Bolívia. Compraram algumas terras, pequenas fazendas ao norte, em Caranavi, no alto Beni, que poderiam servir também para treinamento militar de comunistas, e no sudoeste. A fazenda no vale do Ñancahuazú foi comprada por Monje com a ajuda de Roberto (Coco) Peredo Leigue, que conhecia a região e ficou como proprietário. O critério para a compra foi o de poder servir de base para o posterior traslado dos companheiros à Argentina. Portanto, deveria estar próxima à fronteira. Um grupo cubano acompanhava todo esse trabalho e, ao mesmo tempo, coordenava a montagem de um aparato paralelo, às escondidas dos comunistas. Em agosto os cubanos lhe propuseram uma entrevista com Che. Monje argumentou que ainda não era chegada a hora.

Pretendia-se arrastar o PC boliviano a uma forma de luta contrária à linha aprovada

Em 1966, Debray estava novamente envolvido com Zamora, enquanto Pombo[10] e outros cubanos preparavam a passagem de Che pela Bolívia, com destino à Argentina. A realidade, no entanto, é que já estavam decididos a preparar o foco guerrilheiro em território boliviano.

Em setembro, a tensão entre o pessoal de Monje e os cubanos se agravou com a presença de Regis Debray na Bolívia que queria impor critérios e conduta aos comunistas, ferindo suscetibilidades. Entusiasmados, alguns bolivianos que colaboravam com o grupo cubano recrutavam quadros no partido. Em outubro, sentindo que se pretendia arrastar o PCB a uma forma de luta que não correspondia à linha aprovada, Monje pediu providências à direção do Partido. Esta aprovou o envio de uma delegação a Havana, com a proposta de realizar uma conferência de partidos operários do continente, para coordenar uma ação comum antiimperialista e reiterar que a revolução boliviana devia ser dirigida por bolivianos — responsabilidade que o PCB se sentia em condições de assumir.

Encarregado da tarefa, Monje chegou a Havana às vésperas do Natal de 1966 e foi logo recebido por Fidel. Cada um defendeu sua posição, e novamente não chegaram a qualquer entendimento. Diante das idéias de Monje, Fidel sugeriu que ele conversasse com o próprio Che e propôs uma reunião entre os dois fora da Bolívia, em lugar fronteiriço. Monje, no entanto, já tinha como certo que Che estava na Bolívia — e de fato estava, pois o diário do Che na Bolívia começa em 7 de novembro de 1966.

De regresso, Monje seguiu direto para Ñancahuazú, levado por Roberto "Coco" Peredo, para no dia 31 de dezembro reunir-se com Che — que usava o pseudônimo de Ramón. Coco era um dos quatro homens solicitados por Fidel para proteger Che Guevara em sua passagem pela Bolívia.

Essa primeira entrevista durou cerca de cinco horas. Che iniciou dizendo que queria aclarar alguns pontos para que pudesse haver um clima de sinceridade na discussão sobre os problemas que tinham de resolver. Monje nunca pôde esquecer das palavras de Che: *"Quiero pedirte disculpas. Te hemos engañado. No pudimos explicarte nuestros planes. Sé que no has podido entenderte con el compañero cubano que estaba aquí. El es más militar que político y no podía comunicarte todo. Pero estamos aquí y esta región es mi territorio liberado."*

Diante do fato consumado, Monje argumentou que a revolução devia ser dirigida por bolivianos. Poderia aceitar a formação de um comitê no qual, além dos comunistas, participassem outras forças revolucionárias. Acreditava haver muita gente capaz para ajudar a revolução e aceitava submeter-se a essa direção. Também manifestou estar disposto a renunciar ao posto de secretário geral do partido para poder ajudar a revolução da melhor maneira. Não queria ser um obstáculo nas relações entre o partido e a guerrilha, mas reiterou que, levando em conta a situação nacional e internacional, não lhe parecia correta a atitude tomada à revelia dos dirigentes comunistas, mesmo porque o PCB havia proposto a convocação de uma reunião de todos os partidos do continente para deliberar sobre a conduta coletiva a ser adotada.

Argumentou também ser favorável ao abandono imediato da região, inadequada para a guerrilha tanto do ponto de vista político quanto do militar. Lembrou que as experiências guerrilheiras da Argentina, do Peru e do Congo confirmavam sua crença de que o foco guerrilheiro não levaria à revolução. Repetiu tudo o que já havia dito a Fidel, quase um ano antes, sobre os critérios dos comunistas sobre a revolução boliviana: a necessidade de preparar, em escala nacional, um partido com uma organização militar, capaz de impulsionar a revolução num momento de crise.

Che disse que haviam escolhido a Bolívia porque uma avaliação prévia mostrou alguns aspectos positivos. A Argentina havia sido descartada porque, depois do fracasso de Masetti, não havia nenhum aparato para recebê-los. As notícias recebidas eram de que a situação no Peru ia de mal a pior. Na Bolívia, porém, havia um exército débil, o governo reacionário de Barrientos e uma burguesia também frágil, que poderiam ser derrotados. Além disso, os comunistas estavam preparados para uma situação crítica. Apesar disso, não era possível dar a Monje a condução da revolução, porque: *"tu no crees en la guerrilla, tu tienes planes diferentes, tu crees en una insurrección, sin fecha, sin tiempo fijo."*

Enquanto discutiam, alguém disse que aos comunistas não restava alternativa senão a adesão à guerrilha. Monje disse ao Che que, da forma como estava preparando a luta, iria oferecer a um exército mal preparado, o pior da América Latina, uma vitória em bandeja de prata, fortalecendo a reação contra-revolucionária no país. *"Você não vai durar um ano; quem sabe os dois podemos durar dois anos, mas os resultados serão os mesmos. Só terá morrido mais gente. Não se vencerá, porque não existem as possibilidades e condições para essa luta tal como está planejada".*

E Che lhe disse: *"¿Tu dudas tanto?"*

Monje estava muito consciente de suas posições e respondeu: *"Se você triunfar com a Revolução, sei que irei para o lixo dos que se consideraram revolucionário, mas fugiram de seu papel no momento decisivo, como Kautsky, Bernstein, e Trotsky*[11]*. No entanto, creio que com-*

preendo melhor que você a situação boliviana. Vamos esperar os acontecimentos."

Mas Che encerrou a conversa: *"Bueno, esa es mi posición final. Voy a empezar la lucha!"*

À noite, ambos brindaram pela entrada do Ano Novo, fazendo votos de êxito para a Revolução. De manhã, no primeiro dia de 1967, voltaram a conversar. Monje disse ao Che: *"Deixemos à prática, deixemos a vida mostrar quem tem a razão. Se você vencer, me encontrará. Se não vencer, não sei onde o encontrarei. O que mais posso desejar são êxitos. Êxitos que um revolucionário deseja a outro revolucionário. Eu não tenho outro caminho senão o de retirar-me."*

Che ainda pediu a Monje que ficasse sob a proteção dos guerrilheiros, porque poderia ser assassinado na cidade. Monje se despediu afirmando que não seria um entrave às possibilidades de entendimento entre os comunistas e os guerrilheiros. De volta a La Paz, apresentou sua renúncia ao secretariado e um relatório indicando que estava para ser iniciada uma forma de luta estranha ao país e que nada tinha a ver com o partido.

Bolívia e Cuba perderam vidas preciosas de dirigentes revolucionários

Che Guevara, no início de seu diário, deixa claro que não tinha o apoio do partido e era preciso conquistá-lo. Essa preocupação com relação à posição de Monje e do PCB aparece mais de uma vez também nos diários de Coco e de Inti. Também Harry Villegas Tamayo, o Pombo, lugar-tenente do Che, em seu diário, reflete esse conflito e manifesta que o partido comunista e, particularmente, Monje duvidavam e descartavam a guerrilha. De fato, por que, após os insucessos da Argentina, do Congo e do Peru, Che insistiu em levar adiante a experiência boliviana? Para Monje, Guevara disse que, obrigado a sair da África, a Cuba já não podia voltar. Havia se despedido sob toque marcial. Tinha de buscar outro lugar para atuar e só a Bolívia oferecia algumas condições. Monje acha que Che quis ser o estopim da dinamite que os comunistas tinham armado, confiando demais, no entanto, no engajamento das organizações operárias, particularmente os mineiros de Oruro. Durante todo o processo guerrilheiro, vê-se nos diários, até no de Pombo, finalmente tornado público na década de 1990, o esforço para atrair os quadros comunistas para a guerrilha, e a posição contrária de Monje.

O PCB, segundo Monje, tinha obrigação de preservar sua identidade e sua própria sobrevivência como partido. Já havia sofrido algumas defecções, a principal delas liderada por Oscar Zamora, com o apoio ostensivo dos partidos comunistas cubano e chinês (nem sempre era fácil distinguir diferenças entre as dissidências comunistas foquistas e maoístas, embora estes falassem não em focos, mas, sim, em "guerra popular")[12]. E havia também, os esforços por arrastar os militantes comunistas para a aventura guerrilheira, contrária à linha do partido. Para Monje, os partidos comunistas teriam de cometer o suicídio antes de aceitar o foquismo e a direção ideológica e política da pequena burguesia. A guerrilha custou ao PC boliviano vidas de quadros valiosos e tremendo desgaste em sua credibilidade, seu prestígio e suas posições. Para o povo cubano, representou a perda de 17 comandantes e oficiais do exército revolucionário, entre os quais quatro membros do comitê central.

Monje argumentava que era preciso considerar a forte tradição nacionalista da Bolívia que já havia sido palco da Revolução de 1952, liderada pelo Movimento Nacionalista Revolucionário (MNR), com grandes líderes populares como Siles Suazo, Juan Lechín e o próprio Paz Estensoro. Todos os governos que a sucederam, mesmo as ditaduras reacionárias, o fizeram em nome do *nacionalismo revolucionário*.

Os camponeses das regiões mais densas eram aliados do movimento estensorista. As grandes confederações operárias e mineiras e os sindicatos, dirigidos por comunistas ou por seguidores de Lechín, estavam mais inclinados a acreditar em Monje e seguir os comunistas do que atender ao chamado de Guevara. Isso também se pode deduzir na leitura dos diários de Che Guevara e de Pombo. Trabalharam muito para conseguir o apoio dos sindicalistas.

O não-engajamento dessas forças deixou os guerrilheiros isolados, com cara de destacamento estrangeiro. A prisão de Debray em Muyupampa facilitou o fracasso da ação guerrilheira e deu mais argumentos à ditadura, que falava em intervenção estrangeira. Em

Camiri não se julgava só a Debray, mas sim a todo o processo guerrilheiro e, fundamentalmente, a atuação de Che e dos cubanos.

Outra tradição boliviana era a apresentação de programas, de substanciosos documentos pelos partidos políticos e também pelas organizações operárias, expondo sua interpretação da realidade boliviana e suas propostas de mudança. A guerrilha não apresentou nenhum programa, nenhuma proposta à população.

O Partido Comunista Boliviano, além de não aceitar a renúncia de Monje, recusou-se a entrar em acordo com a guerrilha e deu-lhe a tarefa de defender a organização do partido.

Para Monje, Che não cedeu a ele a direção da guerrilha porque temia ver diminuída sua importância, ao ser utilizada como um instrumento a mais de pressão no jogo político dos partidos. Che concebia a guerrilha como uma força estratégica para a conquista do poder. Parte de uma estratégia continental para uma guerra prolongada, envolvendo os principais países. Para o PCB, o importante era a insurreição popular, capaz de impor uma nova situação. No caso de derrota desta, então, sim, a guerrilha seria necessária para manter o povo armado e iniciar uma guerra prolongada de resistência.

A passagem de ano segundo Che

A versão do Che sobre a reunião com Monje está em seu diário, que traduzimos:

Dezembro, 31

"Às 7:30 chegou o médico com a notícia de que Monje havia chegado. Fui com Inti, Tuma, Urbano e Arturo. A recepção foi cordial, porém tensa; flutuava no ambiente a pergunta: a que vens? Estava acompanhado de "Pan Divino", o novo recruta, Tânia que vinha receber instruções e Ricardo para ficar.

A conversação com Monje teve início com generalidades mas logo caiu em seu ponto fundamental, resumido em três condições básicas:

1) *Ele renunciaria à direção do partido e conseguiria dele pelo menos a neutralidade e se extrairia quadros para a luta.*

2) A direção político-militar da luta lhe corresponderia enquanto a revolução tivesse âmbito boliviano.

3) Ele manejaria as relações com outros partidos sul-americanos, tratando de levá-los à posição de apoio aos movimentos de libertação (deu como exemplo Douglas Bravo).

Respondi que o primeiro ponto ficava a seu critério, como secretário do partido, ainda que eu considerasse um tremendo erro sua posição. Era vacilante e acomodatícia e preservava o nome histórico de quem deveria ser condenado por sua posição claudicante. O tempo me daria razão.

Sobre o terceiro ponto, não havia inconveniente em que ele tratasse de fazê-lo, porém estava condenado ao fracasso. Pedir a Codovilla que apoiasse a Douglas Bravo era o mesmo que pedir-lhe que aprovasse uma guerrilha em seu partido. O tempo também seria o juiz.

Sobre o segundo ponto não podia aceitá-lo de maneira alguma. O chefe militar seria eu e não aceitava ambigüidades nisso. Aqui a discussão se estancou e girou em um círculo vicioso.

Combinamos que ele pensaria e falaria com os companheiros bolivianos. Fomos para o acampamento novo e ali ele falou com todos, apresentando-lhes a alternativa de ficar ou de apoiar o partido; todos ficaram e parece que isso o golpeou.

Às 12 fizemos um brinde em que ele indicou a importância histórica da data. Respondi aproveitando suas palavras e marcando este movimento como o novo grito de Murillo da revolução continental e que nossas vidas não significavam nada diante do fato da revolução.

Janeiro 1

Pela manhã, sem discutir comigo, Monje me comunicou que se retirava e que apresentaria sua renúncia à direção do partido no dia 08/01. Segundo ele, sua missão havia terminado. Retirou-se com a aparência de quem se dirige ao patíbulo. Minha impressão é que ao ter se inteirado por Coco de minha decisão de não ceder nas questões estratégicas, aferrou-se a esse ponto para forçar a ruptura, pois seus argumentos são inconsistentes.

Pela tarde, reuni todo mundo e expliquei a atitude de Monje, anunciando que realizaríamos a unidade com todos os que queiram fazer a revolução e vaticinei momentos difíceis e dias de angústia moral para os bolivianos; trataríamos de solucionar seus problemas por meio da discussão coletiva ou com os comissários.

Notas

1. Lugarejo no sudeste boliviano, onde o exército assassinou Che Guevara.

2. Quando estudante de medicina, em 1953, em companhia de seu colega Carlos Ferrer, Che esteve por cerca de dois meses na Bolívia. Andou de trem pelo altiplano, visitou o fundo de algumas minas e ficou por cerca de um mês em La Paz. O país era governado pelos vitoriosos da Revolução de 1952, mas ainda havia muita tensão.

3. Intelectual francês, autor de *Revolução na Revolução*, livro sobre a Revolução Cubana que disseminou a teoria do foco guerrilheiro. Era emissário dos cubanos, ajudando nos preparativos da guerrilha.

4. Jorge Ricardo Masetti, jornalista argentino que em 1958 visitou a guerrilha cubana de Sierra Maestra. Além da reportagem, publicou um livro: *Aqueles que lutam e Aqueles que choram*. Depois do triunfo da Revolução Cubana Masetti ajuda os cubanos na criação da Agência de Notícia Prensa Latina. Mais adiante há outras informações sobre a agência. Em 1962, Masetti liderou a formação do EGP que, em 1963 instalou um foco guerrilheiro no noroeste argentino, nas fraldas da cordilheira. O grupo foi dizimado e Masetti desapareceu em 1963.

5. Hector Bejar sofreu uma derrota em 1963, voltou a lutar em 1965 e logo depois foi preso. Foi solto pelo governo revolucionário do general Juan Velasco Alvarado, com o qual passou a colaborar.

6. O foco guerrilheiro peruano do Movimento de Esquerda Revolucionária (MIR), liderado por Guillermo Lobatón e Luis de la Puente Uceda, iniciado em 1965, foi em seguida dizimado.

7. Em 1965, muitos dirigentes da FALN foram presos. Os remanescentes que continuaram na luta, sob a liderança de Douglas Bravo apoiado por Cuba, sem apoio logístico foram dizimados.

8. A mais notável dessas tentativas foi o foco guerrilheiro de Caparaó, na região serrana fronteira entre Minas Gerais e o Espírito Santo. Todos os guerrilheiros foram presos antes de terem disparado um só tiro.

9. Juan Arismendi era o secretário geral do Partido Comunista Uruguaio.

10. Harry Villegas (Pombo), combatente negro da Sierra Maestra, hoje é general das Forças Armadas Revolucionárias de Cuba.

11. Intelectuais da Revolução Russa de outubro de 1917 que polemizavam com o líder Vladimir Ilich Lenin.

12. Para uns, o foco guerrilheiro seria o comando e disseminaria a luta revolucionária; para os seguidores de Mao Tse-Dong, a guerrilha no campo seria o braço armado da aliança operário-camponesa.

8. Debray

Acreditávamos que
o caminho da revolução brasileira
era o da grande frente de massas
e todas as formas de luta.

Em 1966, em plena luta interna entre os comunistas de São Paulo e o Comitê Central do Partido Comunista Brasileiro em torno das teses para o VI Congresso, Costa Pinto[1], membro da Executiva do Comitê Central estadual, pediu-me que traduzisse para o português o livreto *Revolución en la revolución*, de Regis Debray. Não só traduzi como datilografei em estêncil e rodei umas tantas cópias no mimeógrafo elétrico que tínhamos em casa. Mimeógrafo do partido, claro. A casa servia de aparelho e aí se realizaram muitas reuniões importantes na articulação da oposição ao Comitê Central (CC) do Partido Comunista Brasileiro (PCB) e na estruturação do Agrupamento Comunista de São Paulo, origem da Ação Libertadora Nacional (ALN). A intenção de nosso grupo, ao difundir o livro, era colocar mais lenha na fogueira da luta interna, dar munição a quem quer que quisesse fazer proselitismo contra o CC.

Já haviam transcorrido dois anos do golpe de 1º de abril de 1964, não se divisava perspectiva de participação política das forças democráticas e populares, e o regime militar enveredava para um modelo de consolidação do capitalismo pela associação com o capital estrangeiro.

O Comitê Central propunha a luta política em aliança com a burguesia. Em 1967, chegou a apoiar uma Frente Ampla liderada por Carlos Lacerda — um dos articuladores do golpe de 1964 e ferrenho anticomunista. As posições da situação, liderada por Luís Carlos Prestes, há mais de 30 anos o principal dirigente do partido, eram tachadas de revisionistas e reacionárias, por não apontarem o caminho para a revolução. A oposição afirmava que o caráter da revolução brasileira era de libertação nacional e que o caminho para o socialismo passava pela formação de uma grande frente política e de massas, hegemonizada pela aliança operário-camponesa, e por isso devíamos estar preparados para todas as formas de luta, até mesmo a armada.

Essa frente revolucionária devia ser integrada também por militares. Isso fazia sentido, tendo em vista que os militares haviam protagonizado as revoltas de 1922 e 1924. Essa geração do tenentismo, ou seja, o componente militar da Aliança Nacional Libertadora (ANL) — foi o que garantiu a vitória da Revolução de 1930, a primeira ruptura real do esquema de poder em vigência desde D. João VI.

Getúlio Vargas era militar e por isso conduziu a República dos Tenentes. Luís Carlos Prestes, que mais tarde seria o líder do Partido Comunista Brasileiro (PCB), era militar e aliancista. A exemplo dele, havia outros militantes de origem militar. Durante muito tempo se dizia que a maior célula comunista na América Latina eram os militares do PCB.

Quando o Comando da Internacional Comunista (Comintern) considerou as condições maduras para a revolução no Brasil, considerava tão-somente o componente militar, achando que se este tomasse o poder teria, automaticamente, o apoio popular. Deu no que deu em 1935, no episódio da Intentona Comunista. Os militares sublevados foram derrotados e acusados de estar servindo a um país estrangeiro.

Deixando de lado o exagero, os comunistas sabiam que, sem rachar ou neutralizar o Exército, seria impossível uma revolução no Brasil. Era possível contar com os nacionalistas e democratas das Forças Armadas. Foi assim nas campanhas nacionalistas em defesa do Petróleo na década de 1950. Em 1961, na renúncia de Jânio Quadros à presidência, não foi consumado o golpe pela direita porque não conseguiram consenso nas Forças Armadas. Pesou mais, na época, o componente militar democrático. Havia milícias populares prontas a atuar junto com oficiais do Exército.

Não obstante, em 1964, o golpe da direita, tentado tantas vezes antes, deu certo. Quem deu o golpe? Foi o componente militar que estava sob a influência dos Estados Unidos. Oficiais brasileiros que participaram da II Guerra sob o comando estadunidense e continuaram a receber essa influência na Junta Interamericana de Defesa. E, a partir daí, vários oficiais eram treinados em bases dos Estados Unidos, e oficiais daquele país assessoravam os oficiais brasileiros.

Outro fator, este o mais grave, que se deve contabilizar como vitória dos Estados Unidos, foi a mudança da concepção estratégica do Estado Maior das Forças Armadas brasileiras. A habilidade de Golbery do Couto e Silva, general que se fazia passar por intelectual, em convencer seus pares mal preparados a aceitar uma teoria geopolítica que transformava as Forças Armadas brasileiras em força tática sob o comando estratégico dos Estados Unidos.

Essa subordinação à doutrina militar dos Estados Unidos em plena guerra fria foi responsável pela separação do Estado da Nação e levou as Forças Armadas a atuar como força policial repressiva contra seu próprio povo. Não por acaso que, para chegar a isso, foi preciso destituir mais de cinco mil oficiais.

Destruiu-se também a grande frente de classes que se dispunha a executar um projeto de desenvolvimento integrado e autônomo para o Brasil. Reprimindo os partidos, as organizações sociais e qualquer manifestação popular, deixaram mais de duas gerações sem caminhos, sem possibilidade de participação no processo político e sem condições até mesmo de se expressar.

Essa conjuntura acirrou o debate ideológico em toda a esquerda. A luta interna no PCB se radicalizava. Lembro-me de um sindicalista de dedo em riste que gritava para Prestes que ele era um traidor da classe operária. Nesse contexto, pelos ataques que continha aos partidos comunistas, a divulgação do livro de Debray vinha ao encontro das expectativas da juventude com relação à Revolução Cubana.

No entanto, essas idéias não tiveram muita aceitação em nosso meio. Os quadros do partido que também eram oficiais do Exército, boa parte deles na oposição a Prestes, achavam o foquismo[2] absurdo, pelas dimensões continentais do país e pela eficiência e poderio das Forças Armadas — sem falar nas fracassadas tentativas foquistas do Movimento Nacionalista Revolucionário de Leonel Brizola, do qual participaram alguns militares afastados das Forças Armadas pelo governo militar.

Regis Debray, na obra *Revolução na Revolução*, questionou todas as teses e linhas políticas adotadas pelos partidos comunistas até então, desacreditando de seu papel histórico e de sua capacidade de liderar processos revolucionários. O marxismo-leninismo, mal interpretado por falsos intelectuais e intelectuais desonestos, ficou ainda mais confuso e debilitado, levando muita gente a adotar esquemas que lhes eram propostos — Mao Tse-Dong[3], Fidel Castro ou Che Guevara e até mesmo Enver Hoxha[4] — sem o menor juízo crítico. E isso era agravado pelo baixo nível do ensino acadêmico e a falta do hábito de leitura, mesmo entre a militância comunista.

O terreno ficou adubado para germinarem as sementes plantadas por Cuba ou pela China. A Revolução Cubana, principalmente, fascinava. O simplismo da teoria do foco empolgava os espíritos mal formados, oferecendo um horizonte de revolução vitoriosa ao alcance de seus limitados recursos intelectuais e materiais, e preenchendo o vazio de propostas de caminhos claros para a revolução de cada um de nossos países. E Cuba era solidária. Ajudava como podia a quem estivesse disposto a fazer a revolução.

Debray, teorizando sobre a experiência cubana, quebrava a premissa leninista de que a revolução devia ser conduzida pela classe operária e sua vanguarda, o partido comunista. A pequena burguesia urbana se viu liberada. Os comunistas revolucionários, que, tendo rompido com a matriz tradicional, procuravam audiência, se entusiasmaram com a adesão desse amplo segmento social, achando que tinham as massas a seu favor. Poucos viveram, no entanto, para ver que talvez nessa crença resida uma das principais causas do fracasso de nossas sonhadas revoluções.

A partir dos anos 1920, os partidos classistas foram capazes de desenvolver-se na América Latina, com grau de expressão política e vida institucional que variava de país para país. De maneira geral, no entanto, não foram capazes de forjar uma linha e um pensamento próprios para conduzir o processo revolucionário. Mesmo partidos com intelectuais como o uruguaio Arismendi[5] ou o chileno Recabaren[6], não ofereceram alternativas ao ortodoxismo soviético dominante — ou seja, o marxismo-leninismo elaborado pelos teóricos do Partido Comunista da União Soviética, que não só editava livros e folhetos como formava os quadros dirigentes. O peruano Mariátegui[7] talvez fosse a única exceção, ao propor que se fizesse em cada país o que Lênin havia feito na Rússia, ou seja, estudar a realidade à luz do marxismo e desenvolver a teoria e prática revolucionárias de acordo com a realidade de cada país.

Esse foi o grande erro do PCB conduzido por Prestes. O estudo e a interpretação da teoria ficava por conta dos soviéticos. Faltavam intelectuais para aprofundar o estudo da realidade brasileira. Alguns poucos que apareceram se chocaram com Prestes e tiveram de abandonar o partido. Muitos e muitos outros nem chegaram a ingressar, por saber que não haveria acolhida.

Para Fidel, a Revolução Cubana foi a culminação de 100 anos de luta

Na verdade, custou-nos a entender que a teoria de Debray se assentava sobre bases falsas. É de um simplismo inaceitável a afirmação de que a revolução cubana tenha se originado de um foco criado por doze homens que sobreviveram ao desembarque do Granma[8].

Eu estava em Cuba, em 1968, quando Fidel pronunciou o histórico discurso de Santa Clara[9], em que descreveu com detalhes como foram os 100 anos de luta para se chegar ao triunfo da revolução socialista. Ele falou da luta dos escravos pela libertação, liderados pelos *mambises*, que correspondem, grosso modo, aos quilombolas no caso brasileiro; das lutas pela independência e do pensamento de José Martí[10] como o Pai da Pátria; e mais recentemente da luta contra a tirania de Batista, destacando o papel do Movimento 26 de Julho.

A meu ver, a beleza e o maior acerto da Revolução Cubana está precisamente em ter se situado na continuidade dessa luta; em

Fidel apresentar-se como herdeiro do pensamento de Martí e chamar o povo para realizar o sonho dos mambises.

Fidel não surgiu espontaneamente em *Sierra Maestra*. Anos antes, em 1953, havia liderado o assalto ao Quartel Moncada, um dos bastiões da ditadura de Batista. Fracassou. Preso, escreveu o legado *A História me Absolverá*, verdadeiro poema épico à tradição de luta do povo cubano e um programa das transformações necessárias na sociedade, o qual seria realizado posteriormente com a revolução. Vale mencionar as reformas agrária e urbana, e a instituição de educação e saúde para todos.

Enquanto os guerrilheiros na *Sierra Maestra* se enfrentavam com um exército mal preparado, nas cidades o *Movimento 26 de Julho*, liderado por Frank País e outros, enfrentava a repressão policial, esta, sim, bem preparada e equipada.

A classe operária em Cuba era irrisória, mas o partido comunista, que se chamava Partido Socialista Popular (PSP), de quadros altamente qualificados, era alvo da repressão de Batista. Eram os comunistas que tanto Batista quanto os Estados Unidos mais temiam. E os comunistas estavam indecisos com relação a apoiar Fidel Castro, a quem qualificavam de pequeno-burguês e aliado da burguesia. O livro de Debray é de certa forma uma réplica aos ataques que os comunistas de todas as partes dirigiam contra Fidel.

O fato de a pequena burguesia se impor na condução da revolução tem suas razões. Ninguém suportava mais a ditadura de Batista e, além disso, o movimento liderado por Fidel recolhia a tradição das lutas históricas do povo e oferecia um programa para uma sociedade mais justa. Com isso conseguiu unir as massas trabalhadoras e todos os que ansiavam por livrar-se do *status quo*.

Há também o fator surpresa da revolução. Os Estados Unidos fizeram vista grossa ao desenvolvimento da guerrilha, que foi acompanhada de perto por repórteres dos principais jornais e das revistas estadunidenses. Afinal, os comunistas estavam bem vigiados e não se metiam com a guerrilha, apresentada assim como uma luta de libertação nacional, contra uma ditadura que já incomodava até Washington.

A radicalização da revolução foi posterior ao triunfo sobre o governo de Batista e ocorreu em função de fatores novos, surgidos no relacionamento com os Estados Unidos, cujos cidadãos eram proprietários de plantações de cana, usinas de açúcar, jazidas de níquel, hotéis e cassinos, principais atividades econômicas do país naquele momento. Os fatos se precipitaram. Fidel consolidara ampla frente de massas sob sua liderança, sem deixar espaço para outras forças políticas, levando os comunistas a capitular e se submeter a sua liderança. O processo já estava fora do controle dos Estados Unidos e estes não conseguiram retomar as rédeas. E isso, sem dúvida, graças à grande sagacidade dos cubanos.

Começou então o confronto. Para os Estados Unidos e a opinião de seus cidadãos, o destino de Cuba é o de Porto Rico, ou seja, vir a ser um novo estado associado. Porto Rico, Havaí e outras possessões dos Estados Unidos são consideradas estado associado, eufemismo para esconder a situação colonial.

Por outro lado, a revolução não poderia sobreviver isolada. Como fez Simón Bolívar nas lutas da independência dos países hispano-americanos, os cubanos achavam que a Cordilheira dos Andes poderia vir a ser a nova *Sierra Maestra*, iluminada por Cuba, fonte de uma nova teoria da revolução. E isso, para boa parte de nossa geração, era simplesmente deslumbrante.

Ao convocar a Conferência Tricontinental, em janeiro de 1966, o que os cubanos estavam pretendendo era precisamente criar, para os movimentos revolucionários, uma alternativa à Internacional Comunista[11], um novo centro da revolução mundial eqüidistante tanto da China como da União Soviética e das sociais-democracias européias.

Como derrotar o estado capitalista? A Revolução Cubana dava uma resposta. Bastava uma estrutura militar. Os comunistas obrigatoriamente teriam de apoiar. A radicalização desse pensamento chegou a tal ponto que era suficiente ter preparo militar para se considerar líder revolucionário. Lembro de uma ocasião em que eu lamentava a morte do amigo e companheiro Câmara Ferreira, também chamado de Toledo[12]. "*Quantos anos seriam necessários para termos um quadro com a formação e a experiência do Toledo*?" — perguntei.

Um jovem de uma das tantas dissidências saídas da ALN me contestou com a maior cara-de-pau: "*Ora, o que é isso! Com três ou quatro assaltos a banco e com algum enfrentamento com os milicos já se tem um quadro mais qualificado que esse velho...*" Mas, pior que isso, o próprio Toledo, quando inquirido pelo companheiro Ziga, no início de 1970, sobre o abandono da linha de massas, respondeu que a Ação Popular (AP) e outros partidos fariam isso, pois o papel da ALN era fazer a revolução! Ziga era da Dissidência Estudantil, grupos de jovens comunistas que não concordavam com a linha oficial do PCB e pregavam a luta armada. Ziga integrou um dos primeiros grupos que foi treinar guerrilha em Cuba.

A realidade foi muito dura para os que se deixaram seduzir pelas novas teorias. Perderam-se em toda a América Latina vidas preciosas, o melhor de mais de uma geração, de jovens e adultos que não hesitaram em sacrificar suas carreiras e as próprias vidas porque acreditavam que a vitória traria a libertação do jugo imperialista, o bem-estar e a solidariedade da sociedade socialista. Sem registrar as seqüelas deixadas pela frustração de um número muito maior de jovens.

Che trouxe o fato novo: o de que a guerra seria deflagrada já

A derrota sofrida pelas forças populares com o golpe de 1º de abril de 1964 levou os comunistas a iniciarem discussão sobre o papel do partido e a linha a ser adotada para derrotar a ditadura. Predominava no Comitê Central, liderado pelo secretário geral Luís Carlos Prestes, a tese de derrotar a ditadura pela via pacífica, por meio da formação de uma frente política com a burguesia. Em oposição a essas teses desenvolvia-se a idéia do confronto armado à ditadura e de alcançar os objetivos da revolução socialista pela via da guerra revolucionária desencadeada pela aliança entre operários e camponeses. Desde o início caracterizávamos a ditadura como fascista, não só pelo autoritarismo repressivo, mas principalmente porque se tratava, como na Itália de Mussolini e na Alemanha de Hitler, de uma apropriação do Estado pelo capital monopolista e expansionista e a submissão da nação por meio de estratégia psicossocial e/ou da força. Essas idéias germinaram, notadamente em São Paulo e no Rio de Janeiro.

O Partido Trabalhista Brasileiro (PTB) estava no poder com João Goulart na Presidência da República quando ocorreu o golpe de 1964 que instaurou o regime militar. Leonel Brizola, governador do Rio Grande do Sul, tentou resistir. Não conseguiu, foi para o exílio em Montevidéu e começou a articular a volta dos trabalhistas ao poder. Em 1965, foi feito um acordo com Cuba, que se comprometeu a dar toda ajuda a essa articulação. Começaram então os preparativos para iniciar uma revolução com participação de vários militares afastados do Exército após o golpe e com apoio dos civis que se organizavam em *Grupos dos Onze* nas cidades. Foi formado o Movimento Nacional Revolucionário (MNR), que pretendia estabelecer três focos guerrilheiros, respectivamente no Sul, Sudeste e Norte do país. O plano não deu certo e terminou com a captura de um desarvorado grupo na serra de Caparaó, em Minas Gerais perto da fronteira com o Espírito Santo, que se rendeu sem dar um tiro. Os dirigentes do MNR acreditavam que, no confronto, conseguiriam dividir as forças armadas. Em sua constituição, eles se limitavam a setores da pequena burguesia urbana, que não conseguiu articular-se com o movimento sindical nem se esforçou por construir uma frente.

Nessa mesma época, militantes do Partido Comunista do Brasil (PC do B), dissidência do PCB formada em 1961, sob a liderança de João Amazonas, Maurício Grabois e Pedro Pomar, faziam treinamento militar na China.

A revolução pretendida por Brizola teria o apoio da China e de Cuba. Aqui chegavam os ecos da Tricontinental, convocada para articular apoio ao Vietnã em luta contra os Estados Unidos, pregando o surgimento de muitos Vietnãs. Havia luta guerrilheira na Argentina, na Bolívia, no Peru, na Venezuela, na Colômbia, na Guatemala. Enquanto as lideranças discutiam em Havana, em abril de 1967, o exército brasileiro acabava com a guerrilha de Caparaó. Diante desse fracasso, Brizola desistiu de continuar a luta por esse caminho. O campo socialista se dividira, diante do conflito sino-soviético.

Nos primeiros dias de novembro de 1966, Che Guevara passou por São Paulo, a caminho da Bolívia. Foi recebido por Farid Helou e ficou hospedado no Hotel Samambaia, no centro da cidade, disfarçado de executivo uruguaio. Os cubanos sabiam que havia comunistas que estavam propensos à luta armada. Che Guevara reuniu-se longamente com Carlos Marighella e Câmara Ferreira, principais articuladores do grupo paulista de oposição ao Comitê Central do PCB que propunham a luta armada. Ao final, estabeleceram um acordo no qual os comunistas dariam apoio logístico à passagem de revolucionários e armas por território brasileiro e garantiriam o esquema de comunicação entre Che e Cuba.

O Comitê Central não ficou sabendo nada sobre isso. Mas a direção do Comitê Estadual sim, o que acirrou a discussão sobre a via armada. Che trazia um fato novo: o de que a guerra iria ser deflagrada já. É nesse clima que Marighella, em dezembro de 1966, demite-se da Executiva Nacional, condenando a aliança com a burguesia e afirmando existir aqui forças revolucionárias dispostas a ir à luta.

Os oficiais do Exército militantes comunistas se opuseram radicalmente às idéias de Guevara. Vale lembrar que nos primeiros dias do golpe de 1964 foram cassados numerosos oficiais relacionados com o governo deposto, dos quais a metade era militante comunista. E junto com eles foram demitidas várias centenas de cabos e sargentos.

O compromisso de ajuda solidária à retaguarda do Che foi cumprido com êxito na medida do possível. Mas continuavam a prevalecer aqui as idéias da guerra revolucionária prolongada, deflagrada pela aliança operário-camponesa. A guerrilha era entendida num quadro de evolução das formas de luta tradicionais nas cidades e no campo. O major Castor da Nóbrega, então na ativa, discutiu duramente com Carlos Marighella e convenceu muitos de nossos companheiros com seus argumentos. A luta no Brasil seria prolongada e não resultado de um foco.

Nos primeiros dias de janeiro de 1966 foi realizada em Havana a Primeira Conferência de Solidariedade dos Povos da África, Ásia e América Latina que contou com a participação de representantes de movimentos de libertação e de organizações revolucionárias de 83 países dos três continentes. Essa conferência criou a Organização de Solidariedade aos Povos da África, Ásia e América Latina (OSPAAAL), de caráter permanente. O objetivo maior era reforçar o apoio aos vietnamitas que lutavam contra os Estados Unidos e os africanos que lutavam contra Portugal. Em abril de 1967, a OSPAAAL realizou a Segunda Tricontinental, também em Havana. Essa Conferência teve uma grande repercussão porque foi lido um documento do Che Guevara em que lança a palavra de ordem: "criar dois, três, muitos Vietnam" e exorta os povos do mundo a cerrarem filas contra o imperialismo dos Estados Unidos.

Nessa mesma época, houve a conferência estadual do PCB de São Paulo. Saíram vitoriosas as teses que defendiam a linha de luta de libertação nacional. Rio de Janeiro, Minas Gerais e Pernambuco defendiam posições semelhantes. O confronto entre Prestes e essa nova tendência, liderada por Marighella, já na secretaria geral do Comitê Estadual paulista, chegou ao auge. Ficou claro para a direção nacional do partido que a oposição iria ganhar o VI Congresso. No desespero pela sobrevivência, Prestes deu o golpe. Simplesmente expulsou os principais cabeças da rebelião — Carlos Marighella, Câmara Ferreira, Jover Teles, João Adolfo Costa Pinto, Mario Alves, Rolando Fratti e Apolônio de Carvalho — e proibiu que as teses da oposição fossem sequer discutidas no VI Congresso, finalmente realizado, depois de muita protelação, em dezembro de 1967.

Esse congresso também condenou a Conferência da Organização Latino-Americana de Solidariedade (OLAS), realizada em agosto de 1967, em Havana, porque não julgava conveniente nem acertada a constituição na América Latina de um centro dirigente revolucionário.

Durante o processo de luta interna, havia grande preocupação dos opositores em preservar a máquina do partido. Afinal, o objetivo era capturar o partido durante o VI Congresso e colocar a máquina sob o comando da guerra de libertação. Uma guerra que poderia se prolongar por mais de 20 anos. Prestes conseguiu frustrar essa estratégia.

Essa luta interna repercutia com mais intensidade em São Paulo devido a presença de Carlos Marighella na liderança do grupo de oposição ao Comitê Central.

Diante da expulsão de Marighella e de outros dirigentes do PCB de São Paulo, esse grupo passou a conclamar os militantes do PCB dos demais estados a se unirem em torno de suas teses sobre os caminhos para a revolução brasileira. O objetivo era manter a articulação com o maior número possível de militantes comunistas e preservar o que se pudesse da máquina do partido. Entendia-se que sem uma organização bem articulada, de âmbito nacional, não haveria condições para dirigir uma revolução.

Pouco depois da conferência estadual, Marighella viajou a Cuba a fim de participar da Conferência da OLAS, convocada com objetivo de articular os movimentos revolucionários latino-americanos. Eleito para integrar o Comitê da OLAS, em Havana, Marighella escreveu uma carta ao Comitê Central expondo suas idéias e, no mês seguinte, ficou sabendo que tinha sido expulso do Partido Comunista. Ainda estava em Cuba quando soube da morte de Che Guevara, na Bolívia. Permaneceu em Cuba até dezembro. Nessa longa permanência, esteve com Fidel e vários outros dirigentes cubanos, comprometeu-se com a articulação dos movimentos revolucionários latino-americanos e acertou os esquemas para treinamento militar de militantes comunistas.

Em fevereiro de 1968, foi lançado o Pronunciamento do Agrupamento Comunista de São Paulo. Um extenso documento que resumia e reafirmava o pensamento das oposições ao Comitê Central, que ainda não eram foquistas, porém já rechaçavam a idéia de reproduzir a estrutura partidária. No documento se registrava: *"...a revolução não tem dono nem dentro nem muito menos fora do Brasil."* É um chamado à guerra revolucionária em que *"a guerrilha, concebida como parte de um plano estratégico e tático global, deverá coincidir com uma fase já avançada do movimento revolucionário."* Chega mesmo a afirmar que *"a guerrilha não é um foco"*. O Agrupamento não se posicionava como partido e sim como frente aberta a todos os revolucionários. Essa era a idéia. Mas Marighella estava com a idéia da ação imediata. Mário Alves e Apolônio de Carvalho discordaram e fundaram o Partido Comunista Brasileiro Revolucionário (PCBR), porque continuavam acreditando na necessidade de um partido para organizar as massas e conduzir o processo revolucionário. O Agrupamento surgiu articulado com a Dissidência Universitária no Rio de Janeiro, o grupo Corrente, em Minas Gerais e o Avante, em Pernambuco. Depois ampliou a aliança com outros grupos.

A Aliança de Libertação Nacional nos vinculava à histórica Aliança Nacional Libertadora de 1930

Nos primeiros meses de 1968, havia muita agitação em várias cidades, com os minicomícios[13] relâmpagos nas ruas movimentadas do centro, as passeatas organizadas pelo movimento sindical e a repressão da polícia militar, às vezes do próprio exército. As manifestações cresciam. Grandes passeatas com operários e estudantes enfrentavam a repressão. O PCB tinha quadros preparados em táticas de autodefesa das massas. Eu mesmo passei por um desses treinamentos, orientado por velhos militantes e por oficiais do Exército. Aprendíamos a parar um tanque com um simples paralelepípedo colocado na engrenagem da lagarta; a fabricar e usar coquetéis molotov e bombas caseiras; a conhecer as armas de uso do Exército e da Força Pública (hoje Polícia Militar); a proteger-nos do gás lacrimogêneo com um lenço embebido em vinagre; como despistar uma perseguição e sumir na clandestinidade. A linha era de autodefesa das massas. Em outras palavras, ter condições de proteger as mobilizações populares e as greves operárias. Se mandassem a cavalaria contra uma manifestação, a resposta deveria ser espalhar rolhas ou bolinhas de gude para desespero de cavalos e cavaleiros.

A oposição à ditadura se rearticulava rapidamente e havia muito confronto entre manifestações populares que cresciam em número e magnitude na mesma medida que a violência da repressão. Nessa época, além do lacrimogêneo, começaram a utilizar contra as manifestações o gás de efeito moral, que provocava diarréia instantânea. Era um vexame, principalmente para as mulheres. Mas nada arrefecia o ânimo do movimento oposicionista. Até os jornalistas faziam passeata contra a ditadura.

Nesse período, de janeiro a abril de 1968, tive a oportunidade de conviver bastante com Carlos Marighella. Dialogávamos muito acerca das posições que vínhamos adotando, trocávamos idéias sobre Cuba e, principalmente, a evolução da conjuntura nacional. Marighella era um dos comunistas mais procurados pela repressão. Mais de uma vez apareceu em casa, sozinho, e caminhávamos pelas ruas pouco movimentadas do bairro. Outras vezes, ficávamos circulando em lugares pouco visados no fusca vermelho do Costa Pinto. Tínhamos algumas prioridades na divulgação de nossas idéias e no recrutamento de quadros para a revolução: comunicação, Igreja, militares e sindicatos.

Eu integrava, com Costa Pinto, o chamado Comitê de Imprensa, responsável pelo desenvolvimento do PCB nos meios de comunicação e entre intelectuais e artistas, em São Paulo. Fazíamos parte do operativo de Agitação e Propaganda. Costa também cuidava da área sindical e tinha contatos com setores militares e religiosos. Eu também, embora em menor escala. Logo em seguida começaram a ser despachados os primeiros grupos para treinamento militar em Cuba. Os acertos finais com alguns desses companheiros foram feitos em minha casa. Foi nessa casa também que os companheiros Carlos Marighella, Câmara Ferreira, João Adolfo Costa Pinto, Rolando Fratti, Rafael Martinelli, Osvaldo Lourenço, Cícero Viana e Farid Helou fizeram a reunião em que foi decidida a formação do Agrupamento Comunista de São Paulo, que logo depois se autodenominaria ALN. A idéia inicial era de que seria Aliança de Libertação Nacional, porque isso nos vinculava à histórica Aliança Nacional Libertadora dos anos 1930, mas, no momento, acabou se impondo o critério de Marighella; seria: Ação de Libertação Nacional; ficou: Ação Libertadora Nacional.

Era uma casa térrea e simples, com sala, dois quartos, banheiro e cozinha. No fundo, uma edícula de bom tamanho e três cômodos. Cabia minha biblioteca e tinha um lugar adequado para as impressões no mimeógrafo. Ficava no Jardim Aeroporto, quando o bairro estava começando a ser povoado. A maioria dos moradores era de trabalhadores especializados que trabalhavam na manutenção de aeronaves no Aeroporto de Congonhas. Eram sindicalistas altamente politizados. Com eles, organizamos a Associação dos Moradores e conseguimos muita coisa para melhorar o bairro: asfalto na rua principal, instalação de transformadores, feira livre e, a mais importante das conquistas, água e esgoto. Durante um tempo, minha casa foi a única cujo poço não estava contaminado e, por isso, as famílias vinham buscar água dali. A associação conseguiu uma excelente organização solidária das mães e na saúde preventiva. Elas se revezavam para cuidar das crianças, faziam compras coletivamente, organizavam a vacinação das crianças. As reuniões da associação eram realizadas ora na capela do padre Antônio — também carinhosamente chamado por alguns de padre Antoninho —, ora em minha casa. Não era de estranhar, portanto, que, às vezes, nessa casa se realizassem reuniões com muita gente.

No início de 1999, eu almoçava com o jornalista Marco Antonio Rocha e ele se lembrou que conheceu Carlos Marighella em minha casa. Foi numa reunião no início de 1968, da qual participaram uns quinze jornalistas, militantes comunistas ou simpatizantes. Marighella falou de Cuba, da OLAS e da Tricontinental e argumentou que a situação a que o Brasil havia sido conduzido pela ditadura militar só poderia ser revertida pela violência das massas, visto que não existia mais espaço para a ação política. Impressionou a todos pela força de sua argumentação. O homem tinha carisma.

A casa ficava a uns 300 metros da favela do Risca Faca e a pouco mais de 500 metros da favela do Buraco Quente, dois conglomerados cheios de marginais, onde a polícia não entrava. Padre Antoninho, brigado com a Cúria e filiado a uma auto-intitulada Igreja Brasileira, fazia um intenso trabalho de socialização e educação dos favelados. Eu o ajudava no que podia, principalmente nos contatos com a Prefeitura. O prefeito era o brigadeiro Faria Lima, com quem eu tinha um bom relacionamento desde a gestão anterior, quando ele servia ao legendário prefeito Prestes Maia, de quem fui amigo. O fato concreto é que os favelados reconheciam nosso trabalho, nos respeitavam e até nos protegiam.

Em abril de 1968 saí para Cuba, com a Bia e os dois filhos, então com seis e sete anos. Levava o documento do Agrupamento Comunista e um informe do que foi a luta interna no PCB. Levei também fotos de Che Guevara morto na escola de La Higuera, feitas por um fotógrafo do *Diário de São Paulo*. Minha missão era trabalhar na Rádio Havana, na produção dos programas em português transmitidos em ondas curtas. Marighella queria alguém de sua confiança. A rádio era estratégica para manter um fluxo de informações verídicas e auxiliar a unidade dos movimentos revolucionários. Era também poderoso instrumento de propaganda da Revolução Cubana, de difusão de seus feitos e suas idéias.

Notas

1. João Adolfo da Costa Pinto, jornalista, foi diretor da Associação Brasileira de Imprensa (ABI) de São Paulo. Foi preso em 1969 e barbaramente torturado. Debilitado, foi jogado no manicômio judiciário. A família conseguiu resgatá-lo; estava com pouco mais de 35 quilos. Foi preso de novo. Voltando ao convívio familiar, passou por longos períodos de depressão profunda. Nunca conseguiu se recuperar e faleceu em maio de 2002.

2. Debray criticava o burocratismo dos partidos comunistas e ajudou a disseminar a idéia de que um grupo de homens — o foco guerrilheiro — teria sido o desencadeador da Revolução Cubana. Mais adiante se verá que essa revolução foi a culminação de 100 anos de luta.

3. Mao Tse-Dong, o grande condutor da Revolução Chinesa, que dirigiu o partido e o estado até sua morte em 1976.

4. Enver Hoxha, morto em 1985, dirigiu o partido comunista e governou a Albânia levando-a ao isolamento e empobrecimento extremos.

5. Rodney Arismendi (1913-1989) — foi o teórico e dirigente do Partido Comunista Uruguaio.

6. José Emilio Recabaren — foi o teórico e dirigente do Partido Comunista Chileno.

7. José Carlos Mariátegui (1894-1930), foi o teórico e fundador do Partido Comunista Peruano.

8. Nome do barco no qual Fidel Castro e seus comandados embarcaram do México para desembarcar em Cuba em 1957 e iniciar a luta guerrilheira.

9. Cidade cubana na província de Las Villas com cerca de 150 mil habitantes, em 1968. Neste entroncamento rodo-ferroviário importante, na parte central da ilha, foi travada a batalha decisiva para a derrota do exército de Batista. Sob o comando do Che, aproximadamente 400 combatentes enfrentaram cerca de cinco mil soldados. A mais sangrenta das batalhas durou três dias na qual ocorreram numerosas baixas, inclusive de civis vítimas dos bombardeios da aviação. Os guerrilheiros descarrilaram

um trem blindado, renderam os soldados com coquetéis molotov e capturaram grande quantidade de armas e munição. No dia seguinte a essa vitória, os guerrilheiros comandados por Fidel tomaram a cidade de Habana.

10. José Martí (1853-1895), autor de extensa obra em que analisa o processo histórico cubano e as crescentes contradições com os Estados Unidos. Fundador do Partido Cubano Revolucionário, morreu em combate na batalha Boca de los Rios.

11. A I Internacional foi criada por Marx e Engels para dar organização ao movimento sindical revolucionário da Europa do século XIX. A III Internacional, sob a liderança de Lênin e do Estado Soviético, estabeleceu a articulação dos partidos comunistas de todos os países do mundo.

12. Joaquim Câmara Ferreira — além do codinome Toledo, era também conhecido como o "Velho", dirigente do Partido Comunista Brasileiro e co-fundador da ALN e sucessor de Marighella no comando da luta armada. Foi preso e assassinado pela OBAN em 23/10/1970.

13. A tática do minicomício consistia em surgir de surpresa numa rua de alta densidade de pedestres, subir num caixão e começar a discursar. Dois ou três militantes davam cobertura, ou seja, faziam a segurança. Hoje essa prática é repetida comumente por pregadores religiosos e camelôs.

9. Cuba

As ações de solidariedade a Cuba
se multiplicavam
por vários estados brasileiros

Em 1960, quando ficou claro o caráter popular da Revolução Cubana e de seu confronto com os Estados Unidos, começou a ganhar amplitude de massa a empolgação com relação a Cuba. Nas principais capitais brasileiras foram organizados movimentos de solidariedade de ampla base social e política. A Primeira Declaração de Havana, instituindo a Assembléia Popular; a radicalização da reforma agrária; as ameaças dos Estados Unidos e como resposta cubana, a criação dos Comitês de Defesa da Revolução, tudo isso contribuiu para aumentar o entusiasmo e as mobilizações pela solidariedade. Em novembro, foi instituída a Comissão Paulista de Solidariedade a Cuba, encabeçada pelo juiz de Direito e jornalista Dácio Arruda Campos[1] e o advogado Aldo Lins e Silva[2], reunindo intelectuais, parlamentares e personalidades políticas, estudantis e sindicais. Em abril de 1961 ocorreu a fracassada invasão de Girón[3] por mercenários da CIA e a resposta de Cuba foi declarar-se socialista. Houve aqui uma intensificação na mobilização popular em solidariedade ao povo cubano e contra o imperialismo. Em junho de 1961 realizou-se, em São Paulo, o Primeiro Encontro Estadual dos Amigos de Cuba. Essas ações solidárias se repetiam por vários estados, com mais intensidade no Rio de Janeiro.

Nessa época, de grande agitação em torno ao apoio a Cuba, conheci Alberto Granados, argentino-cubano como Che, de quem era amigo de infância e colega na faculdade de Medicina em Buenos Aires. Contou-me, entre tantas histórias, a grande aventura que ambos protagonizaram no início dos anos 1950, quando saíram de motocicleta de Buenos Aires para descobrir a América Latina. Subiram a cordilheira, cruzaram o Chile, atravessaram a Bolívia de sul a norte. Na fronteira com o Brasil, em plena selva amazônica, Che fez um estágio num leprosário. Depois o Che andou pelo Peru e Equador, de onde embarcou para a América Central. Ali perambulou pelo Panamá, pela Costa Rica, por El Salvador, Honduras, até chegar à Guatemala socialista de Jacobo Arbenz. Na Guatemala, conheceu a peruana Hilda Gadea — com quem se casaria — e alguns cubanos asilados que lutavam contra Batista. Foi também ali que teve seu batismo de fogo. Ainda procurava trabalho quando Eisenhower autorizou a CIA a utilizar aviões para bombardear a cidade e a invasão do país por mercenários. Com o apoio dos Estados Unidos, Castillo Armas implementou o estado repressivo. Foi então que Che, com 26 nos, foi para o México, onde conheceu Fidel Castro, com quem embarcou no iate Granma, em 1956, para iniciar a luta armada contra Batista.

Granados um dia me chamou para dizer que já havia conversado com Masetti e que ambos queriam que eu trabalhasse para a Prensa Latina, a agência de notícias criada por Cuba em 1959 como alternativa ao monopólio exercido pelas agências estadunidenses *Associated Press* (AP) e *United Press International* (UPI) ou européias *Agence France Presse* (AFP) e *Reuters*. O jornalista argentino Jorge Ricardo Masetti e o uruguaio Carlos Maria Gutierrez montaram a agência. Masetti foi seu primeiro chefe de redação, mas logo depois, tendo ido para a Argentina para o Exército Guerrilheiro do Povo (EGP) foi substituído pelo jornalista colombiano Gabriel García Marquez. Fui perguntar ao amigo Câmara Ferreira, do Comitê Central do PCB, se o convite era para valer e se o partidão tinha alguma coisa a ver com isso. O partido nem sabia do fato, mas o negócio era quente. Aceitei.

A agência tinha uma sede modesta no Edifício Avenida Central no Rio de Janeiro, onde recebia, coletava, processava, traduzia e distribuía informações. O cubano, Prado, era o diretor da agência, e o executivo era o jornalista carioca Haroldo Wall, que por essa razão deixara a

UPI. Prado é hoje um dos diretores da agência e Haroldo faleceu de câncer no final da década de 1980. Meu trabalho seria em São Paulo.

Na prática, assumi duas funções: uma de correspondente, ou seja, fazer uma seleção diária com notícias cozinhadas dos jornais, cobrir os principais acontecimentos, fazer entrevistas ou matérias especiais. A seleção, ou qualquer notícia importante, era passada por telefone. O mais, por correio. A outra função era de representante. Recebia os pacotes com reportagens e fotografias (a maioria sobre os avanços da Revolução Cubana) e textos de articulistas de renome e os oferecia aos principais jornais. *O Estado de S. Paulo* pagava um fixo mensal para ter exclusividade dos textos do filósofo argentino Mira y Lopez e de outros articulistas. Nos *Diários Associados*[4], companheiros e amigos (Nazário, Pinheiro, Santana, Gertel, Tuma[5]) se sentiam obrigados a colaborar e compravam material para arquivo. Na *Folha de S. Paulo* era mais difícil. Raramente publicavam alguma coisa.

O material era barato, mas mesmo assim era muito difícil de ser comprado pelos jornais. Então, fui acumulando todo tipo de informações sobre Cuba. Era útil e servia para ajudar alguém que precisasse fazer um discurso, algum jornalista que buscasse dados para uma reportagem. Também interessava à imprensa comunista e a outros jornais e revistas alternativas. Era um ponto de referência. Muito desse material tivemos de destruir para não cair nas mãos da repressão desencadeada a partir de 1º de abril 1964.

Depois do golpe de 1964, que entre outras ações repressivas instalou o Inquérito Policial Militar (IPM) da Imprensa Comunista e rompeu relações com alguns países socialistas, entre os quais China e Cuba, as referências à Revolução Cubana ficaram mais distantes. Vinham por intermédio do partidão, de publicações estrangeiras, das ondas curtas ou de viajantes, do livro do Debray, da teoria do foco, da passagem de Che por São Paulo, da OLAS, de Marighella. Até que eu, Bia e nossos dois filhos embarcamos para lá. Vendemos alguns livros raros e fizemos um breve passeio turístico por Paris, antes de ir para Praga e enfrentar, no turbo-hélice Britânia da Cubana de Aviación, 24 horas de vôo até Havana com escalas no aeroporto internacional Shannon, na Irlanda, e o de Gander, no Canadá.

Passamos por Paris em abril, em plena primavera e pouco antes da revolta operário-estudantil que ficou na história como o Maio de 1968. Revolta que ocorreu dois meses depois do enterro do estudante Edson Lima Souto, no Rio de Janeiro, um marco do início de um novo tempo no dramático confronto de nossa juventude com a ditadura[6]. Uma multidão acompanhou o funeral, que ia sendo ampliado ao longo do cortejo. Das janelas dos edifícios chovia papel picado. A repressão apenas vigiava de helicóptero. A multidão enfurecida gritava: *desce! desce!*

Sentia-se na pele e nas entranhas intensa vibração...

Chegados a Cuba, sentia-se na pele e nas entranhas intensa vibração. Foram semanas seguidas de grande emoção. Emoção que sobrevive ainda hoje, realimentada quando se tem notícia, quando se está com amigos cubanos, quando se continua solidário, admirando a tenacidade desse povo, indignado pelo infame bloqueio e pela indiferença de governos e dirigentes partidários de vários países.

Os primeiros dois meses ficamos no hotel Presidente, no Vedado, perto do *Malecón*. No departamento português da Rádio Havana, coordenado pelo jornalista cubano Calzada, trabalhavam dois brasileiros asilados desde 1964 em Cuba, Milton Campos e Miriam. Integrei-me a essa equipe com um salário de 200 pesos mensais. Bia logo se entrosou com o pessoal da *Casa de las Américas*, e começou a trabalhar como voluntária. Em seguida foi dar aulas de odontopediatria na Faculdade de Odontologia da Universidade de Havana. O salário para os escassos professores era de 600 pesos. Uma fortuna. Contava-se nos dedos quem ganhasse tanto. Os meninos foram para a escola, de tempo integral.

Pedimos para sair do hotel para uma casa. Negaram e nos mudaram para o Hotel Nacional, para mim, até hoje, o melhor e mais gostoso hotel de Havana. Acomodações espaçosas, vista para o mar, imenso parque, piscinas etc. Como tínhamos toda a mordomia do hotel, Bia renunciou também ao salário da Universidade. Dos meus 200 pesos sobrava muito dinheiro todo mês. Não tínhamos tempo nem necessidade de gastar.

A *Casa de las Américas* era dirigida por Haydée Santamaria. Ela e seu irmão Abel tinham sido do Movimento 26 de Julho. Abel foi assassinado pela ditadura do Batista. Haydée se integrou à guerrilha de Fidel. O *Departamento de Música* da *Casa* era dirigido pelo maestro cubano Harold Gramatges. Bia ajudou a musicóloga ítalo-uruguaia, Meri Franco Lao, a organizar o arquivo do *Centro de la Canción Protesta,* dirigido por Estela Bravo[7]. Além de reunir partituras, fitas e discos de músicas de conteúdo social e revolucionário do continente e de alguns países da Europa, esse centro realizava festivais e organizava apresentações musicais.

Aí se iniciou o movimento da *nueva trova cubana,* a geração de músicos, autores e cantores da revolução: Sílvio Rodriguez, Noel Nicola, Pablo Milanez, Sara Gonzales, Sérgio Vitier, entre outros. Todos muito jovens. Integrante desse grupo, já não era a Bia e sim a *cantante* Marina[8]. Marina cantava acompanhada por um conjunto magistral: Brito, *spala* de sinfônica, no violino; Eduardo Ramos, contrabaixista; Sérgio Vitier, no violão; Sala, fotógrafo e percussionista. Saíam em *turnês* pelas fábricas, escolas e por acampamentos de trabalhadores voluntários no corte de cana. Davam recitais na televisão e na própria *Casa de las Américas.*

Uma das emoções mais fortes vividas por mim em Cuba foi ver Bia cantando *Mi comandante Guevara,* canção com letra e música do uruguaio Daniel Viglietti, em homenagem prestada ao Che, no primeiro aniversário de sua morte, na praça em frente à *escalinata* (escadaria) da Universidade. Che já era venerado como um deus, todos os cubanos querian ser como o Che. Era noite, a praça repleta de gente, dois palcos alternavam as apresentações de poesias e músicas; no centro, em um telão, projetavam-se cenas com o comandante. Fora a voz da cantora não se ouvia uma mosca. A multidão parecia que parara de respirar. Outra emoção foi participar de comícios, na *Plaza de la Revolución,* com mais de um milhão de cubanos ovacionando Fidel e insultando o imperialismo.

Era uma época dura, mas de grande efervescência revolucionária. Planejava-se uma safra de dez milhões de toneladas de cana, quase o dobro das safras normais. Um esforço enorme, envolvendo o trabalho voluntário de quase toda a população. Ainda na agricultura, introduzia-se, pela primeira vez no país, a criação racional de gado para produção de carne e leite[9]. Também se buscava diversificar a produção, até então assentada na monocultura da cana, plantando café e frutas. Em 1967, numa grande ofensiva com a intenção de recuperar a posição de Cuba como produtora de café, 162 mil pessoas plantaram 6 milhões de pés na região da serra de Escambray, no centro da ilha. Em 1968, o plano era plantar 20 milhões na província de Havana e logo chegar a 64 milhões.

Cuba era um dos mais importantes produtores de níquel do planeta. A revolução iniciara um programa para prospecção de petróleo e outro para criar indústrias básicas de cimento, fertilizante, química, farmacêutica, alimentícia etc. Nesse ano, a revolução havia completado a socialização da propriedade, estatizando pequenas e médias empresas que ainda subsistiam, inclusive barracas de sanduíche. Na agricultura, 70% da área cultivada já era propriedade do Estado, restando 30% em mãos de pequenos produtores.

Além de ter erradicado o analfabetismo e ter todas as crianças e jovens nas escolas, investiu-se maciçamente no ensino especializado e profissionalizante e na formação de professores. Até hoje a saúde pública gratuita é acessível a toda a população e desde 1964, já haviam erradicado a poliomielite e a malária.

Não havia desemprego e sim falta de mão-de-obra — principalmente de técnicos especializados. Nessa época também estava em andamento o programa de incorporação da mulher à força de trabalho.

A questão da ordem social com vistas ao controle da delinqüência e da ação contra-revolucionária foi resolvida com a criação dos Comitês de Defesa da Revolução (CDRs) que atuavam com a coordenação do Departamento de Ordem Interior. Os CDRs eram instituídos por zonas e cada uma era dividida em três áreas para serem patrulhadas. As patrulhas noturnas eram feitas em dois turnos: da meia-noite às três da manhã e das três às seis. Trabalhadores e membros do Partido Comunista dificilmente escapavam das obrigações de cederrista. Tinham de vestir farda, pegar um fuzil e fazer a guarda. Isso também acontecia nas grandes empresas e nas universidades, com suas próprias milícias.

* * *

Conheci Cuba de ponta a ponta. Hotéis *resorts* no clima fresco das montanhas ou nas areias brancas de praias maravilhosas, como só no Caribe existem. Conversei com dirigentes regionais e locais do Partido Comunista Cubano por toda a ilha, que me mostravam os planos de desenvolvimento locais e regionais; visitei importantes projetos agrícolas e também as principais indústrias, algumas ainda em construção. Tomei *ron añejo* — envelhecido — e bota *añejo* nisso — em Santiago de Cuba[10].

Estive nas áreas de *Sierra Maestra* por onde passaram Fidel Castro, Che Guevara, Camilo Cienfuegos[11]. Nas zonas mais pobres ainda sobreviviam alguns *bohios*[12], mas o camponês já tinha seu filho na escola e, se precisasse, tinha também assistência médica. Tomei muito sorvete às onze horas das noites frias de dezembro quando ninguém se atrevia a ir ao *Copelia*[13], pois de dia eu trabalhava e nos finais de semana havia muita fila. Cortei cana com brigadas de trabalhadores cubanos. Conversei com os pais-de-santo, os *santeros*, que cultuam os mesmíssimos orixás dos candomblés da Bahia. Tomei *mojito* e comi *congri con puerco* na *Bodeguita del Medio*[14], comi coelho no *Conejito*, tomei *daiquiri* no Floridita, o bar preferido do Hemingway. Capinei na plantação de café cultivado por trabalhadores voluntários da Rádio Havana. Dei tiro com todo o tipo de arma longa disponível na época em visita a um centro de treinamento militar. Peguei muita lagosta em trabalho voluntário com os pescadores da *Cooperativa de Pesca de Batabanó*. Ali, a plataforma de lava coberta de bancos de corais se estende por quilômetros. A profundidade média é de cinco metros, a água é tíbia e cristalina, as lagostas vêm em bandos; pegava-as com as mãos, distribuía aos amigos. Vimos como a população se mobiliza contra um furacão, desses que parecem despejar um oceano sobre a terra, com ventos que arrancam palmeiras imperiais e as levantam como se fossem folhas secas. Não houve uma só vítima fatal. Fora os estragos materiais, até o gado foi salvo.

Em Cuba, convergia a efervescência cultural de mais de uma geração de intelectuais e artistas

Trabalhando na rádio, traduzi o *Diário do Che Guevara* na Sierra *Maestra* e também o *Diário do Che na Bolívia*. Traduzi montanhas de textos dos discursos de Fidel e outros dirigentes. Anotava tudo com a intenção de escrever um livro sobre a Revolução Cubana. Projeto frustrado até hoje. Não obstante, com os dados que tinha, mais as seleções de notícias das agências as quais tinha acesso na rádio, escrevi o livro *Imperialismo e Militarismo no Brasil*. Foi editado na Itália, em 1970, e na Argentina, em 1972, com grande sucesso. É um livro de denúncia do que estavam fazendo e estão fazendo com o Brasil até hoje.

Cuba era o centro para onde convergia a efervescência cultural de mais de uma geração de intelectuais e artistas de esquerda, além de líderes revolucionários de várias partes do mundo. Com os vietnamitas, aprendi a admirar mais ainda esse povo único, que conseguiu ganhar duas guerras contra potências imperiais: primeiro a França, e depois, os Estados Unidos. Com eles conheci as obras de Ho Chi Minh e de Giap[15]. Aprendi também a respeitar o povo coreano, que derrotou o imperialismo japonês numa guerra de mais de 30 anos, e depois barrou as tropas de Mac Arthur[16], obrigando os EUA a aceitar a realidade da Coréia do Norte independente, que criou uma teoria para o desenvolvimento do país com base em suas próprias forças — o *Zuche*[17]. Nessa época e como extensão do conflito sino-soviético já haviam esfriado as relações entre Cuba e China. Mas ainda havia chineses em Cuba e pude tomar conhecimento da obra de Mao.

Foi um privilégio ter conhecido Cuba e ter podido desfrutar da inteligência e erudição de cubanos como Nuñez Jimenez[18], Onélio Jorge Cardoso e Fernandez Retamar[19], fazer saraus com o uruguaio Mário Benedetti ou com os argentinos Paco Urondo, David Viñas, Rodolfo Walsh[20], ou o guatemalteco Manoel Galich[21] o haitiano René Depestre[22], o salvadorenho Roque Dalton[23]. Conviver com brasileiros muito especiais como o Dutra[24] — nosso embaixador vitalício em Cuba —, Aloisio Palhano[25], o almirante Thales Godoy e Josina[26]; o Betinho[27] que morria de medo da água e o perdeu brincando comigo e nossos filhos na piscina do Hotel Nacional. Poder lembrar dos amigos cubanos, como Luis Felipe Vasquez, dirigente da Juventude Comunista; e cito apenas ele, para não ter de mencionar aqui uma lista imensa de nomes. Depois que saímos de Cuba, em todos os países por onde estivemos, amigos cubanos destacados em embaixadas, ou jornalistas da Prensa Latina, faziam parte sempre de nossa turma mais íntima.

Além da *Casa de las Américas*, o Instituto Cubano da Arte e da Indústria Cinematográfica (ICAIC), criado em março de 1959, era outro centro de efervescência cultural que influenciou mais de uma geração de cineastas e roteiristas de várias partes do mundo, particularmente da América Latina. Dirigido pelo documentarista Santiago Álvares, mais do que um ponto de referência cultural, transformou-se em escola. Assisti a incontáveis projeções de cinema de arte e filme de conteúdo social, político, revolucionário; o realismo italiano, a obra de Ponte Corvo, a *nouvelle vague*, o cinema novo brasileiro, a produção cubana.

Para atender a população camponesa, o ICAIC criou o sistema e rede de Cinemas Móveis, que projetava filmes nas áreas rurais, mesmo nas de mais difícil acesso. Até 1968 tinha realizado 363.163 exibições para aproximadamente 40 milhões de espectadores. O documentário *Por Primera Vez*, — mostra a emoção de camponeses de uma remota comunidade, verdadeira obra-prima — ganhou o Pomba de Ouro do Festival de Leipzig, de 1968.

Cuba investia pesado na área cultural. Os antigos conservatórios e escolas de dança se integraram a uma direção centralizada que incluía as Escolas Nacionais de Arte de Cubanacán, formadora de artistas plásticos, músicos, teatro e dança. Estávamos lá quando se abriram vários museus, entre os quais o Museu de La Habana, no antigo edifício dos capitães gerais. Na área da música, também em 1968 foi criado o Centro de Desenvolvimento, Programação e Difusão Musical que, juntamente com a rádio e a televisão promoviam a música cubana e a universal. Em cada província havia uma orquestra de concerto e outra de música moderna. O corpo de baile de Alicia e Alberto Alonso foi elevado à categoria de Ballet Nacional de Cuba. Paralelamente foram criados o Conjunto de Dança Moderna e o Conjunto Folclórico Nacional. Em 1967, foi criado o Instituto do Livro e nesse mesmo ano editou 8 milhões de exemplares. É significativo quando se compara com menos de um milhão, em 1959. Em 1968 essa cifra já era de 13 milhões de livros, sendo um milhão só do *Diário do Che*.

Em Cuba, tínhamos discussões às vezes tensas com alguns cubanos com quem nos relacionávamos e nos queriam convencer da facilidade com que ajudariam a desenvolver uma guerrilha em território brasileiro. A ALN tinha, nessa altura, dois grupos recebendo treinamento de guerrilha. Eu me guiava pelas posições que definíramos como Agrupamento Comunista de São Paulo e pelos argumentos que ouvira dos companheiros oficiais do Exército para rebater o foquismo. Esses cubanos acreditavam que pela Guiana, por onde já havia entrado algum armamento destinado à guerrilha de Che na Bolívia, passando pelo território brasileiro, e por diferentes praias de nosso imenso litoral, poderiam fazer entrar até tanques em apoio à nossa revolução.

Depois de um ano e meio em Cuba, queria voltar para o Brasil, porque não entendia bem o que estava ocorrendo com a organização. Sentia-me um tanto isolado, tinha necessidade de ouvir os velhos companheiros. E queria também, antes de voltar, conhecer outras experiências. Tinha convites para ir ao Vietnã, à China, à Coréia, e também à União Soviética. Apesar das relações oficiais do Partido Comunista da União Soviética (PCUS) com os Partidos Comunistas, e dos compromissos internacionais que obrigavam a URSS a manter-se distante das revoluções latino-americanas, numerosos dirigentes comunistas soviéticos não escondiam sua simpatia pelos revolucionários. Eram muito solidários e queriam estar bem informados. Comuniquei ao Marighela que a Coréia nos oferecia uma alternativa de treinamento militar que valia a pena verificar. Pouco depois ele enviou um emissário, Augusto, para conhecer mais detalhes, dar-me algumas instruções e dizer aos coreanos que eu iria como seu representante.

Três ou quatro meses depois deixamos Cuba rumo à Itália. Foram vinte meses plenos vividos em Cuba. Depois disso passei pela ilha mais umas cinco ou seis vezes, em curtas permanências. Uma delas foi para cobrir a VI Conferência de Cúpula dos Países Não-Alinhados. Outra foi acompanhando dois executivos de uma grande empresa de exportação e importação brasileira interessada em quebrar o bloqueio e negociar com Cuba. Numa dessas vezes, voltando da Europa para o Peru via Cuba, conversava com companheiros do Ministério de Relações Exteriores e do Departamento

América do Partido Comunista Cubano (PCC), e eles notaram que eu não me sentia bem. Deveria embarcar para Lima no dia seguinte. Insistiram que me deixasse ser consultado por um médico. Levaram-me a um hospital, fiquei dez dias internado, sete dos quais praticamente hibernado. Cheguei profundamente estressado, saí novo. Assim são os cubanos. São feitos de música, solidariedade, carinho e garra revolucionária.

Notas

1. Dácio de Arruda Campos, autor do livro *A Justiça a serviço do crime*, e também editorialista do jornal *O Estado de S. Paulo* e *Jornal da Tarde*, no qual assinava artigos também com o pseudônimo Matias Arrudão. Afastado da Magistratura com base em atos institucionais, advogou por muitos anos em São Paulo, tendo sido autor de diversas ações na Justiça contra Paulo Salim Maluf (1900/1900).

2. Aldo Lins e Silva — advogado paulista, aposentado desde o início dos anos 1990.

3. Tentativa fracassada de invasão de Cuba, organizada pela CIA em 1961 utilizando-se de mercenários e de contra-revolucionários cubanos, que desembarcaram na Playa Girón, na Baía dos Porcos.

4. O Grupo Associados, de Assis Chateaubriand, mantinha em São Paulo o *Diário de São Paulo, Diário da Noite*, as emissoras de rádio *Tupi* e *Difusora* e o *Canal 3 — TV Tupi.*

5. Joaquim Pinto Nazário (aposentou-se como jornalista, hoje advoga); Pinheiro Coelho (falecido); Noé Gertel (jornalista e dirigente comunista); João Lima Santana (militante comunista, foi também secretário de redação da *Última Hora*, falecido); Tuma Neto, (também militante do PCB, editava internacionais, falecido).

6. Edson Lima Souto foi assassinado pela repressão quando saía do *Calabouço*, o restaurante mantido pela UNE, em 1968.

7. Intelectual estadunidense. Amante de música e cineasta. Casada com o sindicalista argentino Ernesto Bravo.

8. Uma pessoa que tivesse passado por Cuba era perseguida na maioria dos países da América Latina, sob governos repressivos, principalmente no Brasil. Como medida de segurança adotava-se outro nome para exercer atividades em Cuba.

9. Antes da Revolução, alguns caboclos tinham uma ou duas vacas leiteiras para consumo doméstico. A carne e o leite consumido pela população urbana ainda vinham dos Estados Unidos. Após o triunfo da Revolução, a produtividade leiteira, que era de um a um litro e meio de leite por vaca/dia, com as F-1, do programa de inseminação artificial conduzido pessoalmente por Fidel, estavam produzindo de 8 a 10 e mais.

10. O rum de Santiago de Cuba era conhecido no mundo. Um dos mais famosos — o *Matusalen* — era envelhecido, creio que por mais de 50 anos.

11. Camilo Cienfuegos, comandante guerrilheiro, morreu em acidente de aviação nos primeiros anos após o triunfo da Revolução Cubana.

12. As taperas de lá, também feitas de pau-a-pique e cobertas com folhas de palmeiras.

13. A mais famosa sorveteria da ilha, na praça principal do Vedado, bairro central em Havana. Em junho de 1968 vendia cerca de 25 mil sorvetes por dia. Como o consumo estava em aumento, introduziram o sistema do *self-service.*

14. A *Bodeguita del Medio* é uma cantina famosa, passagem obrigatória de quem passe por Havana. *Mojito* é um coquetel, de rum com limonada e folhas de hortelã que, com o *Congri con puerco,* uma espécie de baião-de-dois com carne de porco, contribuíram para a fama do lugar.

15. Ho Chi Minh liderou a luta de libertação nacional do Vietnam. O general Vo Nguyen Giap comandou a expulsão dos franceses e foi o estrategista da vitória sobre os Estados Unidos.

16. Mac Arthur comandou a invasão da Península Coreana por tropas estadunidenses, para impedir que os guerrilheiros, comandados por Kim Il Sung, depois de terem expulsado os invasores japoneses, tomassem conta e implementassem o governo comunista em todo o país.

17. Quando deixou a Coréia, Mac Arthur disse que seriam necessários 100 anos para o país ser reconstruído, tal a quantidade de destroços deixados pelos bombardeamentos. Kim Il Sung, com sua teoria do *Zuche,* mobilizou a população e conseguiu um desenvolvimento recorde.

18. Comandante Antonio Nuñez Jimenez, espeleólogo de formação, integrou a guerrilha de Sierra Maestra, membro do Comitê Central do PCC e embaixador de Cuba no Peru, já falecido.

19. Escritores cubanos.

20. Francisco Urondo era poeta e já aparece em capítulo anterior. David Viñas, ficcionista, e Walsh jornalista e escritor. Todos são argentinos.

21. Autor guatemalteco, dirigiu o Departamento de Teatro da Casa de las Américas, em Cuba, nas décadas de 1960/1970.

22. Poeta haitiano.

23. Escritor e membro da guerrilha salvadorenha, foi assassinado por seus próprios companheiros com base numa falsa acusação de traição.

24. Dutra — químico farmacêutico brasileiro, estava em Cuba quando do triunfo da Revolução. Gostou e ficou.

25. Dirigente sindical dos bancários, integrou o MNR do Brizola. Foi morto quando reingressou ao Brasil para integrar-se à luta armada contra a ditadura em 1969.

26. Thales, capitão de navio cassado em 1964, depois de um curto exílio no México foi para Cuba e se integrou na Marinha Mercante. Sua esposa, Josina, participou no Movimento de Educação de Base em Pernambuco.

27. O sociólogo Herbert de Souza, na época dirigente da Ação Popular. Em seu livro de memória relata seu aprendizado de natação em Cuba.

10. São Paulo

1. Jânio

O povo foi derrotado,
mais de uma vez,
sem saber
que estava em guerra.

Meu batismo de fogo como correspondente de agência de notícia[1] aconteceu na crise de agosto de 1961, quando Jânio Quadros renunciou à presidência da República. Foi também meu batismo em ações tipicamente de guerra. Guerra revolucionária, é claro, pois se tratava de defender a legalidade democrática. Leonel Brizola, então governador do Rio Grande do Sul[2], liderou a resistência contra o golpe fascista que se armava para impedir a posse do vice-presidente João Goulart. O pessoal da redação central da Prela, no Rio, ficou sem comunicação. Então, fiquei em linha direta com a sucursal do Uruguai, fazendo a cobertura ampla e detalhada de tudo o que estava ocorrendo. Um trabalho jornalístico diuturno sem deixar de participar de conspirações e de outras articulações para um eventual confronto armado que pudesse haver para garantir a posse de Jango[3].

Em 1960, a União Democrática Nacional (UDN)[4] e a direita da sociedade civil haviam elegido Jânio Quadros. Antes fora vereador, prefeito, governador e deputado federal. Com uma prática populista e o talento de grande comunicador, conseguiu ser eleito presidente com cerca de seis milhões de votos. Quase 60%, um recorde. Não tardou muito para a UDN se sentir traída. Jânio entregou o Ministério das Relações Exteriores a Afonso Arinos de Melo Franco. Diplomata de carreira, seguindo a linha desenhada pelo Itamarati desde os tempos de Juscelino, defendeu uma política externa independente e o princípio da autodeterminação dos povos. Nessa base reatou relações com os países do bloco socialista, suspensas desde o início da Guerra Fria.

No início de agosto, Jânio recebeu uma missão comercial soviética e o cosmonauta Iuri Gagarin. Quando Che Guevara passou por aqui retornando da Conferência de Punta Del Este, da Organização dos Estados Americanos (OEA), a 19 de agosto de 1961, Jânio o condecorou com a Ordem do Cruzeiro do Sul, nosso mais alto galardão. Foi o suficiente para entornar o caldo.

Carlos Lacerda, por meio de sua Tribuna da Imprensa e viajando por todos os estados, vociferava denunciando a entrega do país aos comunistas. No Congresso, a Frente Parlamentar Nacionalista, pluripartidária, fechou questão em apoio ao Itamarati. As forças políticas se dividiram. Estava armada a crise. Era óbvio que os setores mais reacionários estavam conspirando juntamente com militares.

Em meio à intensa agitação política, com o Parlamento em sessão permanente, às 6 horas de 25 de agosto, Jânio chamou os ministros militares e comunicou sua intenção de renunciar. Até aí, tudo era segredo, tanto é que as 7h45 o presidente participou de cerimônia em comemoração do Dia do Soldado. Terminado o ato, Jânio se reuniu com seu chefe da Casa Civil, José Aparecido de Oliveira, e o ministro da Justiça, Oscar Pedroso Horta. Em seguida embarcou para São Paulo. Fez uma rápida parada no Aeroporto de Congonhas e seguiu para a Base Aérea de Cumbica. Estava tão bêbado que chegou a agredir fisicamente o governador de São Paulo, Carvalho Pinto. Ficou na base, incomunicável, por 22 horas.

Somente às 15 horas o secretário de imprensa comunicou à nação o fato e leu a sua carta de renúncia — escrita por Pedroso Horta. A carta diz que foi obrigado a deixar o poder em conseqüência de *forças terríveis*. Vinte minutos depois, o presidente do Senado, Auro Moura Andrade[5], comunicou à Casa a renúncia e declarou vacante o cargo de presidente. Duas horas depois assumiu o poder o presidente da Câmara, deputado Ranieri Mazzili, segundo na linha sucessória. O primeiro, o vice-presidente João Goulart, estava em Cingapura, voltando da China, onde fora em missão oficial. Eram intensos os rumores de golpe. Os ministros militares não admitiam a entrega do poder ao vice-presidente João Goulart. Seu passado ao lado de Getúlio Vargas, a quem ajudara a construir o Partido Trabalhista Brasileiro (PTB) e suas ligações com o movimento sindical o faziam *persona non grata* para a direita.

Nessa mesma tarde, em São Paulo, a Assembléia Legislativa e a Câmara Municipal, seguindo o Congresso Nacional, se declararam em sessão de vigilância em defesa da legalidade. O Exército em Brasília se declarou de prontidão a favor da ordem. A resistência parlamentar em Brasília recebeu o apoio dos governadores: do Rio Grande do Sul, Leonel Brizola; de Minas Gerais, Magalhães Pinto[6]; Ney Braga, do Paraná; Mauro Borges, de Goiás; Celso Ramos, de Santa Catarina e Cid Sampaio, de Pernambuco. O governador de São Paulo, Carvalho Pinto, em cima do muro, só se declararia a favor da legalidade no dia 29, quando a situação já estava definida.

Em São Paulo e no Paraná, foi aberto o alistamento civil

No dia seguinte, 26 de agosto, as Forças Armadas foram colocadas em prontidão em todo o país. A Polícia Política "ocupou" São Paulo, perseguindo lideranças sindicais e estudantis. A União Nacional dos Estudantes, com sede no Rio de Janeiro, conclamou à greve geral. Os sindicatos convocavam assembléias para discutir a greve e mobilizar a população. Paralelamente, o general Cordeiro de Farias[7], chefe do Estado Maior das Forças Armadas, propôs o impedimento de Goulart, enquanto Mazzili organizava novo ministério, conservando os três ministros militares. A confusão era geral. Então foi apresentada na Câmara Federal a proposta de uma emenda constitucional para instituir o parlamentarismo, como forma conciliatória. Enquanto isso Jango estava voltando.

No dia 27, o marechal Henrique Teixeira Lott, que havia sido ministro da Guerra no governo de Juscelino Kubitschek[8], foi preso por ter se declarado a favor da legalidade. No dia 28, Jango chegou a Paris e anunciou que desembarcaria no Rio Grande do Sul. O Exército praticamente ocupou várias cidades e, em São Paulo, mais de 300 dirigentes sindicais foram presos. No Rio de Janeiro a polícia de Lacerda invadiu a UNE e fechou o semanário de esquerda *Novos Rumos*. No Congresso, Mazzili continuava a insistir que os militares não deixariam dar posse a Jango. Nesse mesmo dia Jânio embarcou num navio para a Europa, depois de uma reunião com Denys e 16 generais golpistas. Então se soube que a renúncia havia sido uma farsa montada com a intenção de instalar uma ditadura. Se fosse hoje, poderíamos qualificar de um fujimorazo, tática de autogolpe praticado por Fujimori, no Peru, em 1992.

A artimanha fracassou porque os parlamentares, os governadores e o movimento popular agiram com presteza. O senador Moura Andrade, se não estava informado, deve ter intuído que se tratava de um golpe. Teve uma reação rápida e eficaz. Criou um fato consumado, que com certeza inibiu o golpe que estava articulado para impor uma ditadura, com ou sem Jânio.

Dia 29, começou a se consolidar o consenso no Congresso de que o respeito à Constituição seria a única saída para a crise. Uma comissão especial criada para examinar o veto a Jango levou ao Plenário, projeto de Emenda Parlamentarista.

Nas principais cidades do país, as manifestações populares se sucediam e eram reprimidas violentamente. Jango, ainda em Paris, reiterou que assumiria a Presidência. O Rio Grande do Sul ficou em pé de guerra. Mazzili destituiu o general Machado Lopes, comandante do III Exército, mas este se manteve no comando e na resistência, junto com a Brigada Militar fiel a Brizola.

Dia 30, Jango chegou a Nova York e reafirmou sua disposição de assumir um governo legal para combater a desordem. Outros governadores declararam apoio à legalidade. Já entendiam que se tratava de defender o próprio futuro político. Ficou bem caracterizado um confronto entre a sociedade civil e as forças golpistas. No dia 31, com Jango já em Montevidéu afirmando que chegava para assumir a presidência, a tensão chegou ao máximo. O ministro Denys, da Guerra, demitiu todos os oficiais do III Exército e ordenou ao II Exército, com tropas em São Paulo e Mato Grosso, que avançassem sobre o Sul. O I Exército, com unidades militares no Rio e em Brasília, também estava com os golpistas. Brizola, o III Exército e a Brigada Militar reafirmaram a disposição de *"resistir até a última gota de nosso sangue."* Brizola fez barricadas em torno do Palácio Piratini e anunciou que seu estado resistiria a qualquer golpe contra o regime e as instituições democráticas, "venha de onde vier". Através das ondas da *Rádio Guaíba,* criou a *Rede da Legalidade,* que transmitia seus discursos inflamados e marchas militares que empolgavam a população. Por todo o país as pessoas sintonizavam essa emissora. Em Porto Alegre, a população ocupou as ruas com ânimo guerreiro.

No Paraná e em São Paulo foi aberto o alistamento civil. Nesses dias, ajudei meu amigo, na época tenente da Força Pública de São Paulo, Vânio de Matos, a convencer dois dos principais quartéis dessa corporação a defender a legalidade: o da Vergueiro e o da Luz. Isso feito, levamos o prato para meu amigo Câmara Ferreira[9], e ele fez a articulação política para que os dois regimentos passassem a garantir o funcionamento dos núcleos de resistência democrática que haviam sido instalados na Assembléia Legislativa e na Câmara Municipal, reunindo políticos, trabalhadores e estudantes. Estava formada a Frente da Legalidade Democrática. Com Vânio[10] e alguns de seus comandados, também iríamos reforçar um esquema de resistência armada civil-militar montado por oficiais do exército para atuar na fronteira do Paraná, caso fosse necessário. As armas eram do próprio II Exército, retiradas por oficiais legalistas. A movimentação de tropas do II Exército a favor dos golpistas, a mobilização popular, tudo levava a crer que haveria uma guerra civil. A excitação popular eletrizava a atmosfera.

A 1º de setembro, João Goulart chegou a Porto Alegre disposto a se impor. No Congresso, em Brasília, já se dava como certa a aprovação da Emenda Parlamentarista. O general Machado Lopes anunciou que o III Exército estava sob comando do Presidente da República constitucional, e tropas de São Paulo e de Minas Gerais aderiram ao chamado legalista. Pipocavam greves por toda a parte, principalmente no Rio. Lá o Exército ocupou o porto.

Em São Paulo a Frente da Legalidade desmoronou por divergências políticas. Uns queriam o retorno de Jânio, outros propunham o governador Carvalho Pinto para presidente, um terceiro grupo queria parlamentarismo com Jango, e um quarto, Jango sem parlamentarismo. Os trabalhadores e os estudantes se mantinham firmes na defesa da legalidade. Não obstante, no Congresso Nacional as lideranças políticas e militares buscavam entendimento que evitasse o confronto. Jango aceitou assumir o governo sob regime parlamentarista. Somente em 5 de setembro conseguiu chegar a Brasília e tomar posse, tendo como primeiro ministro Tancredo Neves. Os setores mais aguerridos ficaram frustradíssimos.

2. Jango

A conspiração não deu um minuto de sossego ao governo de Jango

Por meio de um Ato Adicional foi instituído o Parlamentarismo e, em seguida, o Parlamento aprovou um gabinete presidido pelo deputado Tancredo Neves, do PTB. O regime, na realidade, era híbrido e ninguém tinha maioria. Em junho de 1962, Tancredo renunciou. Goulart indicou o também deputado pelo PTB, Santiago Dantas para primeiro-ministro, mas o Parlamento elegeu Auro de Moura Andrade do PSD. O movimento sindical rebelou-se e ameaçou greve geral. Goulart conseguiu então impor o professor Brochado da Rocha, homem de Brizola, o governador gaúcho que se insurgira para garantir a posse de Jango. Brizola era tido como radical. Isso não ajudava na solução da crise. Quando o gabinete foi formado, já era 13 de julho.

O governo se inclinou à esquerda. Apesar da enxurrada de propostas, Brochado, no curto período, não conseguiu aprovar nada no Parlamento. O centro da crise era seu pedido de mais autoridade para o governo. A 14 de setembro ele renunciou, em plena greve geral decretada pela CGT. No dia seguinte, a Câmara aprovou a convocação de Plebiscito para decidir sobre o regime de governo. Goulart formou novo gabinete com o trabalhista Hermes Lima. A tese da consulta popular ganhou força no meio político e militar. Foi emocionante ver como grande parte da população se engajou na campanha.

A 6 de janeiro de 1963, o povo votou maciçamente no presidencialismo: 9,5 milhões de votos a favor e 2 milhões contra. A 23 de janeiro, Goulart assumiu com todos os poderes.

Em outubro de 1963, Tancredo Neves, líder de Goulart na Câmara, anunciou a intenção do governo de decretar estado de sítio para controlar a agitação que se alastrava por todo o país. Em São Paulo, a Associação Comercial protestou interpretando o pedido como intenção de repetir o 9 de novembro de 1937, ou seja, a instalação da ditadura do Estado Novo[11]. Goulart recuou.

Ficou claro no movimento em favor da posse de Jango que não era só a legalidade o que se defendia. Na realidade, fora identificado o conteúdo do golpismo e se tratava de defender melhores salários, reforma agrária, a diminuição da desigualdade social que na época privilegiava 5 milhões de brasileiros e marginalizava 55 milhões.

Entre 1961 e 1964, Goulart propôs importantes medidas: as chamadas reformas de base; o monopólio da importação do petróleo; a lei de remessa de lucro; a lei que criava a Superintendência da Política e Reforma Agrária (Supra); a lei que permitia expropriar terras às margens das rodovias, entre outras.

Nesse período, o I Congresso Brasileiro pelas Reformas de Base reuniu a inteligência brasileira para debater e propor as reformas estruturais necessárias para modernizar o país. Tenho ainda hoje os documentos desse encontro, um retrato fiel do Brasil daquela época. Jovens de todas as tendências se engajavam nas campanhas de alfabetização: a campanha patrocinada pela Igreja; a realizada por Paulo Freire, em Pernambuco, e a do Movimento de Educação de Base, patrocinada pelo Ministério da Educação. O Centro Popular de Cultura (CPC)[12] da UNE atuava no meio estudantil e também no meio sindical urbano e rural. Não havia universitário que não acompanhasse o coro do *Subdesenvolvido*, uma sátira musical à dependência histórica do Brasil às grandes potências. Nas reuniões de organização dos sindicatos rurais os camponeses assistiam, pela primeira vez, à representação de sua própria realidade, de enfrentamento com os grileiros.

Ainda durante o curto regime parlamentarista, o governo de Goulart tentou executar o Plano Trienal, elaborado pelo economista Celso Furtado.

Culminando a realização de congressos estaduais preparatórios, realizou-se em Belo Horizonte o Congresso Nacional de Trabalhadores Agrícolas que deu origem à Confederação Nacional de Trabalhadores na Agricultura (Contag), até hoje a maior organização de massas do país. A instalação do Congresso foi prestigiada pelo presidente João Goulart e pelo governador mineiro eleito em 1960, Magalhães Pinto, que pretendia vencer Lacerda na convenção da UDN para escolha de candidato a presidente, mostrando que tinha possibilidade de formar uma aliança de centro-esquerda.

Goulart, sem maioria parlamentar, buscava mudar a correlação de força consolidando sua base de apoio que era formada, essencialmente, por organizações populares: o Comando Geral de Greve; Pacto de Unidade Sindical (PUA); Comando Geral dos Trabalhadores; Fórum Sindical de Debates, que reunia os principais sindicatos de Santos; Ligas Camponesas; Frente Parlamentar Nacionalista; UNE, liderada pela Ação Popular — AP — e PCB; PTB e PCB e depois de 1961 a Contag e o PC do B.

Os setores mais conservadores do PSD e a UDN se colocaram em pé de guerra. Os meios de comunicação, liderados por Lacerda, o mais veemente dos críticos, se colocaram praticamente todos na oposição. Só a *Última Hora* saía em defesa das reformas.

Em agosto de 63, no dia 24, data da morte de Vargas, Goulart realizou um grande comício na Cinelândia. Queria mostrar a Lacerda seu poder de mobilização, intimidá-lo. Não conseguiu. A crise se agigantou. Revolta dos sargentos, sublevação dos marinheiros, greves.

Os principais líderes sindicais agiam como co-participantes do poder. Tinham trânsito livre nos ministérios e inclusive no Palácio do Planalto. Luís Carlos Prestes, em entrevista, chegou a afirmar que os comunistas estavam no poder. A direita e os meios de comunicação se aproveitavam para criar uma verdadeira histeria nos setores mais conservadores da sociedade. Também havia um grande número de comunistas, principalmente em São Paulo, que estava se preparando para o pior, organizando camponeses, treinando lideranças operárias.

Em 13 de março de 1964, realizou-se o grande comício na Praça da República, conhecida como Campo de Santana, em frente a Estação da Central do Brasil, no Rio de Janeiro, convocado em apoio às reformas de base. Goulart, ao lado de Darcy Ribeiro, Brizola, Francisco Julião[13], líderes sindicais e camponeses, anunciou que, além de desapropriar as refinarias de petróleo, havia também assinado decreto da criação da Supra e que iniciaria a reforma agrária. Segundo o Decreto, seriam desapropriadas todas as propriedades que ultrapassassem 100 hectares, localizadas numa faixa de dez quilômetros à margem de rodovias ou ferrovias federais.

No dia 17, João Pinheiro Neto, presidente da Superintendência da Reforma Agrária (Supra), veio a São Paulo, a convite do Centro Acadêmico XI de Agosto — organização de estudantes da Faculdade de Direito da Universidade de São Paulo, localizada bem no centro da cidade de São Paulo — para expor o projeto de Reforma Agrária. A direita organizou manifestação para impedir. A esquerda revidou com manifestação para garantir. Chamaram a Força Pública — a polícia militar da época. Foi um show de pancadaria nas imediações do Largo São Francisco. Consegui escapar de apanhar entrando num carro da reportagem de uma emissora de rádio.

Em São Paulo, no dia 19, realizou-se a *Marcha da Família com Deus pela Liberdade, para livrar a pátria do comunismo*. Saiu da Praça da República em direção à Praça da Sé, tendo na frente a esposa do governador Adhemar de Barros[14], dona Leonor Mendes de Barros. Só tinha gente chique e teve enorme repercussão. No dia seguinte, Adhemar alertava os proprietários fundiários: "*o decreto da Supra é confisco, é violação das mais sagradas tradições jurídico-constitucionais. Usem o Conselho: recorram à Justiça contra o atentado ao direito legítimo de propriedade*"[15]. Não era só Adhemar que se rebelava. Praticamente quase todos os governadores estavam sublevados. Lacerda propôs formar uma frente de governadores. Goulart se dizia apoiado pelas Forças Armadas e garantia que realizaria as reformas.

O governo de Goulart acreditava ter o Exército a seu favor

A conspiração não deu um minuto de sossego durante o mandato de Jango. Com apoio dos Estados Unidos, em 1964, os golpistas conseguiram vencer. Trabalhei como correspondente da *Prensa Latina* até 1º de abril de 1964. Escrevi sobre todos os acontecimentos. A repressão, então desencadeada, invadiu a agência no Rio de Janeiro. O governo rompeu as relações com Cuba. Instalaram o IPM da imprensa comunista. Além de ser correspondente de PL, eu era, nessa época, repórter político da *Última Hora* de São Paulo, jornal que também foi fechado no dia do golpe[16].

No dia 29 de março, em conversa com o major Paulo, um dos ajudantes de ordem do general Amaury Kruel, comandante do II Exército, ele me confidenciou que Kruel não moveria uma palha em defesa do governo de Jango. Em Brasília, o presidente e seus colaboradores mais próximos acreditavam que Kruel era a garantia da supremacia militar do governo contra os golpistas. Tropas do I Exército sediadas em Minas Gerais, comandadas pelos generais Olímpio Mourão Filho e Carlos Luís Guedes, tinham se sublevado contra o governo. Nesse dia, tentei desesperadamente contato com alguém do gabinete do presidente — Darcy Ribeiro, chefe da Casa Civil, ou Raul Riff, assessor de imprensa de Goulart. Não consegui. No dia seguinte, angustiado, tentei falar com o ministro Santiago Dantas, bastante respeitado por Jango. Quem atendeu foi José Gregori, seu secretário. Pedi que alertasse o professor para que este avisasse Jango sobre a adesão de Kruel (convencido pelo governador Adhemar de Barros) aos golpistas. Gregori, hoje homem de confiança de Fernando Henrique Cardoso[17], levou a sério a advertência e fez o que devia. Mas já era tarde.

Quando no final do dia fui à *Última Hora* escrever minhas matérias, o jornal estava cercado por tropas. Tropas do Kruel. Adhemar, que havia sido eleito governador em 1962, mobilizou toda sua força política, sua influência entre empresários, a Força Pública (a polícia militar estadual de maior contingente e melhor armada e treinada do país) em favor da conspiração para derrubar o governo de Goulart. Foi Adhemar, sem dúvida, que garantiu a vitória.

Sem meus dois empregos e temeroso de que a repressão me caísse em cima, fiquei quieto em casa. Estava casado com Bia desde 1960 e tínhamos dois bebês em casa: Iberê, com três anos, e Iatã, com dois. Havíamos mudado há pouco tempo para um bairro da zona Sul e pouca gente sabia disso. Parte do material da *Prensa Latina* tinha sido guardada e outra queimada.

É impressionante a quantidade de documentos que muita gente teve de queimar para não entregar à repressão. Foi uma caça às bruxas generalizada. Um deus nos acuda!. Onde houvesse uma liderança democrática, um dirigente sindical, estudantil ou de partidos de esquerda, havia uma invasão. Queimaram a sede da UNE[18], no Rio de Janeiro. Depois de terem lotado os cárceres nas grandes cidades, habilitaram barcos da Marinha para depositar presos. Milhares. Na primeira semana, dois mil presos em São Paulo, 500 mortos no Rio, 600 no Recife, o governador Miguel Arraes[19] foi enviado para o presídio de Fernando de Noronha, a 2 mil km da costa.

Em 6 de abril, fiz uma reflexão sobre a crise e enviei para o semanário *Crítica* de La Paz. Escrevia: "*Poderá o regime a ser instalado levar o povo, cada vez mais, para a hipocrisia; poderá transformar o brasileiro num povo cínico, a quem não importa misérias alheias. Com isto, estará reforçado, em toda a América, o gorilismo tipo Argentina.*

Poderá, por outro lado, o regime a ser instalado, na base do terror, das perseguições, da prepotência, levar as extremas esquerdas a dar o semelhante troco, partindo para o terrorismo, a sabotagem.

Poderá o janguismo, que é hoje o maior inimigo dos políticos que estão presentes, persistir ou resistir da mesma maneira que o peronismo na Argentina, e vir a ser mais ou menos atuante, o que de certa forma nos levaria próximos de uma situação também como a da Argentina.

Pode também, não se sabe o que está ocorrendo por esses brasis afora, nascer a resistência (com Jango ou sem Jango) através de guerrilhas. Isso apressaria, em toda a América Latina, idêntica solução. Tudo isso a que acabamos de assistir pode ser o início da revolução social. .... Aceitávamos a linha ponderada de Moscou — a coexistência pacífica e não a linha dura de Mao Tsé-Dong. Chegamos à conclusão de que eles estavam certos. Pois será agora somente através da violência que se poderá chegar à conquista das aspirações populares."

Tenho a impressão de que tudo isso realmente aconteceu.

A lição de 1961 havia sido bem aprendida pelos comandantes de 1964. Depois do êxito da grande marcha de 19 de março em São Paulo, Adhemar de Barros criou a Cadeia da Legalidade. Usando o nome de Deus, através das rádios, criava confusão nas mentes sobre o que estava acontecendo. Tocavam marchas militares e chamavam o povo a defender a democracia, a propriedade, a família. Roberto Costa de Abreu Sodré[20], presidente da Assembléia Legislativa de São Paulo e também dirigente da UDN paulista, antes do golpe viajou para os Estados Unidos. Reuniu-se no Pentágono. O plano dos golpistas, caso houvesse resistência, era instalar um governo em São Paulo e solicitar ajuda aos Estados Unidos, que imediatamente o reconheceriam.

Não foi preciso. Jango imaginou ter o apoio do povo e das Forças Armadas. Esboçou um governo independente das decisões do Congresso e fez com que vários partidos políticos e setores da sociedade civil se organizassem contra ele. Subestimou os adversários. Descuidou da organização de sua base de apoio, achando que lhe bastaria a fidelidade do Exército, o que não existia. Nos escritórios da Superintendência da Reforma Agrária haviam armas cedidas por oficiais do Exército, mas não havia quem soubesse utilizálas. Não havia esquema para a resistência. Os comunistas não eram suficientes e sua direção era pacifista.

Correio da Manhã

Eu estava na moita. Não demorou muito, recebi a visita de um emissário vindo de La Paz. Meus amigos, Helena e Juan Capriles tinham armado um esquema para que eu fosse com a família à Bolívia, onde poderíamos nos asilar. Lá já estava o meu amigo, também jornalista, Neiva Moreira e outros brasileiros. Agradeci, real e profundamente emocionado, o gesto solidário, mas não tinha a mínima intenção de deixar o país.

Três meses depois reassumiria minhas funções de repórter político na sucursal paulista do *Correio da Manhã*, onde fiquei até que os esforços da ditadura e do *Council of America*[21] conseguiram convencer as agências de publicidade a não dar mais anúncios a esse jornal. Paulo Bittencourt, proprietário e diretor do jornal, havia morrido. Niomar Muniz, sua herdeira, não resistiu às pressões e concordou em demitir a sua vanguarda jornalística. Isso foi em 1966. Na direção da sucursal paulista estava o jornalista e escritor Mário Donato[22] e eu era o repórter político. Caímos os dois. No Rio, tiveram de sair Antonio Callado[23], Hermano Alves, Márcio Moreira Alves e Bahia Filho, entre outros. Uns doze ou quinze. Depois disso o jornal ainda teve uma sobrevida graças a um acordo que Niomar conseguiu com um grupo de empreiteiros. Mas durou pouco.

Eu disse que reassumi, porque havia trabalhado na sucursal do *Correio da Manhã* de 1961 a 1963, quando tive que sair por pressão da *Ligth and Power* e covardia de um gerente. A empresa estava promovendo nos jornais nacionais uma campanha na qual ela aparecia como responsável pelo desenvolvimento de São Paulo. Então, publiquei uma série de reportagens mostrando que, muito pelo contrário, era um obstáculo ao desenvolvimento, porque a oferta de energia estava sempre aquém da demanda. Mais que isso, com a barragem *Edgard de Souza*, em Santana de Parnaíba e a reversão das águas do Tietê pelo canal do rio Pinheiros, a *Light* havia transformado a cidade de São Paulo numa ilha cercada de merda por todos os lados e tornado insolúvel o problema das enchentes.

Um representante da empresa foi reclamar na sede do *Correio de Manhã*, no Rio de Janeiro, ao diretor de redação, M. Paulo Filho, cuja experiência era de 70 anos na casa. Paulo Filho o escorraçou, dizendo que o *Correio da Manhã* jamais publicara um desmentido, porque nunca publicara uma mentira. A empresa então veio pressionar o lado mais fraco. Não sei como conseguiu que o gerente local me demitisse. E isso com o consentimento do chefe de redação da sucursal, na época Paulo Ferraz. Não dava para lutar contra os dois. Transformei a série de reportagens num longo artigo que foi publicado pela revista *Brasiliense*, editada pelo Caio Prado. Contudo, não demorou muito para que o pessoal da matriz, no Rio de Janeiro, me recolocasse no lugar.

O *Correio da Manhã* pertencia a um dos últimos remanescentes da oligarquia liberal que acreditava na ética e no país. Combateu o governo Goulart porque achava que ele estava levando o país ou para um ditadura sindical ou, mais provavelmente, segundo eles, à anarquia ou ao caos social. No dia 30 de março de 1964 publicou significativo editorial de primeira página intitulado *Basta*! No dia seguinte foi deflagrado o golpe para depor Jango. Em seguida, caracterizada a vocação ditatorial dos golpistas, o *Correio da Manhã* começou a denunciá-la e logo se fixou como oposição. Quando, em junho de 1964, foram me buscar em casa para que eu voltasse a ser repórter na sucursal, foi essa a explicação que me deram: se o jornal não pôde aceitar a ditadura de Jango, tampouco aceitava a ditadura militar.

3. A Nação

Com Janot, o fazedor de chuva e defendendo o marechal Tito

No início de 1963, quando deixei o *Correio da Manhã* pela primeira vez, fui convidado por Nabor Cayres de Brito e Fúlvio Abramo para ser repórter especial do jornal *A Nação*, a ser lançado em breve. *A Nação* e o *Canal 9* de Televisão[24], eram propriedade de Roberto Simonsen, considerado o maior vendedor de café no mundo da época, um dos pilares da Bolsa de Londres, um dos sócios da empresa aérea *Panair do Brasil*. Foi mais uma tentativa de setores da burguesia nacional de ter meios de comunicação próprios para defender seus interesses. A *Última Hora*, lançada por Samuel Wainer com apoio de Getúlio Vargas na década de 1950, financiada por empresários paulistas de grande porte como Matarazzo, Gasparian, Pignatari, já incomodava por excesso de fidelidade a Goulart e ao movimento sindical.

Sob a batuta do velho mestre Nabor, trabalhavam Fúlvio e Cláudio Abramo, João Lima Santana, Aquilino de Freitas, Sérgio Graciotti, Hernani Silva Bruno, entre outros pesos pesados da história da nossa imprensa. O jornal tinha personalidade. Defendia uma política externa independente e internamente propunha desenvolvimento autônomo de acordo com as teses estruturalistas da Cepal, então de moda.

Foi um projeto de curta duração. Havia grupos de interesses que queriam acabar com Simonsen. Foi tal a tensão a que o submeteram que o levaram ao suicídio. Seus herdeiros não se entenderam para prosseguir o projeto de comunicação e no início de 1964, dois meses depois do assassinato de John Kennedy, em Dallas, a 23 de novembro de 1963, o jornal deixou de circular.

Fechada *A Nação*, fui ser repórter político na *Última Hora*, onde fiquei pouco tempo, pois, logo em seguida, o jornal foi fechado pela ditadura militar. Foi um privilégio ter trabalhado em *A Nação* e vale relatar, ainda que resumidamente, dois episódios que muito me marcaram.

O primeiro e mais espetacular foi a Operação Chuva, pela qual fizemos chover sobre São Paulo. A região atravessava um longo período de estiagem. As represas Billings e Guarapiranga mostravam as gretas do barro ressequido. Havia racionamento de água. Um dia, ao chegar ao jornal, recebi recado para ir à sala do diretor. Nabor estava reunido com Fúlvio e Aquilino e haviam aprovado a proposta de Aquilino de realizar uma campanha para provocar artificialmente chuvas sobre São Paulo. Haviam me escolhido para organizar e comandar a operação.

O primeiro passo era localizar em Minas Gerais o cientista Janot Pacheco, que já havia realizado com êxito, anos antes, experiência de provocar chuvas no Nordeste. Tudo deveria ser feito sigilosamente, para a notícia não vazar para a concorrência. Localizei Janot e lhe expus o plano. Ele e seu filho aderiram com entusiasmo. De volta a São Paulo, com Janot Filho começamos a organizar a operação. Com provas documentadas de experiências realizadas e mais detalhes do plano, conseguimos a adesão do Departamento de Água e Esgotos e dos comandos da IV Zona Aérea e do II Exército, além do apoio de algumas empresas privadas. Quando tudo estava pronto, trouxemos o velho Janot e anunciamos pelo jornal e pelo Canal 9 que ele faria chover em São Paulo.

O plano consistia em preparar grandes fogueiras, que seriam acesas em lugares estratégicos no momento em que ventos trouxessem nuvens para a região. Ao lado dessas enormes fogueiras, fornalhas estariam produzindo vapor de iodeto de prata. A fumaça das fogueiras elevaria o vapor de prata, que atuaria nas nuvens como catalisador, aglutinando vapor d'água para sua conseqüente precipitação. Equipamentos de rádio interligavam os pontos estratégicos com o comando geral da operação, na redação do jornal. Essa era a teoria.

Na prática, quando o vento de sudeste começou a soprar trazendo um tapete de nuvens, foi acesa uma fogueira no Guarujá[25]. O vento forte carregou as nuvens para longe. Foi chover em Bauru[26]. Logo depois, repetiram-se as condições favoráveis com o vento sul. Foi acesa a fogueira de Itapecerica da Serra[27]. Na seqüência, velhos B-52[28] da Força Aérea Brasileira (FAB) sobrevoavam as nuvens saturadas, bombardeando-as com gelo seco. Inundamos a cidade. Houve enchente na Baixada do Glicério. No dia seguinte, a grande manchete *"Chegaram as chuvas de Janot."*

Foi um sucesso, passo a passo documentado pelos técnicos do Departamento de Águas e Esgotos (DAE) e oficiais da FAB. Todos os jornais entraram na cobertura. Foi também um grande lance de marketing que ajudou a conquistar mais leitores para o jornal. Guardo ainda hoje a coleção de *A Nação* com a cobertura dessa campanha que manteve em suspenso a capital paulista por mais de dez dias. O *Canal 9,* integrado na cobertura, era naquele tempo o campeão da audiência.

O segundo fato marcante foi ter contribuído para gerar o clima que permitiu a visita ao Brasil do marechal Josip Broz Tito, então presidente da Iugoslávia socialista. Durante a ocupação nazista nos Bálcãs, Tito comandou a resistência e conseguiu unir os povos sérvio, croata, montenegrino e bósnio-herzegovino na federação iugoslava. Conseguiu escapar da órbita de Stalin[29] e manter-se numa posição eqüidistante das potências que, tão logo emergiram da Segunda Guerra Mundial, iniciaram a Guerra Fria numa concepção de mundo bipolarizado. Tito também criou um caminho próprio para o socialismo, com base na propriedade cooperativa. Tito, Sukarno da Indonésia, Nasser do Egito, Nehru da Índia e outros criaram o movimento dos Países Não-Alinhados — um foro de articulação política que propugnava uma posição alternativa ao alinhamento a um dos pólos na arena política internacional.

Mas para nossa direita cavernária, e para Carlos Lacerda e seu jornal *Tribuna da Imprensa*[30], Tito era um assassino e um ditador comunista. Orquestrou então uma violenta campanha contra Tito e a Iugoslávia, seguida pela totalidade dos grandes jornais nacionais. Como se vê, o hábito de cantar em uníssono é antigo em nosso jornalismo. *A Nação* foi a única voz dissonante. Em seus editoriais isso era considerado absurdo. Num dado momento, Nabor me chamou a sua sala e me pediu que fosse entrevistar o embaixador Assis Chateaubriand (Chatô)[31], proprietário e diretor dos *Diários Associados,* sobre a anunciada visita de Tito.

Chatô, desde que ficara tetraplégico, se negava a receber quem quer que fosse, muito menos jornalistas. Conseqüência de um derrame, estava imobilizado em cadeira de rodas, expressava-se com extrema dificuldade e mal conseguia escrever, datilografando lentamente com um único dedo. Apesar dos estímulos do Nabor, fui à *Casa Amarela,* a residência de Chatô, no Jardim Europa, um bairro nobre na cidade de São Paulo, preocupado com a possibilidade de um fracasso. A primeira barreira foi o secretário, de quem ouvi: *"Não, de jeito nenhum"*. Roguei para que pelo menos dissesse que se tratava de um pedido do velho Nabor, muito querido de Chatô e que havia trabalhado para lançar mais de um de seus jornais. Subiu e, minutos depois, voltou dizendo que era impossível. Pedi então que me emprestasse uma máquina de escrever. Sentei e escrevi um bilhete em que apelava para o seu espírito de jornalista e perguntava como eu poderia enfrentar o Nabor e continuar minha carreira sem ter cumprido uma missão tão importante, num momento crucial da política brasileira.

Cinco minutos depois, estava ao lado do homem. Relatei os fatos, a posição de Lacerda e até mesmo a dos jornais de sua propriedade. Com dificuldade e durante algumas horas, com ajuda da enfermeira e do secretário, ele foi escrevendo e articulando algumas palavras. Impressionante perceber o vulcão que esse homem tinha na cabeça e sua luta desesperada contra o corpo inerte. Ele conseguia se expressar. Todos os dias escrevia editoriais em seus jornais. No dia seguinte *A Nação* anunciou em manchete que o embaixador Chateaubriand oferecia a sua residência, a *Casa Amarela*, para hospedar o marechal Tito em São Paulo, e se referia ao governador Adhemar de Barros e a Carlos Lacerda como dois macacos trepados em árvores que nem a primeira missa ainda haviam assistido. Essas declarações contrariavam radicalmente os editoriais do *Diário de São Paulo* e do *Diário da Noite* do mesmo dia. Só que no dia seguinte, todos os jornais associados publicaram imenso editorial assinado por Chatô, em defesa da visita de Tito, e mantiveram essa posição nos dias subseqüentes. Dias depois Chatô enviou um telegrama ao Nabor cumprimentando o repórter que havia dado um furo em seus próprios editoriais. Fernando Moraes, em sua biografia de Chatô, dá detalhes da personalidade e das façanhas desse controvertido personagem da história dos meios de comunicação brasileiros.

Marconi, uma rádio realmente popular

Estava na sucursal do *Correio da Manhã*, em um dia de 1964, quando Dorival de Abreu e David Lerer vieram me convidar para fazer o jornal falado da *Rádio Marconi*, junto com João Adolfo da Costa Pinto, companheiro do PCB que havia sido contratado para dirigir o rádio-jornal. Eu havia tido uma curta experiência na *Rádio Difusora*, o suficiente para me apaixonar pelo rádio. Aceitei. Com Costa Pinto fizemos um projeto que, depois de poucos meses de executado, levou a rádio a alcançar uma das primeiras audiências na capital, dando dor de cabeça para as grandes.

Ao lado de uma primorosa seleção musical, dirigida por Adim Costa, inserimos uma programação jornalística com longa edição pela manhã, outra ao meio-dia, uma terceira das 20 às 21 horas e uma quarta à meia-noite. Além disso, havia os boletins ordinários com informações a cada hora e extraordinários quando fosse necessário. Os Estados Unidos estavam em guerra com o Vietnã e todos os meios de comunicação davam informações do ponto de vista dos interesses estadunidenses. A *Rádio Marconi* era a exceção, a voz dissonante no uníssono de nossa imprensa. Dizíamos que o Vietnã estava sendo agredido por uma potência imperialista, situada a milhares de quilômetros de distância, e que a luta do povo vietnamita era uma luta de libertação; estimulávamos a solidariedade popular a essa luta.

A rádio mantinha estreito vínculo com o movimento sindical, dando cobertura às suas principais atividades. O programa Tribuna Sindical, nas primeiras horas da manhã, respondia consultas sobre problemas trabalhistas e tinha enorme audiência. O mais importante era a posição da rádio contra a ditadura e as organizações de direita que a apoiavam. Nessa época, os dois meios que realmente se opunham à ditadura eram o *Correio da Manhã* no Rio de Janeiro e a *Rádio Marconi* em São Paulo. Eu estava com dupla presença no centro da tormenta. No período em que trabalhei na *Marconi*, de 1964 até meados de 1967, a rádio foi tirada do ar pelo Departamento Nacional de Telecomunicações (Dentel), com a Polícia Federal, pelo menos cinco vezes. O pretexto era que pregávamos subversão.

A *Marconi* funcionava no edifício Mendes Caldeira, numa esquina da Praça da Sé, edifício que foi implodido, na década de 1970, para a ampliação da praça. A polícia subia e tirava os cristais do transmissor. Às vezes faziam isso com grande aparato, com camburões e carros militares na frente do edifício, prendendo até os *boys*. Numa dessas operações, quando iam levar o Dorival de Abreu preso, ele se sentiu mal, e tiveram de levá-lo para um hospital. Estava com sintomas de enfarte. Isso aconteceu mais de uma vez. Do apartamento do hospital continuava dirigindo a rádio, armando os esquemas de defesa jurídica e política para mantê-la no ar. Dava um trabalhão conseguir *habeas corpus* e recolocar a rádio no ar. Mas se conseguia, pois a ditadura ainda não havia sido imposta plenamente.

No segundo semestre de 1967, depois de uma dessas invasões aparatosas da repressão, deixei a rádio porque já estava demais a marcação sobre mim. A *Marconi* ainda teve uma sobrevida de mais um ano até que a fecharam e cassaram sua freqüência. Para se ter uma idéia da força política de nossa programação jornalística, nas eleições parlamentares de 1966 elegemos dois deputados federais: o David Lerer e o próprio Dorival de Abreu. Elegemos também o Fernando Perrone à Assembléia Legislativa. Os três foram cassados. Somente na década de 1990 Dorival conseguiu ganhar na Justiça seu direito sobre a rádio e uma indenização pelos danos sofridos e pelos lucros cessantes.

Depois que saí pela segunda vez do *Correio da Manhã*, a convite do Cláudio Abramo fui ser repórter político na *Folha de São Paulo*. Acostumado a trabalhar em órgão de comunicação como o *Correio da Manhã*, *Última Hora*, *Prensa Latina* e *Rádio Marconi*, a fazer jornalismo de combate e a planejar campanhas, tinha agora de me adaptar a um jornal dócil à ditadura. O máximo que me permitiram fazer foi oposição a Jânio Quadros.

Jânio estava voltando à cena política em grande estilo, e eu não me conformava com isso. Era um alcoólatra com forte desequilíbrio emocional e vocação para ditador fascista que se deixava utilizar por certos grupos de interesse. Chegou a anunciar que sua intenção era empunhar a bandeira de Getúlio Vargas. Escrevi que ele mal podia empunhar uma garrafa, quanto mais uma bandeira. Ele enviou vários emissários que tentaram me convencer ou subornar para apoiá-lo, sem sucesso.

Nessa época, iniciei dois projetos de pesquisa para uma série de reportagens de denúncias, que não consegui levar adiante. Um era para denunciar a venda de terras — latifúndios imensos, do tamanho da Bélgica — a proprietários estrangeiros que estava pondo em risco a soberania nacional; outro era sobre uma grande maracutaia envolvendo cultivadores de café e produtores de café solúvel. A questão das terras ficou tão escandalosa que não demorou muito para que os jornais começassem a informar com notas esparsas. Nunca houve, porém, uma campanha a respeito. Só consegui fazer isso em 1969, assim mesmo na Itália. Mas com grande repercussão.

Nunca acreditei num jornalismo isento. Ainda acho que a imparcialidade é uma falácia sempre a serviço do poder. O jornalismo tem de ser entendido como um serviço público e suas únicas limitações devem ser éticas. Não basta denunciar um fato. É preciso mostrar sua imoralidade e procurar deixar as pessoas indignadas, para que tenham vontade de reagir. E é necessário também mostrar por que se deram os fatos e apontar as alternativas. Sem mostrar as alternativas, alimenta-se a desesperança. Nunca poderei me conformar com a posição dos jornais atuais com relação a fatos tão escabrosos como a venda, a preço de banana pago com moeda podre, da Vale do Rio Doce, das empresas telefônicas ou das geradoras e distribuidoras de energia, ou com a conivência dos mesmos com o que estão querendo fazer com a Petrobrás, o Banco do Brasil e a Caixa Econômica Federal. Deixar que seja jogado fora patrimônio nacional construído com suor e sangue de nosso povo, sem sequer dar uma olhada para o passado histórico.

Notas

1. Era correspondente da Prensa Latina em São Paulo.

2. Brizola, durante seu governo realizou uma reforma agrária que não só distribuiu terra como criou cooperativas e organizou a produção. Fez também uma revolução na educação; não ficou uma só criança fora da escola. Expropriou, sem pagar indenização, a ITT, empresa que controlava a telefonia pública.

3. O vice-presidente João Goulart, popularmente chamado de Jango, estava na China em missão oficial quando da renúncia de Jânio. Os militares direitistas se opunham a sua posse em virtude de seus vínculos com o movimento sindical.

4. A União Democrática Nacional, na época a segunda força no Congresso Nacional, era de direita. A primeira era o Partido Social Democrata (PSD) e a terceira, o Partido Trabalhista (PTB).

5. Senador por São Paulo, do PSD, latifundiário e proprietário de grandes frigoríficos, dominava o mercado da carne. Além disso, era grande comerciante de madeira.

6. Governador de Minas Gerais, latifundiário e dono do Banco Nacional de Minas Gerais.

7. O general Cordeiro de Farias havia tentado um golpe em 1954 por ocasião do suicídio de Vargas e tentou impedir a posse de Juscelino Kubitschek em 1955, sempre por motivações golpistas.

8. Lott anteriormente havia se oposto à tentativa de golpe para impedir a posse de Juscelino, em 1955.

9. Na época ainda era dirigente do PCB. Mais tarde sucedeu a Marighella no comando da ALN.

10. Muito depois eu soube que Vânio, já capitão, que também era jornalista, se integrara à VPR. Foi um dos asilados políticos presos e assassinados no estádio de Santiago do Chile, transformado em prisão por Pinochet no golpe de setembro de 1973.

11. Em 1937, o governo de Getúlio Vargas fechou o Congresso e impôs uma ditadura.

12. Centro Popular de Cultura, movimento que promovia todo tipo de manifestação artística, particularmente a de teatro. Reunia jovens intelectuais e artistas como Gianfrancesco Guarnieri, Carlinhos Lira, Augusto Boal, José Celso Martinez, Vianinha.

13. Advogado no Estado de Pernambuco, tornou-se líder das Ligas Camponesas e pregava uma reforma agrária radical.

14. Adhemar Pereira de Barros, fundador do Partido Social Progressista, de maior influência política no Estado de São Paulo à época. Foi deputado estadual constituinte de 1934 a 1937, interventor de Getúlio Vargas em São Paulo de 1938 a 1941; governador do Estado eleito de 1947 a 1951; prefeito eleito da cidade de São Paulo de 1957 a 1961; governador eleito novamente, de 1963, até 1966 quando foi cassado pelo regime militar que ajudou a instalar. Morreu no exílio em 1969.

15. Referia-se ao Conselho Econômico. *O Estado de S. Paulo*, 15/3/1964.

16. *Última Hora*, criada por Samuel Wainer, com apoio de Vargas, na década de 1950. Tinha edições e sede própria no Rio de Janeiro, em São Paulo e Recife.

17. Depois de ter sido assessor foi ministro da Justiça no governo de Fernando Henrique Cardoso.

18. O presidente da UNE, nessa época, era José Serra, que foi ministro da Saúde no governo de Fernando Henrique Cardoso.

19. Tinha sido eleito com apoio do Partido Comunista e apoiava a organização das Ligas Camponesas.

20. Latifundiário de família tradicional de cafeicultores.

21. O Conselho das Américas, com sede em Nova York, reúne empresários e executivos dos grandes conglomerados empresariais.

22. Jornalista e escritor, autor do *best seller Presença de Anita*, foi também chefe do escritório da Superintendência da Reforma Agrária em São Paulo no governo de Goulart.

23. Jornalista e escritor foi coordenador de redação da Enciclopédia Britânica.

24. O primeiro canal de televisão a contratar os artistas de teatro para telenovelas e a produzir os grandes festivais de música popular.

25. Balneário situado na Ilha de Santo Amaro, vizinha a Santos, o principal porto de São Paulo, distante uns 50 km da Capital.

26. Cidade situada no centro geográfico do Estado, a 250 km da Capital.

27. Município da Região Metropolitana da Capital, situada ao sul em região da serra do Mar.

28. Fortalezas voadoras utilizadas na Segunda Guerra Mundial.

29. Joseph Stalin, líder do partido comunista e chefe de estado na União Soviética entre 1921 a 1953.

30. Carlos Lacerda, da UDN, através de seu jornal atacava duramente o governo de Goulart. Foi governador do Estado da Guanabara, quando a cidade do Rio de Janeiro foi transformada em Estado.

31. Assis Chateaubriand Bandeira de Melo, criou um império de meios de comunicação, com jornais e emissoras de rádio em quase todas as capitais e televisão no Rio de Janeiro, Minas Gerais e São Paulo. O presidente Juscelino Kubitschek o fez embaixador do Brasil em Londres.

11. Roma

E o mar e a terra têm quanto há de belo,
Quantos olhos de ver jamais se cansam

Antero de Quental — poeta português

Fomos recebidos — Bia, Iberê, Iatã e eu — em Roma por Mimi Fera, a qual atendeu o pedido da Meri Franco Lao, feito de Havana por telefone. De origem camponesa, Mimi dizia que durante a Segunda Guerra Mundial se integrou aos *partigiani*[1] na luta contra o nazifascismo. Moça bonita e culta, com a coragem dos sonhadores, recebeu um dia a missão de colher informações sobre a movimentação de tropas alemãs no norte da Itália. Atiraram-na de pára-quedas no *front* alemão. Enturmou-se com oficiais, fez tudo o que tinha de fazer. Por essa e por outras façanhas, Mimi é heroína da resistência italiana. Quando ela entrava no Poder Legislativo, os parlamentares se levantavam respeitosamente. Depois da guerra, dedicou-se a outra paixão, o cinema. Dizia ter trabalhado na área de produção com Pasolini e outros grandes diretores, até que se apaixonou por um jovem diretor de origem alemã. Passaram a viver juntos, pelo amor e pelo trabalho.

Quando a conheci, em julho de 1969, Mimi teria pouco mais de 50 anos e a vitalidade de uma guerrilheira de 20. Levou-nos de *Fiumicino,* o aeroporto internacional de Roma, à casa de Meri Franco e Folco Lao em seu *topolino,* como carinhosamente os italianos chamavam o Fiat 900. Mimi ajudou muito na montagem de uma infra-estrutura de apoio a brasileiros perseguidos. Pela casa de sua irmã Olga passaram muitos companheiros em trânsito para treinamento em Cuba ou de retorno para o Brasil.

A casa dos Lao, na via del Mattonato, a três quadras da Piazza Santa Maria in Trastevere, então com três andares, tinha começado a ser construída nos anos 600. Folco fez uma pequena reforma para equipar a casa com um banheiro e modernizar a cozinha. Ele era desenhista especializado em projetar hospitais e estava em Cuba como colaborador, desempenhando sua profissão[2]. Meri é musicóloga, estava em Cuba organizando o arquivo de música da Casa de Las Américas e dando assessoria em sua área ao pessoal de cinema, TV e rádio.

Trastevere é um dos bairros mais antigo de Roma. Nessa época estava começando a ser descaraterizado. A população dominante se entende num dialeto próprio, o trasteverino, que, dizem, é falado desde antes do império dos césares. Santa Maria in Trastevere é talvez a mais antiga das igrejas de Roma. Em um dos limites do bairro situa-se o aqueduto que desce do Gianicolo para abastecer o que foi a Roma imperial. Anda-se por calçadas de pedras seculares. Em cada esquina, há um bebedouro de onde jorra água cristalina de fontes imemoriais.

Na praça, em frente à igreja, dois restaurantes eram o ponto de encontro de intelectuais, artistas e turistas. Ali sentava com o poeta Rafael Alberti, o ator Giammaria Volonté, o pintor Elias Condal, o escritor Romulo Roncini; marcava encontro com jornalistas e com políticos. Roncini foi o primeiro intelectual que conheci cuja profissão era leitor. Uma grande editora lhe pagava um salário para ler originais ou livros editados em outros países e opinar. Além de grande erudito, era também *gourmet*. Ajudou a reforçar minha paixão pela cozinha mediterrânea.

Entrando no bairro havia mais dois ou três restaurantes, desses em que músicos e cantores oferecem canções de mesa em mesa para receber uns trocados. A *trattoria Bucatino D'Oro* ainda tinha um público quase exclusivamente italiano e uma comida um pouco cara para nossa pobreza, porém inesquecível. Meus pratos favoritos eram com funghi. Um deles, *i funghi porcino,* o cogumelo do tamanho de um prato, frito na manteiga com alho e pimenta, era simplesmente uma loucura. Noutra *trattoria* se almoçava um prato de *espaghetti*, uma rodela de *provolone* e um *bicchiere di bianco*[3] por 50 centavos de dólar. Na cantina *Tana de Noiantri*, onde era feita uma pizza sensacional, aprendi a receita da *capricciosa*, a minha favorita até hoje.

Durante a guerra, o Trastevere foi reduto de *partigiani*. Agora estava coalhado de contrabandistas e batedores de carteira. No final da guerra, quando a Itália foi invadida por tropas dos Estados Unidos, os políticos conservadores fizeram um pacto com o invasor e os *partigiani*, principalmente os comunistas, foram marginalizados da vida política e econômica que se reconstruia. Muitos tiveram de sobreviver de atividades marginais.

No Trastevere havia uma fraterna convivência entre *contrabbandieri, ladri* e *ex-partigiani*. Quando se olhava pela janela dos fundos da casa dos Lao, viam-se os fundos de outra casa, onde funcionava uma "academia" para ladrões. Quase em frente, do outro lado da rua, morava e exercia suas atividades um contrabandista de cigarros (americanos, franceses e turcos). Mimi me apresentou a mais de um desses veteranos lutadores da resistência e pediu que me protegessem. Logo, todos do bairro sabiam que ali na Via del Mattonato estava morando um *amico del Vecchio*.

Um dia, chegando em casa, encontrei-me com uma vizinha, uma inglesinha que tinha uma bolsa para um curso de arte. Estava exasperada porque lhe haviam roubado a bicicleta. Vivia com poucos recursos num quarto alugado e a bicicleta era seu meio de transporte. Fiquei com pena da moça e fui queixar-me ao *Vecchio*. Ele ficou indignado. *Ma come? La ragazzina sei vicina?* Diga a ela que fique tranqüila. Obedeci. Menos de 24 horas depois, a bicicleta estava na calçada encostada à porta de casa.

Numa outra ocasião, marquei reunião com um companheiro recém-chegado do Brasil. Dei-lhe o endereço da via del Mattonato e disse que tinha outra reunião antes disso e, caso eu me atrasasse, que me esperasse por ali que logo chegaria. Quando retornei, o rapaz estava sentado na soleira da porta, cercado por quatro rapagões barra-pesada. Estava em pânico porque mal sabia italiano e não conseguia explicar o que fazia vagando por ali. Deu para fazer-se entender que procurava o brasileiro que morava naquela casa. Outro trasteverino me esperava na entrada do bairro para alertar-me de que alguém me procurava. Esclareci tudo, apresentei o rapaz como um guerrilheiro brasileiro. Sua presença foi festejada, convidaram-no para tomar um vinho à noite. Assim era o Trastevere que conheci.

No *Ferragosto*, uma festa pagã no solstício do verão, o bairro virava atração turística para os próprios romanos. Na fronteira do bairro, montavam barracas para vender comida para os de fora. Dentro do bairro, porém, todas as famílias colocavam mesas e fogões a carvão em frente a suas casas. Era uma semana inteira de comilança pantagruélica acompanhada de vinho farto. O forte era a *porchetta* — um porco inteiro, desossado, assado em forno de lenha.

O governo brasileiro ameaçou com represálias aos italianos no Brasil

Em Roma, depois de duas ou três semanas, Bia não se sentia bem. Num hospital romano, diagnosticaram que precisava de uma intervenção cirúrgica. Embarcou com os meninos para São Paulo. Minha intenção era fazer o mesmo, depois de cumprir com alguns compromissos assumidos antes de sair de Cuba. Fui para Milão ver o meu editor, Sante Bagnolli. A *Jaca Book Editrice* era uma editora milanesa relacionada com a esquerda católica que editou quatro livros meus. O primeiro foi fundamental para minha mobilidade e para minha sobrevivência. Minha missão na Itália era sensibilizar a opinião pública sobre o que estava ocorrendo no Brasil e ampliar a base de apoio para a ALN. Os dirigentes do PCI estavam divididos: alguns acreditavam em Prestes e nos acusavam de foquistas; outros nos acusavam de pró-chineses. Estes pertenciam a um grupo de intelectuais liderado por Rossana Rossanda, que editava a revista *Il Manifesto*[4].

O companheiro Urbano, um italiano que havia militado conosco no Brasil, nos tempos do Agrupamento Comunista e no início da ALN, levou-me a uns dez diretórios do PCI para falar às bases. Aí contavam mais a solidariedade e a emoção que toda revolução provoca nas pessoas. Rapidamente, grande número de militantes do PCI se engajou em nossa luta. Dei entrevista para os principais jornais, escrevi para várias revistas, dei palestras em várias faculdades, falei para grupos de trabalhadores. Quando meu livro, *Imperialismo e Militarismo no Brasil*, chegou às livrarias italianas, a denúncia sobre a venda de terras, em propriedades de extensão maior que a Bélgica, foi manchete em vários jornais. Nessa altura já funcionava em Roma e outras cidades um vigoroso movimento de solidariedade para com o povo do Brasil.

Mais tarde, o senador Lélio Basso assumiu a coordenação desse movimento e convocou um tribunal internacional para julgar a ditadura brasileira, o Tribunal Bertrand Russell[5]. O apoio principal era dado pelas bases comunistas. Cresceu tanto o movimento de solidariedade ao povo brasileiro e os protestos contra a ditadura que o general Emílio Garrastazu Médici (governou de 1969 a 1974), mandou recado ao governo italiano assinalando que, se continuassem nessa intensidade as manifestações, o governo brasileiro não se responsabilizaria pela segurança dos italianos no Brasil. Essa chantagem imunda me foi contada anos mais tarde por um amigo que na época era dirigente da Democracia Cristã, partido no poder, e alto executivo da RAI[6]. Não há porque duvidar da fonte.

Afinal, ninguém educa um povo impunemente

Em setembro de 1969, saí de Milão rumo a Berlim Ocidental[7]. O plano era conversar com editores, sensibilizar o meio estudantil sobre a resistência brasileira, obter apoio da esquerda para a ALN e seguir para Berlim Oriental a fim de contatar a embaixada da Coréia. Antes de sair de Cuba, eu havia combinado com os coreanos e com Marighella uma viagem para acertar esquemas de cooperação com nossa luta.

Em Berlim Ocidental fiquei na casa de Bern Rabel, nascido e formado na RDA e que estava como professor de marxismo e filosofia na Universidade Livre de Berlim. Mais parecia uma república, sempre cheia de jovens professores e de estudantes. Bern era uma espécie de guru dos jovens de esquerda. Cohn Bendit, que ficou conhecido por sua atuação no Maio de 1968, em Paris, era dessa turma. Bern também teve uma editora especializada em obras de marxistas. As discussões teóricas eram de altíssimo nível.

Dei a um desses grupos uma cópia dos originais do *Mini-manual da guerrilha urbana*, de Carlos Marighella. Teve uma enorme repercussão entre eles. A esquerda radical era maoísta, ou seja, utilizava os textos de Mao Tsé-Dong sobre a Guerra Popular na China. No entanto, a proposta da guerrilha camponesa de Mao não fazia sentido num meio urbano, muito menos em Berlim. O *Mini-manual* foi reproduzido em toda a Alemanha Federal e publicado por uma grande editora de Frankfurt. Com um dos grupos de jovens acertamos que eles criariam uma base de apoio à ALN, com especialistas em rádio-comunicação, químicos, mecânicos etc. Além da ajuda técnica dariam também ajuda financeira. Não cheguei a informar os companheiros no Brasil sobre esse acordo. Já se verá o porquê.

Minha passagem por Berlim Oriental foi rápida. Fiquei no apartamento de um companheiro catarinense estudante de ciências políticas, o mesmo que me havia apresentado a Bern do outro lado. Depois de quatro ou cinco dias, os coreanos me levaram para Moscou. Uma semana de turismo na então capital soviética. Era setembro e já fazia um frio insuportável. Quando íamos de Moscou a Irkusky, onde faríamos baldeação para Piongyang, capital da República Popular da Coréia, o avião da Aeroflot teve que fazer um pouso forçado numa base militar, na metade do caminho, por causa do mau tempo.

O mesmo vôo levava uma delegação de intelectuais cubanos para algum evento no interior da URSS. No banco a meu lado estava o poeta cubano Nicolás Guillén. Eu o conhecera no Brasil antes de 1964, quando ainda tínhamos relações com Cuba e havia manifestações de massa em solidariedade à ilha, e voltara a ter contato com ele durante minha permanência por lá. Quando na área de taxiamento abriram as portas, entrou um vento que quase nos congelou. Vento carregado de partículas de gelo. Entramos num ônibus que mais parecia o congelador de uma velha geladeira, com mais de dois dedos de gelo nas paredes interiores. Levaram-nos direto para a cantina da base, onde serviram chá quente com vodka.

Nós, pobres cidadãos tropicais, morríamos de frio. É terrível. Dói. Dormimos em área reservada para oficiais, com calefação. Só doze horas depois o avião seguiu seu curso. Em Irkutsk a espera pela conexão foi de quase 48 horas. Deu para passear um pouco. Meu acompanhante e intérprete coreano tinha sua turma. Fomos até Listbianka, às margens do lago Baikal, de água cristalina e pura, o mais profundo do planeta, com áreas que nunca congelam. Boa parte dos habitantes locais se veste com peles. Fazem lindas jóias com ouro e âmbar.

Depois dessa minha estréia, na década de 1970, fiz mais umas três ou quatro viagens à então União Soviética. Um continente com nove fusos horários, com variações climáticas que vão dos 50 graus positivos aos 50 negativos. Conheci áreas de menor desenvolvimento, como o Uzbequistão, e outras mais desenvolvidas, como Moscou, Leningrado[8] e Kiev, capital da Ucrânia. O mundo europeu e o mundo islâmico. Visitei o Hermitage[9] fundado por Pedro, o Grande, e Samarkanda de Tamerlão[10].

A emoção de estar na União Soviética era muito forte. O trauma da Segunda Guerra Mundial pesou em mais de uma geração dos povos soviéticos. Guerra na qual perderam 20 milhões de vidas. Não há holocausto maior que esse. Ali não havia uma só família que não tivesse perdido alguém nessa guerra. À parte esse aspecto, o sistema educacional alí instalado era algo notável. Escolas de primeiro e segundo graus dispunham de recursos comparáveis ao de um grande teatro para os alunos estudarem e praticarem arte. Qualquer jovem que se abordasse nas ruas ou nos cafés sabia dois ou três idiomas. Sabia em que lugar do mundo ficava o Brasil. Sentia-se um clima de grande efervescência nos meios intelectuais.

Eu tinha amigos jornalistas e conhecia vários quadros do Partido Comunista. Uma geração bem preparada e informada, viajada, muito preocupada com o futuro. Eles estavam construindo não só uma sociedade melhor mas também uma teoria. Histórica e oficialmente, o Partido Comunista soviético apoiava os Partidos Comunistas latino-americanos, mas, muitos de seus dirigentes e intelectuais em geral, não conseguiam esconder a grande simpatia para com os movimentos revolucionários, e eram muito solidários.

Não é com isso que vem ocorrendo lá a partir de 1985 que eles sonhavam. Não, com certeza. Queriam mudar para melhor. É difícil compreender como pode esse mundo desmoronar e, conhecendo um pouco desse povo, é possível confiar que ele superará este mau momento, pois ninguém educa um povo impunemente.

A primeira derrota militar dos Estados Unidos

Vietnã, Coréia e Cuba eram então os principais bastiões da luta antiimperialista. Em Piongyang, capital da Coréia do Norte, tive uma recepção de chefe de Estado, o que me surpreendeu e constrangeu. Tapete vermelho ao pé da escada do avião, corredor com crianças em uniforme escolar agitando bandeirolas coreanas e brasileiras e atirando-me flores. Na sala *vip* do aeroporto fui recepcionado por um primeiro vice-presidente e um secretário do Comitê Central do Partido Comunista, que me deram as boas vindas em nome de Kim Il Sung[11] e outras personalidades. Levaram-me para um hotel no centro, em frente ao Teatro Nacional e a uns 300 metros da margem do rio que corta a capital.

No dia seguinte pela manhã, com o vice-presidente e três outros camaradas, além do intérprete, discutimos o que seria a minha estada. Queria ver treinamento militar e discutir o conteúdo do eventual proselitismo aos brasileiros que porventura fossem treinar. Ofereceram-me uma viagem para conhecer o país e as obras da revolução. Aceitei. Ora de trem, ora de avião ou de automóvel, conheci da fronteira com a Manchúria ao norte, à zona desmilitarizada de Pamunjong ao sul, onde há um museu sobre as agressões que esse povo sofreu, primeiro do imperialismo japonês e depois dos Estados Unidos. Em cada lugar que passávamos éramos recepcionados pelos dirigentes locais do partido. Almoços inesquecíveis: uma variedade incrível de frutos do mar e de pescados, carnes de ave, de porco, de gado, raízes, flores, legumes, verduras, temperos, doces e frutas. Como manda a tradição, mesa farta, cada acepipe num prato, pois é considerada ofensa grave oferecer a um visitante menos que cem pratos diferentes.

Um povo incrível, com cinco mil anos de história. Nessa época a população das duas Coréias era de aproximadamente 40 milhões, sendo 14 milhões no Norte. Em 1904, a península foi invadida e ocupada pelos japoneses. Em 1932 teve início a luta de libertação, por meio de guerrilhas sob o comando de Kim Il Sung, que desde 1926 integrava a frente de luta do outro lado da fronteira, na Manchúria, e o Partido Comunista. De 1936 a 1940 os guerrilheiros liquidaram com seis divisões do exército japonês. De 1940 a 1945 recrudesceu a guerra interna, então favorecida pelas frentes de ataque às potências imperialistas por toda a parte. Era a Segunda Guerra Mundial.

Em 1945, o exército de libertação, com ajuda de voluntários chineses, expulsou os invasores e libertou o país. Nesse mesmo ano, os Estados Unidos desembarcam tropas no sul da península. Por força da Guerra Fria, o país foi dividido ao meio. No ano seguinte, o Partido Comunista se fundiu com o Partido dos Trabalhadores, dando origem ao Partido do Trabalho da Coréia, liderando uma ampla frente liberal e democrática. Em 1948, realizaram-se eleições no Norte e no Sul. No Norte, foi fundada a República Democrática da Coréia. No Sul, os Estados Unidos impuseram tremenda repressão. Foram detidos e fuzilados mais de 700 mil homens. Ao mesmo tempo preparavam a guerra que, iniciada em 1949, foi oficializada em outubro de 1950, durou 27 meses e resultou num saldo de quatro milhões de mortos. Dos Estados Unidos foram uns 600 mil. Foi a primeira derrota da grande potência por um país subdesenvolvido. Os Estados Unidos tiveram de aceitar o armistício.

Quando terminou a guerra, o general Douglas Mac Arthur[12] havia vaticinado que a Coréia do Norte levaria cem anos para levantar-se. Sei que agora o povo desse país está passando por muitas dificuldades, porém, quando passei por lá no final de 1969, o país crescia a ritmo alucinante. Visitei vários complexos industriais: siderurgia, metalurgia, cimento. Numa usina de processamento de calcário, eles transformavam a pedra em fibra sintética para a indústria têxtil. Em outro complexo, fabricavam locomotivas e vagões. Só sete ou oito países no mundo fabricavam locomotivas. Em outro complexo fabricavam tratores, toda sorte de implementos agrícolas e tanques. Visitei cooperativas agrícolas. Havia excedentes na produção de arroz e de maçãs. O Sul era um desastre, dominado por uma cruel ditadura apoiada pelos Estados Unidos. O Norte ajudava a alimentar a população do Sul com excedentes de arroz. Recentemente, no final dos anos 1990, aconteceu o contrário.

No Norte diziam que havia três Coréias. A do sul, a do norte e a de baixo. Com isso queriam dizer que se o país fosse bombardeado, a produção industrial não pararia, pois continuariam trabalhando nos ocos cavados nas montanhas e nos refúgios subterrâneos. Visitamos um centro militar. As tropas de elite eram formadas por faixas pretas de caratê. Mãos e pés são empregados como armas mortais. O treinamento dado a elas poderia ser dado aos nossos combatentes. Com relação à linha política, eles concordavam em gênero e número com nossas propostas (a do Agrupamento Comunista): luta de libertação nacional, formação de uma grande frente de massas e preparação das forças que comandariam a revolução.

Não era só a morte de um companheiro, era o mundo que para mim ruía com todos os sonhos

Depois de uns 15 dias de viagem pelo território coreano, regressamos a Piongyang. No dia seguinte, 6 de novembro, no hotel, batem à porta. Abro. A mesma comitiva que me recebera no aeroporto; todos com ar muito solene. Quem começou a falar foi o primeiro vice. O intérprete traduzia. Eles estavam desolados, mas tinham o dever de comunicar-me, com muita tristeza que, dois dias antes, o meu líder, o meu companheiro de organização, Carlos Marighella, havia sido morto no Brasil. Quase desmaiei. Tive uma crise de choro. Não era só a morte de um companheiro, era o mundo que para mim ruía com todos os sonhos. Muito delicados e solidários, os coreanos se retiraram dizendo que voltariam no dia seguinte para conversar sobre o que eu pretendia fazer. Quando voltaram, um quadro dirigente e o intérprete, eu disse que queria voltar ao Brasil. Já não fazia sentido eu cumprir com meu itinerário de viagem original — ir à China e ao Vietnã. Que me colocassem na Europa, que na Itália eu veria a melhor rota para o retorno. Queria saber o que havia acontecido, o que seria da organização.

Os coreanos me colocaram em Berlim. Ali fazia um frio de mais de 10 graus abaixo de zero. Há 50 anos não ocorria um inverno tão rigoroso. Fiz escala em Milão antes de seguir para Roma. Eu estava muito estressado, tive um piripaque. Apaguei. Estava alojado em um quarto na sede da editora *Jaca Book*, a menos de 50 metros da Piazza del Duomo. Os amigos me encontraram sentado diante da máquina de escrever, os olhos abertos, porém apagados. Chamaram um médico que me receitou tranqüilizantes e repouso. Levaram-me para uma pequena comunidade agrícola nas encostas do Monte Rosa. Pouco mais de uma semana (ajudando a ordenhar vacas de madrugada, comendo um queijo maravilhoso e levando tombos fantásticos na pista de esqui) e fiquei em forma. A despedidas dos amigos foi emocionante. Não queriam que eu partisse sem nenhuma garantia de sobrevivência ou mesmo de poder dar continuidade à luta. Diante do inevitável, restava o carinho e a solidariedade. Paolo V. me presenteou com uma belíssima P-38, uma arma automática que seu pai, *ex-partigiano*, havia tirado de um oficial alemão. Era uma relíquia que devia permanecer com a família, mas não houve como demovê-lo. Coloquei no fundo da mala já tendo em mente o que fazer com a arma. Daria a Mimi. Ela merecia e saberia preservá-la. Em Roma mandei avisar o Toledo — o Câmara Ferreira, o qual sucedera a Marighella no comando da ALN — que eu estava voltando.

Notas

1. Guerrilheiros que lutavam contra o fascismo, na frente interna, e contra os alemães, na frente externa.

2. Folco faleceu, em Roma, no início da década de 1990.

3. Uma rodela de queijo provolone e uma taça de vinho branco.

4. O grupo cobrava mais fidelidade ao marxismo-leninismo ao PCI. A revista Il Manifesto foi transformada em jornal diário em 1971 e nesse mesmo ano foi lançado o partido com o mesmo nome que, já em 1972 apresentou candidatos às eleições parlamentares.

5. O Tribunal Russell foi originalmente convocado para julgar os crimes dos Estados Unidos no Vietnã.

6. Rádio e Televisão Italiana, na época era estatal e tinha o monopólio absoluto com apenas dois canais abertos.

7. A Alemanha foi dividida no pós guerra em República Democrática Alemã (RDA), sob controle da União Soviética; República Federal Alemã (RFA), sob domínio dos aliados. Berlim, no coração da RDA, era dividida pelo famoso muro em Berlim ocidental e oriental.

8. A Petrogrado de Pedro, o Grande, foi o berço da Revolução de 1917. Depois da morte de Vladimir Ilich Lênin, rebatizada por Stalin, ganhou o nome de Leningrado. Após a desmontagem da URSS lhe devolveram o nome original.

9. O Palácio Imperial de Petrogrado, transformado em museu, expõe as maiores coleções de impressionismo e expressionismo do mundo.

10. Samarkanda, na rota da seda e das invasões mongóis, foi conquistada por Tamerlão. Foi um dos mais importantes centros culturais do islamismo.

11. Kim Il Sung fora o comandante das guerrilhas que combateram e expulsaram os japoneses da Coréia. Era o principal dirigente do Partido Comunista e do governo coreanos.

12. General Mac Arthur, comandante das tropas dos Estados Unidos que invadiram a Coréia na guerra de 1950.

12. Buenos Aires

Para llegar a general
solo necesité levantarme temprano
y saludar a todo el mundo,
pero para llegar a ser Perón
me costó toda la vida.

Perón, em seu retorno a Argentina em 1972

Desde a deposição do governo de Juan Domingo Perón em 1955, a Argentina vive sob intensa instabilidade política, alternando governos civis e militares de todos os matizes — do fascismo de Massera[1] ao esquerdismo de Cámpora[2].

O golpe de 1955 havia sido desfechado com a intenção de apagar o peronismo do mapa. Mas para assegurar governabilidade, os militares tiveram de convocar eleições. O peronismo venceu facilmente e, em 1962, foi deflagrado outro golpe militar. Em novas eleições realizadas em 1963, os peronistas recuaram e ganharam os radicais, que conseguiram governar até 1966, quando se produziu novo golpe que levou o general Juan Onganía ao poder.

Os anos seguintes foram de grande agitação e muita repressão. Houve intervenção nas universidades e nas centrais operárias. Surgiram e foram dizimados os grupos guerrilheiros liderados pelo jornalista Masetti. Em maio de 1969, ocorreu o Cordobaço — uma verdadeira insurreição popular na província de Córdoba, uma das mais industrializadas do país e sede de uma das mais importantes universidades. Operários e estudantes ocuparam a cidade por 12 dias. A violenta repressão deixou centenas de mortos e feridos.

Apesar de localizada, a revolta de Córdoba mexeu com a cabeça de todo o mundo, estimulando à participação na luta política. A esquerda peronista se lançou à luta armada com seu Exército de Montoneros, numa ação espetacular de seqüestro do general Aramburu, um dos principais articuladores do golpe de 1962. Os trotskistas não ficaram atrás e iniciaram as ações de guerrilha urbana com o Exército Revolucionário Popular (ERP).

Em 1970, o general Agustín Lanusse, comandante-em-chefe das Forças Armadas, declarou que o país estava em guerra — guerra interna, guerra suja —, e logo em seguida assumiu o poder por meio de outro golpe. Com a intenção de pacificar o país e torná-lo governável, Lanusse pôs em marcha, em 1971, o que chamou de processo de institucionalização, contrariando amplos setores da linha dura, radicados principalmente na Marinha.

Em agosto de 1972, 25 guerrilheiros, a maioria dirigentes do ERP e dos Montoneros, fugiram de uma prisão numa base da Marinha da ilha Rawson. Seis conseguiram chegar a Trelew e tomar um avião que os levou ao Chile, de onde foram para Cuba. Outros 19, que não chegaram a tempo, se renderam à Marinha. Houve ampla mobilização da opinião pública e foi formada uma comissão integrada por juízes, médicos e jornalistas para verificar o estado de saúde dos prisioneiros. A intenção era diminuir as possibilidades de que fossem torturados. Em 22 de agosto foram fuzilados, mas três escaparam com vida e denunciaram a chacina.

A Marinha saiu do episódio enfraquecida. Recrudesceu a ação dos grupos revolucionários e as organizações paramilitares da direita começaram seus atentados. Perón, em seu exílio na Espanha, punha lenha na fogueira afirmando que *"à violência dos de cima justifica a violência dos de baixo."* Vendo que o país se aproximava do caos, Lanusse articulou o retorno de Perón.

Perón voltou para a Argentina associado a grupos maçônicos europeus da famosa loja P-2, que deu muito que falar na ocasião. P-2 significava Propaganda Política e fora criada com ajuda da CIA para recuperar para o sistema os capitalistas que haviam enriquecido com a Segunda Guerra. Contava também com o apoio de poderosos grupos capitalistas europeus como a Fiat italiana e, o que é mais importante, com o aval dos Estados Unidos.

O retorno de Perón se deu em duas etapas. Em 1972, numa rápida visita para preparar sua chegada, articular as forças políticas de sustentação, recompor o peronismo. Lanusse convocou eleições para 11 de março de 1973 e ganhou o candidato indicado por Perón, o dentista Hector Cámpora. Sua posse, a 25 de maio, contou com a presença do presidente cubano Oswaldo Dorticós e do presidente chileno, o socialista Salvador Allende.

A esquerda latino-americana festejou a vitória de Cámpora que, efetivamente, governou à esquerda. Perfilou a diplomacia de seu país ao que havia de mais progressista nos foros internacionais: Cuba, Peru, Chile e Panamá. Deu ampla liberdade para a reorganização sindical e aos partidos de esquerda. Perón fez articulações com seus apoiadores e o Congresso de maioria peronista obrigou Cámpora a renunciar e convocar novas eleições, desta vez com a presença do prório Perón, que saiu vitorioso. Como vice tinha sua mulher Isabel, e como eminência parda o bruxo José Lopes Rega, articulador da organização da caça aos comunistas conhecida como a Triple A.

Quando Perón morreu em julho de 1974, assumiu Isabelita, tendo a seu lado Lopes Rega, já em namoro descarado com os setores mais reacionários da Marinha, comandados pelo almirante Emílio Eduardo Massera.

A partir de 1975, o governo de Isabel/Lopes Rega se encontrava completamente podre. Em março de 1976 foi deposto pelo general Jorge Rafael Videla. Começou então, o período mais trágico das ditaduras argentinas: mortes, seqüestros, torturas. Em 1981, Videla passou o governo para o general Roberto Viola, que no entanto foi deposto antes mesmo de tomar posse pelo comandante-em-chefe das Forças Armadas, general Leopoldo Galtieri, estimulado pelos Estados Unidos.

Galtieri, a pedido de Ronald Reagan, havia ajudado os contras a combaterem os sandinistas na Nicarágua. Acreditando ter o apóio de Reagan, Galtieri resolveu provocar a união dos argentinos lançando-se à recuperação das ilhas Malvinas, no sul do país, ocupada pelos ingleses desde o século XIX. Uma guerra vergonhosa mas que serviu para mostrar a falácia do Tratado Interamericano de Assistência Recíproca, o famigerado TIAR ou Tratado do Rio de Janeiro, subscrito em 1948, mas que devia chamar-se Tratado do Pentágono porque só serve aos interesses dos Estados Unidos. Reza o TIAR que qualquer agressão externa a um país do continente deve ser repelida por todos os países membros. O Brasil governado pelos militares deixou que aeronaves inglesas cruzassem nosso espaço aéreo para bombardear os irmãos argentinos. Os Estados Unidos, autores do texto do Tratado, apoiaram cinicamente a ação britânica.

Eu sabia de muita coisa que a repressão não podia saber

Contrariando companheiros e amigos segui de Roma para Buenos Aires, pela Alitalia, via Dakar. A direção da ALN queria que eu desse continuidade ao trabalho que havia iniciado na Itália, em vez de voltar ao Brasil. Meus amigos italianos tinham me conseguido até um bom emprego. Mas eu queria voltar. Cheguei a Buenos Aires, em janeiro de 1970, avisei a família que eu estava bem, hospedado na casa de um casal de amigos que havia conhecido em Cuba: ela ex-bailarina e ele um cientista que tinha ajudado os cubanos a desenvolver cepas dos antibióticos mais necessários.

Ia quase todos os dias aos muitos teatros dessa cidade que ainda era o maior centro cultural do continente. À noite, íamos cear num dos restaurantes ou bares desses em que artistas, jornalistas e intelectuais fazem seu ponto de encontro. Conheci muitos deles e reencontrei amigos de Cuba. A cesta básica de um operário argentino incluía um quilo de carne e uma garrafa de vinho por dia. Comia-se um enorme bife de *chorizo*, com batata frita e uma taça de vinho nos melhores restaurantes do centro, por dois dólares e cinqüenta.

O escritor e jornalista David Viñas me apresentou a seus amigos editores de *Tiempo Contemporáneo* com quem negociei a edição de meu livro *Militarismo e Imperialismo no Brasil*, com um capítulo de atualização que aborda a morte de Marighella. Foi um sucesso. Os jornalistas argentinos fizeram que tivesse uma grande repercussão.

Em São Paulo, companheiros da ALN contataram a Bia e lhe pediram que fosse para Buenos Aires comunicar-me que, já que eu não ficara na Itália, devia ficar na Argentina. Lá havia muita coisa para fazer, enquanto no Brasil a barra já estava pesada demais. Em Buenos Aires, eu havia feito contato com o pessoal do esquema de apoio da organização. Logo depois da Bia chegou outro companheiro, Wilson, mandado com a mesma missão: convencer-me a ficar por lá. Mas eu estava determinado a voltar.

Bia e eu fomos para Montevidéu, onde improvisamos o retorno. Antes, na praia de Carrasco, tive uma longa reunião com Neiva Moreira, que no início dos anos 60 havia sido o coordenador da mudança do governo para Brasília e quando do golpe militar de 1964 era secretário da Frente Parlamentar Nacionalista. Jornalista, trabalhava num jornal uruguaio de oposição, estava bem informado sobre as coisas do Brasil e do continente. Era também peça-chave no esquema de Brizola, que continuava tentando a rearticulação dos trabalhistas. Falei também com o juiz Carlos Figueiredo de Sá, velho companheiro, ainda muito entusiasmado com o futuro da luta armada, bem relacionado com os Tupamaros, e em permanente contato com o comando da ALN. As informações sobre a organização eram desalentadoras, mas nem mesmo Sá conseguiu demover-me de voltar. Eu e Bia pegamos um ônibus lotado de turistas que iam para o carnaval em Pelotas. Cruzamos a fronteira por Chuí, de madrugada. O agente de turismo levou para carimbar uma pilha de passaportes, sem problema.

Cheguei a São Paulo uma semana depois, nos últimos dias de fevereiro e comecei a dar-me conta do real estrago ocorrido na ALN. A quantidade de mortos; a quantidade de presos; os depoimentos arrancados sob tortura que comprometiam um monte de gente; os companheiros da velha guarda que haviam deixado a organização por não concordarem com a linha seguida. Bia, uns dois meses antes, havia se encontrado com meu amigo Costa Pinto, também da ALN, e ele lhe dissera que, em sua opinião, o "Negro" (Marighella) havia perdido o controle. Costa, Martineli, Fratti, Lourenço, Pacheco e outros companheiros estavam presos.

Procurei meu amigo Castor da Nobrega, na época major do exército e militante. Ele estava indignado porque suas previsões sobre o resultado do que ele qualificava de "porralouquismo" estavam ocorrendo. A organização não tinha mais nada que ver com o que havíamos pensado na formação do Agrupamento Comunista de São Paulo. E que se eu fosse me encontrar com o Toledo (Câmara Ferreira), dissesse a ele que o capitão Carlos Lamarca, comandante da Vanguarda Popular Revolucionária (VPR), queria uma reunião. Estava na hora de superar divergências.

Câmara Ferreira estava em Paris, em novembro de 1969, quando soube da morte de Marighela. Seguiu então para Cuba, de onde retornou no final de dezembro para ser o sucessor de Marighella. Em março, ele ainda não conseguira juntar os cacos da organização, espalhados por todo o país. Mandou-me dizer que estava furioso por eu ter voltado e que aguardasse chamado para um encontro. Estava nisso quando a companheira de um dos presos no Presídio Tiradentes, na cidade de São Paulo, depois de visitar o marido, veio nos avisar de que mais de um companheiro tinha me entregado sob tortura. E a repressão estava caçando todos os nomes que eles conseguiam arrancar nos depoimentos. Eu devia sumir.

Reuni-me com um casal de companheiros que tinha contato com Toledo. Discutimos meu futuro, para onde ir. Decidimos que o melhor era a Bolívia. Eu tinha bons contatos por lá. Precisava ver o Toledo para informá-lo de umas tantas coisas, inclusive sobre o pedido do Lamarca. Enquanto isso eu estaria escondido em algum lugar; se precisassem de mim, Bia saberia onde me encontrar. Não conseguimos realizar esse encontro, nem Lamarca e Toledo conseguiram forjar a reunificação dos revolucionários. No início de setembro, Câmara Ferreira seria preso e em seguida assassinado. Foi apanhado pelo próprio Fleury[3], o chefe da repressão em São Paulo e o maior carrasco.

Fui para Santos e fiquei quieto no apartamento de um amigo de infância. Bia apareceu para dizer que a ordem era para eu sair imediatamente. Obedeci. Saí à noite, de ônibus pelo litoral rumo ao sul. Vesti terno, gravata e bereta.

Na região do Vale do Ribeira, uma barreira policial parou o ônibus. Gelei, respirei fundo para manter a calma. Entrou um policial, e um soldado armado de fuzil parou na porta. Fora, ficaram outros dois soldados. Engatilhei lentamente a pistola encoberta pelo paletó. O policial caminhou pelo corredor olhando nas caras dos passageiros, um a um. Pedia documentos para um, olhava, devolvia, pedia para outro. Pediu documentos para o cara sentado a meu lado, olhou, devolveu, olhou para mim, eu sorri, ele disse boa-noite e seguiu até o final do corredor, depois voltou e desceu. Respirei aliviado. Se ele tivesse pedido meus documentos acho que teria dado um tiro em sua cara. Eu sabia de muita coisa que a repressão não podia saber. Foi aí que fiquei sabendo que coragem é a arte de usar o medo para sobreviver.

Para não dar bandeira nos hotéis, dormia em ônibus ou em banco de jardim. Entrei na Argentina por Paso de los Libres. Estava no Rio Grande do Sul, creio que em Santa Maria ou ali perto, quando li nos jornais que o cônsul japonês em São Paulo, Nobuo Okuchi, havia sido seqüestrado por um comando revolucionário em 11 de março de 1970, no mesmo dia em que eu deixara Santos rumo ao sul. Pediam a libertação de cinco presos políticos em troca do cônsul, entre os quais o jornalista Mario (Japa) Osawa, da VPR e principal motivo da ação revolucionária. Em função disso, redobrei minhas precauções. Vinte e oito anos depois disso, quando recebi o resumo da minha ficha do Serviço Nacional de Informação (SNI), li que estou entre os suspeitos de ter planejado esse seqüestro. Que eficiência dos serviços de inteligência! Vale dizer que tive de pedir a ficha do SNI para incluí-la no processo que tramita na Comissão de Anistia do Ministério da Justiça, para provar minha condição de anistiado. Os serviços de inteligência decretaram minha prisão, julgaram-me e me absolveram e, anos depois, anistiaram-me e, mesmo assim, tive de juntar pilhas de documentos para provar que sou anistiado. Esse processo já está há cinco anos à espera de julgamento.

Em Buenos Aires, fiquei sabendo que haviam decretado minha prisão. A notícia chegou num telegrama enviado por minha sogra à Bia, em Montevidéu. Seu conteúdo: "*Doente declarado incurável, internação imediata*". Bia havia chegado dois dias antes a Montevidéu e estava tratando de localizar-me em Buenos Aires, pois não tivera notícias desde que eu saíra de Santos. Ela decidiu sair porque, se estavam me caçando, não era inteligente que ela ficasse exposta.

Horas depois de Bia estar em segurança, a repressão chegou à casa de meus pais, no bairro da Lapa, em São Paulo. Mantiveram essa casa cercada por uns seis meses. Havia uma cerca de hibiscos no jardim da frente, que foi cortada por eles, para melhor vigiarem a entrada. Todas as noites deixavam um carro na esquina com os faróis apontados para a casa. Qualquer movimento suspeito, iluminavam a fachada. De tempos em tempos interrogavam minha mãe, informalmente, em casa mesmo. Entravam na casa, tentavam conquistar a confiança de meus dois filhos que ficaram em São Paulo, com os avós. "*Então, quando é que você viu seu pai*"? Levaram meu pai umas três vezes para ser interrogado no prédio da Operação Bandeirantes (Oban). Meus pais apenas diziam saber que eu estava na Europa. Um primo de Araras, Nélvio, que veio visitar meus pais, foi detido e interrogado. Amigos de infância foram procurados e interrogados sobre o que sabiam de mim.

Com o cerco policial se estreitando, concordei em sair do país

A Operação Bandeirantes (Oban), foi criada, em 1969, para coordenar as operações da repressão em São Paulo, até então executadas por diferentes organismos que disputavam prestígio entre si e escondiam informações uns dos outros. Como a experiência deu resultados, poucos meses depois, em 1970, transportaram-na para o âmbito nacional e criaram o DOI-CODI (Destacamento de Operações de Informações — Centro de Operações de Defesa Interna), para coordenar a atuação dos serviços de inteligência militar e dos órgão de repressão civil: o Departamento de Ordem Política e Social (Dops), polícia política estadual; o Serviço Nacional de Informações (SNI), criado pela ditadura militar; o Centro de Informações do Exército (CIE); o Centro de Informações da Marinha (Cenimar); e o Centro de Informações e Segurança da Aeronáutica (Cisa). A Oban recebia recursos de grupos empresariais. Foi uma escola e um centro de tortura para os órgãos de repressão de todo o país.

O que os seres humanos sofrem nas mãos dos torturadores é indescritível. Muitos patriotas que foram martirizados morreram. Os que sobreviveram sofrem ainda hoje seqüelas terríveis, físicas e psicológicas. Mulheres virgens e mulheres grávidas eram estupradas; vaginas e seios, queimados com ferro em brasa ou com choque elétrico; homens tinham os testículos esmagados, a uretra era queimada.

A Oban cometeu atrocidades inomináveis. O livro *Tortura Nunca Mais*, organizado pela Comissão Justiça e Paz, dá uma idéia do que foi o sofrimento dos que passaram pelas mãos dos sádicos torturadores. Tenho alguns amigos e amigas que sofrem até hoje as seqüelas de ter passado por aquele inferno. Poucos, no entanto, terão sido tão martirizados e têm sofrido tantas seqüelas como o jornalista Costa Pinto, inutilizado para a vida profissional e familiar até sua morte em maio de 2002.

* * *

João Adolfo da Costa Pinto nasceu em Belém do Pará, em 1923. Eu o conheci no final da década de 1950 e ficamos amigos fraternos, além de companheiros de militância comunista. Só que ele já era da direção estadual do PCB. Em 1964, depois de um certo abrandamento do governo do general Castelo Branco, presos políticos foram soltos e diminuiu a perseguição aos trabalhistas, comunistas e demais colaboradores do governo de João Goulart. Juntos desenvolvemos o projeto da *Rádio Marconi,* de São Paulo, que com o *Correio da Manhã,* do Rio de Janeiro, faziam a mais ferrenha oposição à ditadura. Juntos trabalhamos com outros companheiros na organização da dissidência comunista que deu origem ao Agrupamento Comunista de São Paulo e, posteriormente, à ALN de Carlos Marighella. Costa era um grande articulador. Trabalhava incansavelmente na frente sindical, na fração militar, com os dominicanos e com os jornalistas. Estávamos convencidos de que a revolução no Brasil era de libertação nacional por meio da luta armada. Em março de 1968, encontrando-me muito exposto e o cerco policial se estreitando, concordei em sair do país. Costa ficou e envolveu-se inteiramente no desenvolvimento da ALN.

Em 1969, numa seqüência de prisões de quadros da organização, Costa foi preso e levado para dependências do Doi-Codi. Sua saúde não era perfeita. Tinha um divertículo no intestino. Apesar disso, para que as sessões de choque elétrico tivessem mais eficácia, os algozes lhe davam água com sal para beber. Considerado um peixe grande, utilizaram com ele todas as técnicas de que dispunham para fazer um preso falar. Costa caiu em depressão profunda. Não fizeram caso. Em 1970, depois de passar pelo Dops, foi levado para o Presídio Tiradentes. Preocupados com sua saúde, os demais presos políticos pressionaram para que ele recebesse atendimento médico. Levaram-no então para o Hospital Militar do Cambuci. Ficou numa cela, sozinho, com vigia armado na porta e nenhuma atenção médica.

De volta ao Tiradentes, de novo os presos pressionaram para que ele recebesse tratamento. Levaram-no para o Hospital Militar do bairro da Luz. Repete-se a cena anterior. Vigia armado na porta da cela e nenhuma assistência médica, até que o devolvem ao Tiradentes. Sua saúde se agravou. Mandaram-no então para o Manicômio Judiciário de Franco da Rocha, o Juqueri. Se pode existir algo pior do que o inferno é o que era o Juqueri — um depósito da degradação humana. Ele lá, preso político, intelectual marxista, jogado e tratado como nenhum animal. Sua saúde se agravando cada vez mais. Definhou, ficou pele e osso. Após luta incansável de seus familiares, um juiz da Auditoria Militar o colocou em liberdade. Foi pra casa com 38 quilos.

Além do estado físico deplorável, estava em depressão profunda. O tratamento de moda para a depressão era a eletro-convulso-terapia: o choque elétrico, a recordação das masmorras do Doi-Codi.

Tratamento intensivo, carinho da família e vontade de viver o recuperaram. Em 1975, quando julgou que já estava bom para enfrentar o mundo, caiu outra vez em depressão profunda. Só conseguiu sair à luz do sol em 1978. Estigmatizado, não conseguia trabalho, apenas um ou outro bico. Sua companheira, Eleonora, brigou todos os minutos para vê-lo em liberdade.

Em 1980, voltei a São Paulo. Costa estava numa fase boa. Juntos começamos a articular sindicalistas da velha guarda e nossos velhos companheiros do Agrupamento Comunista de São Paulo. Com eles refundamos o Fórum Sindical de Debates. O objetivo era agrupar velhos quadros com as novas gerações para que estas pudessem aproveitar um pouco da experiência daqueles. Lutamos arduamente para manter a unidade no movimento sindical, finalmente fracionada no Conclat[4] da Praia Grande, município no litoral sul do estado de São Paulo. No Fórum eram debatidos temas de atualidade e emitidos documentos interpretando a conjuntura nacional. Trabalhávamos intensamente e chegamos a preparar um projeto de Constituição, enviado como contribuição ao debate que se travava no Congresso Constituinte, o qual elaborou a Constituição de 1988.

Costa caiu novamente em depressão profunda. Ia visitá-lo, saía emocionalmente dilacerado por vê-lo em posição fetal. Em 1985, conseguiu sair também desse estado e voltar à vida ativa. Foi eleito presidente da Associação Brasileira de Imprensa (ABI) de São Paulo. Trabalhou intensamente mais cinco anos. Em 1990, entrou outra vez em depressão profunda. Quando saiu já não voltou à normalidade. Morreu a 17 de maio de 2002 em uma clínica especializada.

O caminho a seguir na Argentina era o do peronismo revolucionário

De regresso àArgentina em março de 1970, fiquei hospedado na casa de Zulema Kats, uma das grandes artistas do teatro argentino, amiga íntima do jornalista e poeta Francisco (Paco) Urondo, do diário *Opinión*. Com Paco Urondo e seu amigo Alberto, ambos do Exército Guerrilheiro do Povo (EGP)[5] argentino, discutimos muito sobre o que estava ocorrendo com a esquerda revolucionária na América Latina. Só em 1966: Guillermo Lobatón assassinado e Hector Bejar preso no Peru; Masetti e seu grupo praticamente exterminado na Argentina; 26 dirigentes assassinados na Guatemala; o fracasso do desembarque de cubanos na Venezuela, abandonados por Douglas Bravo; o assassinato de Túrcios Lima na Guatemala. Em 1967, a derrota de Ñacahuazú com a morte de Coco Peredo e Che Guevara e logo depois, em 1968, a de Inti Peredo na Bolívia. Em 1969, o assassinato de Marighella no Brasil.

Eu estava traumatizado com o virtual desaparecimento da ALN. Nos convencemos de que o caminho era o trabalho com as massas populares. Como o peronismo era um estado de espírito dominante no povo argentino, o caminho a seguir na Argentina era o do peronismo revolucionário. Os Montoneros já se haviam lançado à luta e havia espaço para novas iniciativas. Numa perua DKW do Alberto, viajamos de Buenos Aires até Paraná, na fronteira com o Brasil, passando por Córdoba, Rosário, Santa Fé, contatando gente, articulando.

De volta a Buenos Aires, Bia já me esperava. Seguimos então para La Paz com intenção de fixar residência. Na Bolívia, a causa de minha maior angústia era o foquismo dos companheiros do ELN. Não me conformava com o que para mim era a evidência de uma morte anunciada. Atílio[6], quadro comunista de longa trajetória, agora simpatizante do ELN, pensava como eu e, juntos, conseguimos convencer vários companheiros. A adesão mais importante foi a de Flaco, que integrava uma coluna guerrilheira em Oruro, cidade mineira a mais de 4 mil metros de altitude, na Bolívia.

Com Atílio organizamos um curso de política do qual participaram todo o pessoal da coluna de Oruro, mais alguns simpatizantes de La Paz. Era uma proposta consistente que tomava em conta os êxitos e fracassos revolucionários das últimas décadas no mundo todo. Propunha a formação de uma grande frente, policlassista, para uma guerra de libertação nacional. E, o que é mais importante, ensinava criticamente a história da Bolívia, dava conhecimentos básicos de filosofia, marxismo, leninismo e noções de inteligência (informação e contra-informação). O preparo físico e o treinamento militar continuavam sendo importantes, porém descartando qualquer coisa que lembrasse o foquismo. Não demorou muito, estava estruturada uma dissidência. Monje também enviou alguns quadros comunistas para fazer esse curso.

Um belo dia esse grupo, que chegou a ser de 30 pessoas, entre as quais umas oito moças e três jornalistas, decidiu que eu seria o comandante, Atílio o comissário político e de educação, e Flaco, meu segundo e encarregado das operações. Atílio e eu produzimos abundante literatura nessa época. Os *Cadernos de Educação Popular* eram fartamente distribuídos e tinham muita receptividade entre estudantes. Essa coluna guerrilheira atuou heroicamente na resistência contra o golpe fascista que derrotou o governo de Torres, lutando contra o exército no Laikacota, realizando operações de salvamento de companheiros nos dias posteriores ao 21 de agosto de 1971.

Depois que saí da Bolívia, ainda mantive contato com integrantes desse grupo que atuava na clandestinidade. Trocávamos cartas, fazíamos algumas reuniões quando eles vinham ao Peru, onde eu estava. Eles queriam que eu voltasse à Bolívia. Não havia condições. Teria de ficar na clandestinidade total. Precisei da ajuda do companheiro Luiz del Roio, que por acaso estava em Lima, para convencer o Flaco de que isso não era deserção. Atílio também me ajudou. Del Roio, dirigente do Comitê Universitário do PCB, participou da dissidência e logo foi eleito para o Comitê Estadual de São Paulo, quando formamos o Agrupamento e tivera longa militância na ALN. Tínhamos perdido aquela batalha, estávamos em outra, noutra trincheira.

Notas

1. Almirante Emílio Eduardo Massera.

2. Hector Cámpora, eleito presidente com apoio de Perón, em 1972 patrocinou o retorno deste ao poder.

3. O delegado Sérgio Fleury comandou a repressão do DOI-CODI, que colocou a Polícia Política estadual e os serviços de inteligência sob comando único.

4. Congresso da Classe Trabalhadora que resultou na quebra da unidade do movimento sindical e deu origem a duas centrais operárias: a Central Geral dos Trabalhadores (CGT) e a Central Única dos Trabalhadores (CUT).

5. Ejército Guerrillero Del Pueblo (EGP), organização criada para ser comandada por Che Guevara, foi dizimada sob o comando do jornalista Masetti.

6. Atílio Carrasco, que foi discípulo do muralista mexicano Siqueiros, era então um dos pintores mais conceituados da Bolívia.

13. Peru

Queremos una Revolución sin calcos
ni remedos extranjeros;
queremos y estamos haciendo una revolución auténticamente peruana.

General Juan Velasco Alvarado

O Peru é um desses países que mexem com a cabeça da gente. É como a Esfinge. Quem tentar decifrá-lo não vai conseguir ou vai se afogar em seus mistérios. Os desenhos da Pampa de Nazca, por exemplo, só podem ser vistos de avião a mais de dois mil metros de altura. Símbolos e sinalizações marcam o terreno como se fosse uma pista de pouso. Estando no chão, só é possível perceber que há partes do deserto, correspondentes às linhas dos desenhos, que a areia não cobre nunca.

E há a biblioteca de pedras de Ica — pedras de todos os tamanhos com desenhos em baixo relevo de plantas, insetos, animais, as constelações, tudo isso de uma época em que os cientistas atuais afirmam que o *Homo sapiens* ainda não existia. O diretor de um museu particular, estudioso dessas pedras, jura que o homem coabitou a terra com os dinossauros e havia intercâmbio com civilizações extraterrestres.

Em um manto tecido com fios de lã, por um artesão da cultura parácas, há mais de três mil anos, o desenho explica uma má formação genética hereditária. Há Machu Picchu, uma das maravilhas do mundo, e Cuzco, que foi a capital do império Inca. Só que antes dos incas, floresceram muitas outras culturas, como a Paracas, a chavin e a chimu[1]. Tenho um amigo que estudou arqueologia na Universidade de São Paulo e conhecia muito sobre civilizações mesopotâmicas e mediterrâneas e ficou louco quando descobriu que o acervo arqueológico no continente americano é talvez maior e seguramente muito mais importante para nós, e é tão desprezado e saqueado. A arqueologia moderna continua se surpreendendo com novas descobertas de culturas pré-incaicas. Além disso, há Lima, que durante certo tempo sob a colonização espanhola, era nomeada *Ciudad de los Reyes*, a capital do vice-reino do Peru, com seus palácios e seus museus. Há o museu da Inquisição nas catacumbas do palácio episcopal, em que suas masmorras e seus instrumentos de tortura pouco diferem dos utilizados nas prisões brasileiras.

O Peru na década de 1970, com cerca de 16 milhões de habitantes, tinha 80% da população formada de descendentes diretos dos povos pré-colombianos. A maioria quíchua, uma parcela considerável de aimaras e várias outras minorias étnicas. Mais de 60% da população ainda era rural. Os brancos e os mestiços urbanos controlavam o Estado e impunham sua cultura.

Residi em Lima de 7 de setembro de 1971 a 10 de outubro de 1976, exatos 5 anos, um mês e dois dias. Percorri de Tacna, na fronteira com o Chile, a Tumbes, na fronteira com o Equador, dois mil quilômetros de costa peruana. De Tacna até Trujillo, uns 1.000 km, impõe-se a corrente fria do Pacífico. Águas geladas nas praias, porém generosas no mar aberto, que garantiam ao país a posição de maior país pesqueiro e maior exportador de farinha de peixe no mundo. De Trujillo para o norte vai se impondo a corrente quente e mudando também a fauna marítima. A briga entre as águas quentes do norte e as águas frias do sul provoca grandes alterações climáticas na plataforma continental da América do Sul. Quando a quente avança, geralmente nas proximidades do Natal, ocorre o fenômeno chamado *El Niño*. Quando as águas frias se impõem, chamam o fenômeno de *La Niña*. Não descobri por quê.

A região de Lima, por causa da corrente fria, é coberta por um tapete de nuvens durante sete meses do ano. O sol aparece somente nos quatro meses de verão e no veranico de abril. Em Lima nunca chove. Quando a cada 50 ou 100 anos uma nuvem consegue se formar e cai um chuvisco, causa uma catástrofe. As casas não têm telhado, nas ruas não existe sistema de coleta de águas pluviais. Das conchas negras e caranguejos dos manguezais de águas tíbias de Tumbes às ostras e centolas das águas profundas e geladas do sul, come-se uma variedade inimaginável de pescados e frutos do mar. E cinco mil anos de civilização explorando essa riqueza, mais a flora e fauna do altiplano e da selva, tudo isso aliado ao *dolce far niente* dos conventos coloniais desenvolveu no Peru uma cultura culinária digna dos deuses.

Como todos os demais países de nossa América, o Peru foi vítima da rapinagem colonial e suas oligarquias se desenvolveram sob a égide da cultura alienante e predatória. O Peru era e ainda é um país pobre, de economia atrasada. Primeiro foi a extração do guano, que é o esterco deixado por aves marítimas nas ilhotas e rochas da costa; depois a do salitre. As minas de cobre e prata continuam sendo exploradas desde os tempos da conquista espanhola. No altiplano, há o latifúndio de tipo medieval, que abriga comunidades indígenas. Na selva predomina o extrativismo, como nas remotas paragens da Amazônia brasileira.

Modernamente, grandes latifúndios de cana-de-açúcar no Norte, a pesca e a exportação de farinha de peixe, a exploração do petróleo e uma incipiente industrialização. A modernização iniciada nos anos 1940 começou a esvaziar o campo e inchar as cidades, principalmente Lima, sede de um poder historicamente corrupto e servil. Setores inconformes da classe média começam a lutar contra isso, a formar novos partidos, tentando ocupar um espaço na vida política. A Aliança Popular Revolucionária Americana (APRA) que nos anos 30 era esperança de redenção das grandes massas marginalizadas virou sinônimo de traição e pacto com o imperialismo; o Partido Comunista, nascido na mesma época, nunca conseguiu se situar como alternativa real para as massas populares.

Na década de 1960, a esquerda acreditava no foco guerrilheiro

No início da década de 1960, setores da esquerda se radicalizavam e, entusiasmados com a vitoriosa Revolução Cubana, tentavam desencadear a revolução através do foco guerrilheiro. Surgiram várias guerrilhas. Em Cuzco, Hugo Blanco conseguiu estruturar uma forte organização sindical camponesa com finalidade de lutar pela reforma agrária. Cerca de 70 sindicatos ocuparam 70 fazendas no vale de La Convención e criaram um verdadeiro poder paralelo ao do Estado. Foram mobilizados mais de 300 mil camponeses em várias regiões.

Em 1965, os grupos favoráveis à luta armada acharam que a situação estava madura para desencadear a luta. Surgiu a guerrilha do Movimento de Esquerda Revolucionária (MIR), com quatro frentes, uma comandada por Luis de la Puente Uceda, na região de Mesa Pelada, na província de *La Convención*, departamento de Cuzco, no altiplano; duas no departamento de Junín, províncias de Concepción e Jauja, comandadas por Guillermo Lobatón e Máximo Velando; a quarta no norte, no departamento de Piura, província de Ayacaba, comandada por Fernando Gonzalez Gasco e Hélio Portocarrero. O MIR foi formado pela esquerda radical da APRA com a adesão de intelectuais marxistas e outros esquerdistas. Outra guerrilha importante foi a do Exército de Libertação Nacional (ELN), de inspiração cubana, comandada por Hector Bejar, na província de La Mar, na região de Ayacucho, no altiplano. A experiência guerrilheira durou exatos sete meses, de junho a dezembro de 1965 e foi praticamente dizimada. Custou a vida dos principais dirigentes, e levou à prisão Hector Bejar, Hugo Blanco e outros.

Trabalhei no diário *Expreso* com Pedro Morote, um dos editorialistas, que foi do ELN. Ele me contou que entrou na guerrilha por puro entusiasmo, arroubo juvenil de quem acreditava que poderia salvar o mundo. Escapou do cerco armado pelo exército não soube como. Com poucos companheiros, conseguiu descer a cordilheira e se perder numa região de alagados em território boliviano. Quando foram resgatados e presos na Bolívia, estavam em estado lastimável, com os pés quase podres e fome de muitos dias. Segundo o general Mercado Jarrín[2], o foco guerrilheiro também serviu de argumento para os Estados Unidos convencerem o governo de Belaúnde Terry a aceitar assessoria para a contra-insurgência. A missão militar montou uma base no estilo das que mantinha no Panamá, e a CIA havia instalado uma central de operações em Lima.

Em outubro de 1968, com o governo de Belaunde Terry, do partido Ação Popular (AP), envolvido em mil maracutaias com empresas petroleiras dos Estados Unidos e outros escândalos financeiros, em meio a grande descontentamento popular, o general Juan Velasco Alvarado, comandante geral do Exército e presidente do Comando Conjunto das Forças Armadas, desfechou um golpe e depôs o presidente da República.

Velasco queria uma sociedade autogestionada, sem intermediação de partidos, nem mesmo do Estado

Velasco e um grupo de coronéis amigos conspiraram cerca de um ano até chegar a esse ponto. Alguns deles, como o então coronel Leonidas Rodriguez, natural de Cuzco, de origem quíchua, não se conformavam de estar ordenando índios fardados como ele a matar seus irmãos camponeses, também índios, cujo único crime era pretender viver na e da terra de seus ancestrais. Outros amigos e conspiradores, que participavam do Centro de Altos Estudos Militares (CAEM) (equivalente a nossa Escola Superior de Guerra), como o general Mercado Jarrín, e alguns professores civis, não viam sentido na submissão a uma potência estrangeira por parte de um exército herdeiro das lutas pela independência.

Articularam não só a deposição do governo como também o que fazer depois com a nova situação. O famoso Plano Inca, que serviu de base para posteriormente elaborar a Estratégia Nacional para o Desenvolvimento, de médio e longo prazo, foi feito antes da tomada do poder, a 3 de outubro. Nesse dia, Velasco fez um chamado ao povo para que "junto com as Forças Armadas lute para conseguir uma autêntica justiça social, um dinâmico desenvolvimento nacional e o restabelecimento dos valores morais que assegurem à nossa pátria a consecução de seus superiores destinos".

O Plano Inca é de uma simplicidade e objetividade impressionantes, bem ao gosto dos militares, porém com objetivos de alcance social. A pedido de Velasco foi redigido pelos coronéis Fernandez Maldonado, Gallegos Venero, Hoyos Rúbio e Leonidas Rodriguez Figueroa, este o mais íntimo amigo de Velasco. O Plano foi mantido secreto até finais de 1973 e só foi mostrado ao público um ano mais tarde. A fórmula é simples: diagnóstico, prognóstico, ações. Ele encara as diversas realidades peruanas, mostra como está, como deveria ser e propõe as ações a serem realizadas. No final deste capítulo reproduzo um item do plano. Vale a pena conhecer.

Desde os primeiros momentos estava clara a intenção dos revolucionários comandados por Velasco. A 9 de outubro decretaram a expropriação dos poços de petróleo de La Brea y Pariñas e da refinaria de Talara, propriedade da *International Petroleum Co.- IPC*. Os Estados Unidos protestaram. Velasco rechaçou a nota de protesto. Seus assessores na pendenga eram dirigentes do Partido Social Progressista (PSP), social-democratas, entre os quais o decano do Colégio de Advogados, Alberto Ruiz Eldredge[3]. No mês seguinte, decretaram a estatização de 18 fazendas de gado da *Cerro de Pasco*, outra empresa com capital estadunidense.

Atos como esses se sucediam um atrás do outro, com grande velocidade, deixando atônitos os tradicionais dirigentes políticos à esquerda e à direita. Velasco afirmava que se tratava de "uma cruzada de desenvolvimento, liberdade e dignidade para construir um Peru melhor". Nacionalizou os bancos, estabeleceu relações com os países socialistas da Europa e com a então URSS. Tomou os bens da IPC em pagamento das dívidas da empresa. Estatizou a colheita e o processamento do fumo. Declarou soberania sobre as 200 milhas marítimas e perseguiu a tiros barcos pesqueiros dos EUA. Em junho de 1969 anunciou a reforma agrária revolucionária e chamou os empresários do setor industrial à luta contra as oligarquias. Nacionalizou as empresas telefônicas que eram propriedade da *International Telephone and Telegraph — ITT* e aprovou o Estatuto da Imprensa, tentando estabelecer o conceito de responsabilidade casado com o de liberdade. Ainda nos primeiros dias de governo, denunciou o acordo que mantinha a missão militar estadunidense e acabou com a Central de Operações da CIA, que, disfarçada de empresa privada, com o nome de *Plan Protection*, tinha fichas com dados de mais de 50 mil peruanos.

Em 1970, praticamente toda a esquerda já estava apoiando o processo. Foi estatizada a comercialização da farinha e do óleo de pescado e em seguida também se assumiu a comercialização de todos os minerais. Decretou-se o controle de câmbio. A Direção de Promoção e Difusão da Reforma Agrária chamou a população a formar Comitês de Defesa da Revolução. Em poucos dias foram formados mais de mil. Comprou-se o Banco Popular[4] e se nacionalizaram os bancos Intercontinental e Continental. Coroando os acontecimentos desse ano, em dezembro foram anistiados os guerrilheiros presos desde 1965, entre os quais Hugo Blanco e Hector Bejar.

Outro ponto alto desse ano foi a promulgação da Lei de Indústrias que estabelecia as Comunidades Industriais, formadas pelos trabalhadores com a finalidade de participar da propriedade da empresa. Outra lei dava estabilidade ao trabalhador que só poderia ser demitido por falta grave comprovada. Limitou-se em cinco o número de montadoras de automóveis no país.

A Revolução estabeleceu três tipos de propriedades para o setor industrial: a estatal, nos setores estratégicos, como petróleo, minas, exportação, eletricidade etc.; a privada mista, com capital privado e a participação dos trabalhadores, organizados na Comunidade Industrial, na gestão e nos lucros; e a Empresa de Propriedade Social, criada em 1974, integrada exclusivamente por trabalhadores. Suas características são: participação plena dos trabalhadores nas decisões; propriedade social da empresa; acumulação social; e, capacitação permanente.

Em 1971, Velasco continuava insistindo que sua revolução era uma alternativa ao capitalismo e ao comunismo, uma revolução libertária e socialista. Foi criada a Eletroperu[5], estabeleceram-se normas para o capital estrangeiro, foram estatizadas as ferrovias. Também foi instituída a Comunidade Laboral da Indústria Pesqueira e promulgadas as Leis de Minas, de Telecomunicações e de Descentralização Industrial. Ainda nesse ano, depois de estabelecidas as relações com Cuba e com a China, foi criado o Sistema Nacional de Mobilização Social (Sinamos). Foi nomeado como diretor o sociólogo marxista Carlos Delgado de Oliveira e foram contratados notórios esquerdistas, como Hector Bejar, Hugo Neira e outros. O antropólogo brasileiro Darcy Ribeiro também trabalhou no planejamento do Sinamos.

O papel de Sinamos era promover cursos de capacitação para todas as Comunidades de Trabalhadores, na indústria, na mineração, na pesca e nas cooperativas agrícolas. Em 1972, assumiu a supervisão das 13 usinas de açúcar expropriadas e cooperativizadas. Um balanço da Reforma Agrária mostrava que em dois anos haviam sido adjudicados mais de dois milhões de hectares, beneficiando mais de 90 mil famílias de camponeses, mais do que todos os governos anteriores. Até 31 de dezembro de 1974 já haviam sido expropriadas 7.364 propriedades com 6,5 milhões de hectares e 1,8 milhões de cabeça de gado. Até maio de 1975 haviam sido adjudicadas 5,3 milhões de hectares, que beneficiaram 220.719 famílias e foram organizadas 841 empresas agrícolas de diferentes tipos: Cooperativas Agrárias de Produção; Comunidades Camponesas; e Sociedades Agrárias de Interesse Social (SAIS).

Nas cooperativas, todos os meios de produção deveriam ser de propriedade social, sem individualizar os direitos de cada sócio. As cooperativas também prestavam serviços aos sócios e seus familiares e eram governadas pela Assembléia Geral.

As SAIS eram, em essência, parecidas com as cooperativas. A diferença é que eram integradas por pessoas jurídicas: as cooperativas de serviços e as comunidades camponesas, principalmente. A maioria estava na serra e dedicada à pecuária.

A respeito dos alcances da Reforma Agrária, Velasco dizia: "*que el campesino del Perú no será más el paria ni el desheredado que vivió en la pobreza, de la cuna a la tumba, y que miró impotente un porvenir igualmente oscuro para sus hijos.*"

Os grandes jornais de circulação nacional ecoavam o protesto das frustradas oligarquias. O governo dissolveu a Sociedade Nacional Agrária e determinou que atividade agrícola fosse organizada de acordo com os seguintes critérios: organizações de base — SAIS, cooperativas, associações agrárias etc.; as Ligas Agrárias, no âmbito provincial; as Federações Agrárias, no âmbito departamental; e, a Confederação Nacional Agrária, integrando e agrupando todas as anteriores. Em 1973 foi realizado o Primeiro Congresso Nacional das Comunidades Industriais no qual foi definida a criação da Confederação Nacional das Comunidades Industriais. A nova sociedade imaginada por Velasco ia tomando sua forma. Ele queria uma sociedade autogestionada, sem intermediação de partidos nem mesmo do Estado.

Os coronéis sonharam com a mais bela das sociedades que o ser humano poderia idealizar e ousaram tentar materializá-la

Em política internacional, o Peru se transformou num arauto das idéias mais avançadas dos países em desenvolvimento. Pregou o universalismo nas relações entre os povos e o respeito à pluralidade ideológica. Assumiu a bandeira para a reforma do Sistema Interamericano, com vistas a uma Organização dos Estados Americanos (OEA), e a um Tratado Interamericano de Assistência Recíproca (TIAR) livre de hegemonias e a serviço do desenvolvimento dos povos. O TIAR foi firmado no pós-guerra. A maior autoridade é a Assembléia dos comandantes gerais das forças armadas dos países membros que se reúne regularmente todos os anos, ou quando convocada. O órgão executivo é a Junta Interamericana de Defesa (JID). Em nome da JID, por exemplo, os Estados Unidos invadiram a República Dominicana em 1965, mas colocaram no comando dos marines um oficial do Exército brasileiro, o general Panasco Alvim.

Em 1973, o general Mercado Jarrín questionava o TIAR dizendo que as tarefas essenciais das Forças Armadas devem ser: preparar-se para garantir a integridade territorial e preservar a soberania e segurança da nação; participar no desenvolvimento, particularmente em atividades afins à defesa nacional, orientadas a obter o máximo auto-abastecimento possível; impulsionar a luta pela justiça social, orientada a obter o bem-estar social, colaborar à conquista da coesão do povo com as forçar armadas para contribuir ao fortalecimento da consciência nacional. Nesse mesmo ano, em Argel, o general Mercado Jarrín, então primeiro-ministro, representando o Peru na cúpula dos Não-Alinhados, defendeu a instituição de uma espécie de "sindicato" dos países produtores de matérias-primas, seguindo o exemplo da Organização dos Países Exportadores de Petróleo (OPEP)[6]. O Peru lutou contra o isolamento de Cuba, assumiu a defesa do Vietnã e de todos os povos em luta contra o colonialismo. Propiciou firme apoio ao Panamá em sua luta pela soberania territorial.

Em 1973, o general Leonidas Rodriguez em visita a Cuba, declarou que *"as armas dos soldados que antes protegiam os poderosos se voltaram contra eles para permitir que o Peru seja um País livre, independente, soberano e revolucionário como o é Cuba"*. A reação da direita foi insana. Os jornais chamaram à resistência dizendo que as tradicionais Forças Armadas *"jamais permitirão que os soldados possam servir para que o Peru se converta em outra Cuba, que é uma ditadura marxista leninista"*.

Velasco e seus coronéis sonharam com a mais bela das sociedades que o o ser humano poderia idealizar e ousaram tentar materializá-la. Rechaçavam o modelo comunista por burocrático, dogmático e estatista, e pela falta de liberdade. Da mesma forma que rechaçavam o capitalismo, que haviam experimentado e no qual viam o responsável por todos os males da sociedade atual. Acreditavam no socialismo como alternativa, só que não quiseram copiar nenhuma das propostas colocadas sobre a mesa. *"Queremos una Revolución sin calcos ni remedos extranjeros; queremos y estamos haciendo una revolución autenticamente peruana"*. (Velasco). Estudaram todas e preferiram ser criativos. Avançaram bastante na transformação radical do conceito de propriedade dos meios de produção. As empresas não pertenciam nem ao Estado nem ao empresário privado. Pertenciam à comunidade dos trabalhadores, num conceito mais estrito, e a um complexo de comunidades, envolvendo amplos setores da sociedade, num conceito mais amplo.

Plano Inca

Plano do Governo Revolucionário da Força Armada — 1968

... Esta Revolução será nacionalista, independente e humanista. Não obedecerá a esquemas nem dogmas. Só responderá à realidade peruana....

4. Reforma Agrária

a) Situação

1) Injusta e ineficaz estrutura agrária que permite a concentração da riqueza e o poder em poucas mãos. Os 2% da população possuem 90% das terras agricultáveis;

2) Predomínio dos regimes de latifúndio e minifúndio;
3) Extensas e ricas terras em poder de empresas estrangeiras;
4) Existência de uma Lei de Reforma Agrária mediatizada que deixa intactos os latifúndios pecuários da serra e os agroindustriais da costa.

b) Objetivo

Transformação da estrutura agrária para alcançar o quanto antes um regime justo e eficaz com base no princípio de que "a terra é de quem a trabalha".

c) Ações

1) Executar uma Reforma Agrária que compatibilize o sentido social com os altos níveis de rendimento e cujas características fundamentais sejam:
   a) Aplicar a Reforma em todo o território nacional, sem privilégios nem exceções;
   b) Estabelecer para a propriedade um limite intocável condicionado ao cumprimento de sua função social;
   c) Conceder direito preferencial na adjudicação de terras a seus feudatários ou pequenos arrendatários;
   d) Utilizar o sistema de expropriação, pagando parte à vista e o resto em bônus e orientando o capital proveniente de tais bônus à indústria;
   e) Fomentar e estimular a constituição de organizações de propriedade social para a exploração da terra;
2) Expropriar imediatamente os complexos agro-industriais da costa, adjudicando-os a seus trabalhadores organizados em cooperativas;
3) Criar os organismos administrativos e judiciais necessários.

Notas

1. A cultura chavin, que deixou grandes monolitos gravados, desenvolveu-se no milênio anterior a nossa era. Os paracas também legaram importante patrimônio histórico e foram fortemente influenciados pelos chavin. Os chimus foram conquistados pelos incas no século XIII.

2. Aparecerá várias vezes nos próximos capítulos. Era professor da Escola Militar, foi comandante do Serviço de Inteligência e protagonista da Revolução do general Velasco Alvarado, de quem foi Ministro de Relações Exteriores e Primeiro Ministro.

3. Foi embaixador do Peru no Brasil.

4. Propriedade da família Prado, tradicionais proprietários de latifúndios e de bancos.

5. Empresa para planejar, construir e gerir a produção energética, nos moldes da nossa Eletrobrás, idealizada por Getúlio Vargas.

6. Nessa mesma conferência, a OPEP anunciou o controle total da produção do petróleo, fechou as comportas gerando grande crise nos países capitalistas.

14. Expreso

Enquanto no Brasil os militares se casaram
com as elites tradicionais
e colocaram o Estado repressivo contra a Nação,
no Peru os militares foram fiéis as suas origens populares
e aos heróis de suas guerras de independência.

O matutino *Expreso* e o vespertino *Extra* eram dois tablóides de propriedade do magnata Francisco Ulloa, fundador da *Deltec,* que no Peru representava interesses de grupos financeiros sediados nas Bahamas e nos Estados Unidos e relacionados com o clã Rockefeller. Ulloa era ministro da Fazenda do governo de Belaunde Terry, a quem pretendia suceder na presidência da República quando, a 3 de outubro de 1968, o general Juan Velasco Alvarado, liderando um grupo de coronéis, expulsou a pontapés o presidente Belaunde do Palácio e instalou um governo revolucionário.

Quando o governo de Velasco Alvarado expropriou a International Petroleum, subsidiária da *Standard Oil,* Ulloa saiu do país fugindo das investigações sobre as maracutaias feitas com petróleo enquanto era ministro da Fazenda. Logo em seguida criou-se um conflito entre os trabalhadores que queriam apoiar a reforma agrária e a direção do jornal contrária a tal posição. Em seguida a empresa foi ocupada pelos sindicatos dos gráficos e dos jornalistas. No Peru, os trabalhadores se organizam em sindicatos por empresas. Esses sindicatos formam federações por especialidades, as quais, por sua vez, integram uma confederação ou diretamente se filiam a uma das Centrais Operárias[1].

Como não tinha apoio dos meios de comunicação, o governo de Velasco viu uma boa oportunidade para abrir uma janela no bloco de oposição. Apoiou, então, a ação dos sindicatos e a 4 de março de 1970 expropriou a empresa e a entregou à administração de uma cooperativa formada pelos trabalhadores. Os dois jornais passaram a apoiar o processo revolucionário. Os grandes anunciantes desapareceram. O jornal *Expreso* aumentou a tiragem, passou a receber anúncios de sindicatos, das centrais sindicais, das cooperativas e uma ajuda indireta, por baixo do pano, do próprio governo. Os recursos eram poucos, mas num regime de economia o jornal conseguia sobreviver.

Comecei a trabalhar no *Expreso* no início de setembro de 1971, logo depois de conseguir escapar da Bolívia, às vésperas do terceiro aniversário do governo de Velasco, segundo ano sob a administração do sindicato. Contrataram-me como editorialista. Efraim Ruiz Caro era o diretor geral da empresa, Francisco Moncloa o diretor editorial, ambos de origem social-progressista. Francisco Landa, simpatizante comunista, era o chefe de redação.

No mês seguinte, começaram os preparativos para a realização, em Lima, com início em 28 de outubro, de uma conferência ministerial do Grupo dos 77. As Nações Unidas tinham três grupos: **A**, dos países de economia de mercado; **B**, dos países de economia planificada; e **C**, dos países em desenvolvimento. Na realidade, já eram nessa época um pouco mais de 77, precisamente, 95.

A reunião do grupo assim denominado tinha o objetivo de coordenar políticas a serem adotadas em comum nos demais foros da ONU. Como ali havia muitas diferenças ideológicas, os países em desenvolvimento com posições democráticas, anticolonialistas e antiimperialistas, criaram um foro informal de concertação política, o Movimento dos Não-Alinhados.

Esse movimento é responsável pelas mais importantes transformações nas relações internacionais, tendo contribuído decisivamente para o fim do colonialismo e do *apartheid* e prestado ajuda a todas as lutas antiimperialistas. Tem sido um foro de denúncia permanente das injustas condições de comércio impostas pelas grandes potências aos países produtores de matérias-primas e os de menor desenvolvimento.

Na reunião do conselho editorial, recomendei que se deveria dar uma boa cobertura ao evento, aproveitá-lo para um trabalho de educação, de politização mesmo, dos leitores. Era uma oportunidade para mostrar que a revolução peruana não estava sozinha, que em todos os continentes havia povos lutando pelos mesmos ideais de libertação.

Nessa época, na África, os exércitos de libertação de Angola[2], de Moçambique[3], de Guiné e Cabo Verde[4], estavam no auge da guerra contra o colonialismo de Portugal; na Ásia, o Vietnã se enfrentava heroicamente contra os Estados Unidos; Coréia, Laos, Camboja e China eram outros focos de resistência à hegemonia capitalista. Na América Latina, Cuba evoluía na construção do socialismo e Peru, Panamá, Equador e Chile propugnavam por modelos independentes.

Não só aceitaram minha recomendação como me deram a responsabilidade pela cobertura do evento e designaram dois repórteres para me ajudar. Vale dizer que tive de colocar uma condição para aceitar o trabalho: que me proporcionassem roupas adequadas. A saída intempestiva da Bolívia não me permitiu carregar muita coisa e não tivera ainda condições de repor meu guarda-roupa. Abriram-me um crédito num alfaiate a 50 metros de distância, na mesma calçada do jornal, no Girón Ica, bem próximo do centro de Lima. Esse alfaiate gostava muito de um bom *pisco*, aguardente destilada do mosto da uva, excelente quando feita por produtores honestos. Paco Moncloa e eu ficamos fãs do *pisco* que esse homem conseguia. Resumindo a história, meses depois a alfaiataria se transformou numa venda dessa bebida. Diplomatas e jornalistas do mundo inteiro vinham beber e comprar ali.

Começamos a cobertura da reunião do Grupo dos 77 com a publicação prévia de uma série de trabalhos sobre a estrutura e o funcionamento das Nações Unidas, dos blocos de países, das contradições. Numa coluna diária, publicávamos fichas com os dados essenciais de cada país membro. Intuitivamente eu estava desenvolvendo um novo conceito de editoria internacional. O mundo era olhado do ponto de vista dos países em desenvolvimento e em contradição com as políticas hegemônicas das grandes potências.

Fazia-se o acompanhamento permanente dos focos de conflito. Propiciava-se atenção cuidadosa aos interesses nacionais.

Pedimos ajuda ao ministro de Relações Exteriores para que nos orientasse sobre a linha da política externa peruana. Ele indicou dois de seus colaboradores mais próximos. Quando se iniciou a conferência, havíamos criado interesse popular pelo tema. O povo se orgulhava de que o Peru fosse um país líder na comunidade internacional. Discutia-se política internacional nos botecos. O jornal se firmava como um suporte do processo revolucionário.

Tornei-me amigo do chanceler, então o general Edgard Mercado Jarrín, e de seus principais assessores que entenderam o papel desempenhado pelo jornal. O general Mercado, logo depois, ascendeu a primeiro ministro do governo. Foi substituído na chancelaria pelo general Miguel Angel de La Flor Valle, de quem também fiquei amigo. Depois disso, ou Mercado ou De La Flor faziam com que eu fosse enviado a cobrir para o jornal toda conferência internacional importante para o processo. Não me escondiam nada. Tratavam-me como se fosse membro da representação. Cobrindo foros internacionais, viajei por mais de vinte países e conheci as mais expressivas lideranças do mundo na época. Fiz a cobertura de todas as sessões da Comissão de Reforma do Sistema Interamericano. Foi minha grande escola de política internacional.

Terminado o primeiro trabalho, pediram-me que continuasse a popularizar as posições da revolução peruana. Começando pelo general Velasco, entrevistei todas as cabeças pensantes do governo — civis e militares. Os coronéis que deram o golpe com Velasco, agora eram generais e ministros de Estado. Produzi várias reportagens dando a natureza e os objetivos do processo, colocando seus dirigentes na condição humana. Eram gente simples, alguns de origem indígena, com interesse real em servir ao país e não o de usufruir as benesses da ascensão social. Ao contrário, gente de grande sensibilidade e responsabilidade social.

A diferença é que no Peru o objetivo social estava acima de qualquer outro

Em 1972, encontrava-me em Santiago do Chile cobrindo uma conferência da Unctad[5], e fui sabatinado por Darcy Ribeiro sobre o processo peruano. Ele recebera uma proposta da Unesco para coordenar um projeto no Peru e tinha receio de não se entender com militares. Aliás, todos os que estávamos sofrendo as conseqüências da ditadura militar brasileira tínhamos um pé atrás com relação aos militares. Mas, em nosso caso, lembrávamos dos numerosos oficiais do exército brasileiro que eram militantes comunistas. No governo do Jango, um número enorme de oficiais, sargentos e cabos não só apoiavam o governo como queriam sua radicalização. Para firmar sua hegemonia, a ditadura brasileira teve de exonerar milhares de oficiais. Como no Brasil, todos os ministros do governo de Velasco eram militares. Tanto lá como aqui as forças armadas queriam desenvolver o país. A diferença é que no Peru o objetivo social estava acima de qualquer outro. Enquanto no Brasil os militares se casaram com as elites tradicionais e colocaram o Estado repressivo contra a nação, no Peru os militares foram fiéis as suas origens populares e aos heróis de suas guerras de independência. Pareciam-me honestos, eram estudiosos e tinham minha confiança. Disse a Darcy essa minha impressão sobre os dirigentes da Revolução Peruana. Ele concordou e aceitou o posto.

No final de 1972, foi lançado numa das emissoras de TV, o canal 7, o programa *Quipo-72*[6], no qual eram analisados fatos da semana, e realizadas entrevistas e debate em mesa-redonda com personalidades. Fui colaborador do programa, ajudando nas entrevistas e nas análises internacionais. Um programa que levamos ao ar sobre o Panamá, em que se debateu o imperialismo *versus* o socialismo, causou uma grande polêmica envolvendo intelectuais e os meios de comunicação. Era a primeira vez que uma televisão no continente revelava as mazelas do imperialismo no continente com toda sua crueldade. Foi também a primeira vez que produzi um documentário para televisão. Fiz o roteiro e eu mesmo filmei com uma *Arreflex* e com a ajuda de um cinegrafista. Nele eu mostrava o enclave colonial estadunidense no Canal do Panamá[7].

Por essa época também fiz o projeto de reestruturação editorial, gráfica e operacional do jornal *Expreso*. O objetivo era racionalizar a produção, otimizar o trabalho, aproveitando ao máximo a capacidade de cada um para que o jornal pudesse se manter com os parcos recursos. E também dar-lhe uma cara nova. O nível de participação do pessoal, tanto na elaboração como na execução do projeto garantiu o êxito. A repercussão desse trabalho me valeu, mais tarde, a contração para participar do lançamento de uma revista para um grupo de empresários e intelectuais de esquerda: *Marka*. E alguns meses depois, planejei para outro grupo político de esquerda, o lançamento da revista *Momento*. Esses projetos foram lançados com sucesso.

Na reestruturação do *Expreso* foi implementado o sistema de editoria. Em setembro de 1974, deram-me a editoria internacional, que acumulei com as funções de editorialista e membro do conselho editorial. O então diretor geral era Alberto Ruiz Eldredge. Esse conselho era integrado por representantes de todos os setores, inclusive os de administração e produção gráfica. E todos participavam com responsabilidade, sabendo que o jornal, com seus mais de 200 mil exemplares, era uma das principais forças políticas do país. O núcleo diretivo era composto por intelectuais marxistas, a maioria oriunda do Partido Social Progressista (PSP), seguida por comunistas, ex-guerrilheiros e militantes de esquerda da Aliança Popular Revolucionária Americana (Apra). Ruiz Eldredge era um dos fundadores do Partido Social Progressista, era diplomata e havia sido embaixador do Peru no Brasil.

O governo acabara com o poder econômico e político das oligarquias que tradicionalmente governavam o país

O *Expreso* era um dos alvos principais dos demais meios de comunicação, a maioria de oposição intransigente ao governo de Velasco. Tinham suas razões. O governo depusera um presidente; fechara o Congresso; expropriara as usinas de açúcar, as empresas pesqueiras, o petróleo e as minas; fizera uma reforma agrária cooperativa; criara o sistema de propriedade social e exercia um controle rígido sobre os bancos. Em outras palavras, o governo acabara com o poder econômico e com o poder político das oligarquias que tradicionalmente governavam o país. Os jornais de propriedade dessas oligarquias e sustentados pelos grandes anunciantes não lhe perdoava e o hostilizava o tempo todo. O *Expreso* era para esses jornais o mesmo que o demônio, o anticristo, o mau exemplo que contaminava os trabalhadores por meio dos sindicatos. E esses temores tampouco eram infundados. O *Expreso*, logo, logo, seria a inspiração para a democratização da imprensa peruana[8].

A mais ferrenha das oposições era do matutino *El Comércio*, uma instituição centenária e conservadora, propriedade dos Miró Quesada, tradicional família das oligarquias agrária e financeira. Seguia em ordem de importância o matutino *La Prensa*, de Beltrán Espantoso e um grupo de latifundiários e exportadores relacionados com interesses norte-americanos. Essa empresa editava também um vespertino, *Última Hora*, de caráter sensacionalista. O magnata Luis Banchero, rei mundial da pesca e da exportação de farinha de pescado, mantinha uma empresa que editava o matutino *Correo* e o vespertino *Ojo*, jornais de apresentação moderna, com bons profissionais que pretendiam manter uma posição independente, mas que também faziam oposição. Outro jornal, *La Crónica*, pertencia ao grupo Prado, ligado aos bancos e às financeiras. Os canais de televisão, com 65% de programação forânea, e as rádios, faziam coro aos jornais.

O *Expreso* era uma ilha num mar revolto de oposicionistas. Era o porta-voz do velasquismo. Quem quisesse saber o que estava pensando o general Velasco e seu grupo mais próximo tinha que recorrer ao jornal. Até mesmo setores do governo não muito afins ao pensamento velasquistas e outros que alimentavam uma linha um tanto divergente tinham *Expreso* como referência. Em situações críticas, os editoriais eram discutidos com os principais assessores da presidência ou diretamente com Velasco. Muitos dos discursos formais de Velasco como presidente foram escritos por Carlos Ortega, membro da equipe de editorialistas. Augusto Zimmerman, assessor de imprensa de Velasco e também um dos confeccionadores de discursos, era da equipe.

Com tudo isso não era fácil manter o equilíbrio político e ideológico no *Expreso*. Havia os que apoiavam o processo e os que militavam no processo. E havia os que rechaçavam o que chamavam de "entreguismo" dos jornalistas ao governo. Esse desequilíbrio mantinha a consciência crítica. O jornal era o primeiro a protestar quando a polícia atacava com violência manifestações de trabalhadores ou reprimia greves.

O *Expreso* com o trabalho de seus intelectuais colaboradores politizou o debate sobre o papel dos meios de comunicação de massa nos meios acadêmicos da América Latina. Essa discussão repercutiu em várias partes do mundo. E a diplomacia peruana defendia com garra e muita inteligência essas posições nos foros internacionais. Em resumo, denunciava-se que os meios eram um fator destruidor das culturas nacionais, representavam os interesses de minorias exploradoras das maiorias e eram servis ao poderio econômico das grandes potências.

No plano internacional, evidenciava-se que o fluxo informativo mundial era monopólio de quatro grandes agências noticiosas que representavam interesses de seus países de origem. Nos foros internacionais, o grande debate que se travava era sobre a necessidade de se construir uma Nova Ordem Econômica Internacional (NOEI). E era óbvio que para alcançar esse objetivo era preciso estabelecer uma Nova Ordem da Informação e da Comunicação (NOIC). Nos meios acadêmicos, o teórico que defendeu essas posições com muito sucesso foi Armand Mattelart. Porém, o mais importante foi que o debate levado às Nações Unidas fez com que a Unesco organizasse uma Comissão de Estudos para avaliar as denúncias. Foi presidida pelo norueguês Sean McBride e produziu um informe arrasador sobre o domínio das potências sobre o fluxo informativo mundial. Deveria ser cartilha nas escolas de comunicação.

Enquanto todas essas questões eram debatidas teoricamente nos meios acadêmicos e nas organizações especializadas, *Expreso* era, na prática, o exemplo do que podia ser feito para resolver os dilemas teóricos e democratizar os meios de comunicação. Foi a delegação peruana que, na Terceira Reunião Cimeira dos Países Não-Alinhados, formulou a proposta para a criação do Pool de Agências de Notícias dos Países Não-Alinhados como alternativa ao monopólio das grandes agências noticiosas. Nessa reunião, também foi gerada a idéia de se criar uma mídia alternativa para veicular informações sobre os movimentos libertários. Falaremos disso mais adiante.

Expreso resistiria à agressão até o último homem

Em fevereiro de 1975, com a Guarda Civil em greve, Lima foi saqueada por uma turba ensandecida insuflada pela conspiração dos militantes da Apra — os apristas. Assaltavam lojas e supermercados, agrediam com violência quem tentasse frear sua fúria. A ação vandálica se dava em várias partes da cidade. Na manhã do dia 5, um desses grupos, descendo por uma das principais avenidas em direção ao centro, depois de atirar pedras na embaixada dos Estados Unidos, depredou e incendiou as instalações do jornal *Ojo*. As chamas entusiasmaram os manifestantes. Alguém lançou a gritos a nova palavra de ordem: *"Expreso! Vamos acabar con Expreso!."* E começaram a marchar em direção ao jornal, distante menos de mil metros do *Ojo*. Um telefonema alertou o pessoal do *Expreso*.

Num instante, com bobinas de papel, tambores de tinta e outras tralhas armaram-se barricadas bloqueando o acesso. Outros companheiros ocuparam as janelas do andar superior e o telhado. Quando a turba chegou, foi recebida a pedaços de chumbo, pedradas e pauladas. Os agressores recuaram para juntar mais força. O pessoal do *Expreso* já havia telefonado para o Palácio Presidencial pedindo proteção, e nada acontecia. Paco Moncloa falou diretamente com Leonidas Rodriguez, comandante da Segunda Região Militar dizendo que ele seria o responsável pelas mortes porque o pessoal do *Expreso* resistiria até o último homem à agressão. E a turba voltou a atacar, desta vez disparando algumas armas. Os trabalhadores resistiram por mais de uma hora a esse ataque até que chegaram uma tanqueta e um carro de assalto do Exército, enviados por Rodrigues, que dispersaram os agressores. Depois desse fato, o jornal organizou sua própria autodefesa, com pessoal treinado e armado que se revezava na proteção da empresa, vigiando telhados, pátios e ruas adjacentes. Coube a mim a organização do plano de defesa.

Quando o governo de Morales Bermudez se comprometeu de vez com a direita nacional e internacional, exigiram a cabeça do *Expreso*. Morales trocou o diretor e este, em seu primeiro minuto, demitiu os "doze apóstolos", o pessoal gráfico e jornalistas que comandavam o jornal. Já não havia a quem pedir socorro. Era o fim do velasquismo.

...el árbol se murió

Não me lembro qual foi o episódio que gerou um conflito entre a direção do *Expreso* e o general Leonidas Rodriguez. O fato era grave porque podia afetar as relações entre o general Velasco Alvarado e Rodriguez, e este era o comandante militar de maior poder no Peru. Ele comandava a Segunda Região Militar, que incluía os destacamentos especiais da capital, a maior e melhor equipada unidade do Exército. Preocupado com o fato, convenci a Efraim Ruiz Caro de que era preciso conversar, que não se podia jogar fora anos de relacionamento com o general. Com Efraim convencemos a Paco Moncloa, que havia sido o pivô da discórdia. Combinamos a estratégia. Ofereceria um jantar em minha casa a Efraim, Paco e suas respectivas esposas. Perguntamos a Leonidas Rodriguez se ele estaria disposto a conversar para resolver o conflito. Ele disse que sim. Então o convidamos para o jantar.

O encontro começou formal mas logo entrou em clima cordial e distenso. O general deu suas razões e algumas informações de fatos que não conhecíamos e que eram importantes. Diante dessa nova situação, Paco telefonou ao secretário de redação pedindo que fossem feitas algumas alterações no editorial que havia escrito. Não satisfeito, pediu que o levassem ao jornal, voltaria em poucos minutos. Não voltou em uma hora. Telefonamos, disseram que já haviam saído. Irma, esposa de Paco, ficou nervosíssima. Enquanto tentávamos acalmá-la, tocaram a campainha. Entraram Arrunategui, então presidente do Sindicato do *Expreso,* e outros companheiros, todos com ar de preocupação. Irma, guiada pela intuição, já angustiada queria saber: *¿qué le pasó a Paco?* Está vivo e vai ficar bem. Houve um acidente com ele e o levamos para o hospital — responderam.

Fomos todos para o hospital, inclusive o general. Os médicos informaram que havia perdido muito sangue, estava fora de perigo, mas tiveram de lhe amputar o braço. O general se retirou, colocando-se a disposição para o que fosse preciso. Os demais, depois de doar sangue, ficamos com Irma até o amanhecer, quando pudemos ver Paco. Ele saíra lá de casa porque queria ver como ficaram as alterações que havia solicitado por telefone. O jornal já estava rodando, isto é, sendo impresso na rotativa. Paco se meteu entre dois corpos da máquina para atravessar para o lado onde saem os jornais prontos e dobrados. O deslocamento de ar puxou seu paletó e o arrastou. Protegeu-se com o cotovelo e teve seu braço direito esmagado entre dois cilindros. Deram volta na máquina para tirá-lo. Com o braço em frangalhos e sangrando, ainda quis conferir o editorial. Aplicaram-lhe um torniquete, levaram-no para o hospital e foram a minha casa, pois sabiam que sua esposa e o Efraim estavam lá.

Paco se recuperou com incrível rapidez. Em pouco tempo estava escrevendo à máquina, assinando cheques, fazendo tudo o que tinha de fazer com a mão esquerda. Meses depois viajou para Cuba, onde um ortopedista famoso lhe colocou um braço mecânico feito na Alemanha Democrática. Resolveu um problema estético e de equilíbrio e dava para segurar copos.

Paco, antes da revolução dos coronéis era *marchant d'art*, editor de livros especiais e coordenador nacional da frente Unidade de Esquerda, que reunia social-progressistas, comunistas e outros agrupamentos. É dele a melhor edição da obra de César Vallejo, poeta maior da literatura peruana e um dos grandes da língua espanhola. Nos conhecemos quando eu estava na Bolívia, logo depois da revolução que levou o general Torres ao poder, e tínhamos muitos amigos comuns. Ele me introduziu no *Expreso*. Durante cinco anos, conversávamos todos os dias sobre os caminhos e descaminhos da Revolução Peruana e dos processos latino-americanos, e sobre como abordar os temas do dia no jornal. Na convivência, alimentamos sólida e linda amizade. Quando, depois de muito sacrifício, conseguiu inaugurar a casa que ele e Irma construíram, plantei uma árvore no jardim, já com um metro de altura, dizendo que era para que eles não se esquecessem de mim. O símbolo de nossa amizade, um *pínus* ficou enorme, viçoso.

Depois que saí do Peru, fiquei anos sem ânimo e condições de voltar. Ficava sabendo das coisas e dos amigos pela troca de correspondência, o que ocorre ainda hoje, facilitada pela Internet. No começo dos anos 1980, de passagem por Cuba, amigos comuns me informaram que Paco havia estado por lá para tratamento de saúde, que haviam diagnosticado um câncer e o mandaram de volta ao Peru. Não tive dúvidas. Desdobrei minha passagem de volta para São Paulo via Lima e fui visitar o amigo. Foi um encontro muito emotivo. Estava em casa, mas já não saía da cama. Tentei animá-lo. Nessa época, com Neiva Moreira, editávamos aqui no Brasil o *Jornal do País*. Combinamos que ele seria um colaborador permanente. Não conseguiu cumprir o acordo. Poucos meses depois de sua morte, Irma veio visitar-me em São Paulo. Quando me abraçou emocionada, disse entre lágrimas e soluços: *"Pablo, el árbol se murió!"*

Notas

1. Havia três centrais: Central Geral dos Trabalhadores do Peru (CGTP), a maior, dominada pelos comunistas; a Central Geral dos Trabalhadores (CGT), mais antiga, dominada pela Apra; e a Central de Trabajadores del Peru (CTP), dominada pelos democrata-cristãos.

2. Movimento pela Libertação de Angola (MPLA), cujo máximo dirigente ainda era o grande poeta e guerrilheiro Agostinho Neto.

3. Frente de Libertação de Moçambique (Frelimo), comandada pelo saudoso Samora Machel, com quem compartilhamos algumas refeições, na África e na América Latina.

4. Partido da Independência da Guiné e do Cabo Verde (PAIGC).

5. Além da Assembléia Geral, com a finalidade de racionalizar seu trabalho, a ONU realiza assembléias especializadas. As mais importantes são: a Conferência das Nações Unidas para o Comércio e o Desenvolvimento (UNCTAD); a Conferência das Nações Unidas para o Desenvolvimento Industrial (ONUDI); a Organização Para a Alimentação e Agricultura (FAO); o UNICEF, para as crianças; a UNESCO, para a Educação e a Cultura.

6. Quipo era um sistema de escrita, através de nós, que os incas utilizavam para contabilizar a produção agrícola.

7. Há mais de um capítulo sobre o Panamá neste livro, em particular o 20.

8. Mais adiante dedico o capítulo 16 sobre a revolução nos meios de comunicação ocorrida no Peru.

15. Argel

Ritmo na luz
Ritmo na cor
Ritmo no som
Ritmo no movimento
Ritmo nas gretas sangrentas dos pés descalços
Ritmo nas unhas descarnadas
Porém ritmo
Ritmo
Oh! vozes doloridas da África

Agostinho Neto, poeta e guerrilheiro angolano

Em agosto de 1973, viajei para Argel, via Paris, para cobrir a Terceira Reunião de Cúpula dos Países Não-Alinhados que se iniciaria em meados de setembro. Como fazia em todas as minhas viagens, aproveitei para me encontrar com brasileiros asilados, trocar informações sobre a luta contra a ditadura militar. Em Paris, fiquei uns dias com Carlos Sá com quem fizemos um balanço sobre o trabalho de nosso pessoal no exterior. Um bom número de nossos companheiros estava conseguindo mobilizar a opinião pública contra a ditadura brasileira nos países em que se encontravam. Sá havia deixado o Chile, onde se asilara depois da imposição da ditadura militar no Uruguai, pressentindo que a deterioração do processo só poderia culminar com o golpe da direita. Em 1972, a conspiração fascista orquestrada pela CIA já era descarada.

Nos anos anteriores, em viagens ao Chile, à Argentina, a Cuba e a outros países, participei de várias reuniões com companheiros da velha guarda da ALN e me integrei, na medida de minhas possibilidades, ao processo da Autocrítica Necessária, iniciado por um grupo do qual participavam Takao Amano, Rolando Fratti, Argonauta Pacheco, Luis del Royo, que haviam sido do Agrupamento Comunista de São Paulo, e Ricardo Zaratini, entre outros. O pessoal buscava seu rumo. Fazia-se a crítica às posições foquistas, ao abandono da linha de massas, ao espontaneísmo que levou à extinção da organização. Voltava-se às posições originais do Agrupamento Comunista, propondo uma grande frente para a revolução.

No final de 1973, em troca de correspondência com esses companheiros, constatávamos a validade das propostas de buscar uma ampla frente social e política para derrotar a ditadura. A semente da frente germinara. O Partido Comunista Brasileiro (PCB), lançou um documento "por uma frente patriótica contra o fascismo"; Miguel Arraes no circuito Paris-Argel também trabalhava nessa direção. Brizola, no Uruguai, tentava a rearticulação dos trabalhistas dentro e fora do país. No Brasil, os autênticos do MDB, setores progressistas da Igreja, intelectuais da esquerda e capitalistas nacionais estavam se articulando para encontrar caminhos próprios. A palavra de ordem, então, era democratização e reaglutinação das forças. Depois da Anistia, alguns desses companheiros voltaram a militar no Partidão (PCB) e, depois do suicídio deste, desiludidos, uns não militam em lugar algum e outros fazem o que podem em algum tipo de organização social. E outros ainda estão tentando uma refundação.

Em Argel, Miguel Arraes, primo de meu pai, residia numa edícula, na verdade uma belíssima casa, dentro do Palácio Presidencial. Como a essa reunião de cúpula devia comparecer uma delegação de observadores brasileiros, o general Garrastazu Médici pediu a cabeça de Arraes. Boumedienne[1] foi obrigado a confiná-lo em uma estância termal distante uns 300 quilômetros da capital. Só pude vê-lo depois que os chefes de estado deixaram Argel. Como os hotéis eram muito caros, aceitei a hospitalidade de Maurílio Ferreira Lima[2] e de sua esposa. Estavam por lá, nessa época, o professor Bayard Boiteaux[3], os irmãos Arnaldo e Dirceu Mourté entre outros.

A chegada em Argel foi um susto. Em Lima, haviam-me dito que estava tudo certo para o visto de entrada que seria dado em

Paris. No consulado argelino em Paris disseram que não tinham nenhuma instrução a respeito. Embarquei assim mesmo. No aeroporto de Argel, disseram-me na imigração que sem o visto ninguém entraria e que iriam me reembarcar no próximo vôo. Colocaram-me numa pequena saleta. Depois de uns 40 ou 50 minutos de angústia, entrou um funcionário para dizer que o avião chegara e que me levaria para a sala de embarque.

No caminho, cruzei com os passageiros que chegaram nesse vôo, entre eles, Sardiña, correspondente de *Prensa Latina*. Contei a situação, e ele riu muito. Tinha ocorrido o mesmo com ele no dia anterior e, de fato, teve de voltar a Paris para conseguir o visto. Peço-lhe que procure alguém do Ministério de Relações Exteriores ou da Frente de Libertação Nacional (FLN) argelina, pois em Paris já me haviam dito que não tinham instruções. A FLN foi a organização que, liderando uma frente de massa, derrotou o colonialismo francês. Na época e até hoje é o partido que governa. Quando acompanhado por um funcionário da imigração estou caminhando em direção ao avião, vejo Albert Brun, da *France Presse*, correndo em direção a outro avião do qual desembarcavam delegados que iam para a conferência. Albert era diretor regional da AFP, sediado em Lima. Grito por ele. *"Pablo, que hubo, carajo!"* Expliquei a situação.

Ao pé da escada do segundo avião, está Abdelazis Bouteflika[4], na época chanceler argelino e, descendo a escada, o chanceler peruano, Miguel Angel de la Flor. Albert, já credenciado, corre em direção às autoridades, interrompe as saudações formais para comunicar aos dois chanceleres o que se passava comigo. De la Flor era meu amigo e me considerava membro de sua delegação. Quanto a Bouteflika, sabia quem eu era, pois já o havia entrevistado umas três ou quatro vezes. Para surpresa do argelino que me mantinha praticamente preso e insistia para que eu embarcasse, Miguel Angel e Bouteflika, Albert e vários outros da delegação peruana vieram até mim, todos se divertindo muito. Bouteflika mandou alguém de sua comitiva resolver o meu problema. Isso ocorreu antes do almoço. Só depois das oito da noite consegui ir para um hotel devidamente credenciado.

Desde a vitória popular contra as tropas de ocupação francesa em 1962, a Argélia é governada por um partido único, evolução do

FLN. A partir de 1965, a vanguarda revolucionária entendeu que precisava transformar-se em partido de massa e consolidar o estado revolucionário. No novo estado, a comuna era a célula de base da sociedade. Em cada comuna funcionava uma Assembléia Popular Comunal. A mesma mecânica das Assembléias comunais se repetia nas departamentais. A Argélia tinha nessa época 15 departamentos chamados *wilaias*. Os deputados eram eleitos pelo voto universal de uma lista de dois candidatos para cada assento. O partido, obviamente, decidia quem comporia a lista. A Assembléia Nacional, eleita para um mandato de quatro anos, elegia o presidente que governava o estado assessorado por técnicos de todos os setores: educação, saúde, agricultura, entre outros. Em todos os níveis dessa estrutura de assembléias, discutia-se o plano de desenvolvimento elaborado pelo poder central para o qual o resultado voltava com as sugestões.

Do que mais se orgulhavam os argelinos, depois da vitória sobre os franceses, era a reforma agrária. Bouteflika me dizia na época que *"o setor agrário é o que mais cristaliza a consciência socialista da revolução argelina. A terra pertence à nação e o fruto do trabalho pertence aos trabalhadores."* A primeira fase foi recuperar as terras dos colonizadores para o povo. Nas antigas propriedades, foi aplicado o princípio da auto-gestão e da cooperativa. A segunda fase, limitou-se a propriedade agrícola e se expropriaram as terras que não eram exploradas. Na terceira fase, os argelinos estavam iniciando o processo de urbanização no campo, o que exigia grandes investimentos em mecanização, meios de armazenagem e de transporte, além de educação e saúde.

A principal fonte de riqueza da Argélia era o petróleo. O país produzia um milhão de barris por dia e tinha reservas superiores a quatro trilhões de metros cúbicos de gás. Tudo isso já estava nacionalizado desde 1971.

O petróleo provocou a mais grave crise mundial em tempos de paz

Em 1970, o preço do barril de petróleo era US$ 0,90. Os países árabes eram os responsáveis pelo fornecimento de 25% dos 50 milhões de barris de petróleo que o mundo consumia[5]. As empresas transnacionais tiravam quanto podiam e quanto queriam dos poços do Oriente Médio. Não havia controle. Ao contrário, havia desperdiço. O poder de ditar os preços era dos compradores. Os grandes lucros eram das empresas e as sobras de algumas famílias governantes. O povo vivia na mais inumana miséria.

Na Guerra dos Seis Dias, em 1967, Israel com apoio dos Estados Unidos ocupou a parte oriental de Jerusalém, a Cisjordânia, as colinas de Golan, na Síria, e o Monte Sinai, no Egito. Alguns países, entre eles a Arábia Saudita, tentaram realizar boicote ao abastecimento dos países que apoiavam Israel. Não surtiu efeito. Em 1971, a Argélia nacionalizou o petróleo. Em 1972, foi a vez do Iraque. Como represália os Estados Unidos e seus aliados europeus decretaram bloqueio ao Iraque o que não funcionou em razão da solidariedade árabe. Kuwait, entre outros, financiaram os iraquianos. Em 1973, o Egito resolve retomar a bala o Sinai. Não conseguiu uma vitória militar. No entanto, como resultado do avanço da revolução árabe e da articulação terceiro-mundista nos foros internacionais, os países da Organizaão dos Países Árabes Exportadores de Petróleo (OPAEP) decidiram, primeiro, reduzir em pelo menos 5% mensais sua produção. Decidiram também cortar o fornecimento aos Estados Unidos e a seus aliados na guerra do Oriente Médio. Em seguida, a Arábia Saudita e o Irã decidiram aumentar em 17% o preço do barril.

A partir da Conferência de Argel, os países produtores de petróleo decidiram enfrentar os países consumidores, assumiram o controle da produção e impuseram sua própria política de preços. Em outubro de 1973, o preço do barril de petróleo árabe já estava em US$ 3,65. Era só o começo. Como represália pela guerra, em dezembro a OPAEP elevou esse valor para US$ 16,00. Também decidiram que qualquer país que fornecesse armamento a Israel teria o fornecimento de petróleo bloqueado. Os árabes dispararam uma arma poderosíssima que o mundo até então desconhecia. Uma resposta inteligente e criativa à mobilização das grandes potências em favor de Israel. Foi um deus-nos-acuda. A crise nos países mais industrializados foi das mais graves em tempos de paz.

Nessa época, escrevi que esses fatos determinariam, no curto prazo, grandes mudanças na política brasileira. Nesse tempo quase 70% do petróleo que o Brasil consumia era importado. E 80% do petróleo importado vinha do Oriente Médio (Irã, Iraque, Arábia Saudita e Argélia). Havia grandes interesses brasileiros na região e grandes investimentos da Petrobrás. E esses países começaram a pressionar o Brasil para que retirasse o apoio que dava ao governo colonialista de Portugal e apoiasse os movimentos de libertação. Anunciei também que o Brasil mudaria sua posição com relação à América Latina, buscando maior aproximação com Bolívia, Peru, Equador e Venezuela, países produtores de gás e petróleo, e com a Colômbia, por causa do carvão. A Cúpula de Argel, que deveria se encerrar em 9 de setembro, só se encerrou dia 11, em virtude dos temas candentes de que tratou.

Tentando reverter essa situação, os Estados Unidos ameaçaram com bloqueio econômico, acompanhados pelo Japão. Os árabes responderam que podiam reduzir em 80% a produção. Aumentando os preços, ganhariam mais com os 20%. Nixon ameaçou com invasão militar. Os árabes responderam que dinamitariam os campos petrolíferos. Da maneira como estava politizado o mundo, tudo era possível. Os árabes ganharam essa guerra sem dar um tiro.

Em setembro, em plena guerra e em meio à conferência, o rei Faisal, da Arábia Saudita, nacionalizou 51% do capital da Aramco[6], a maior empresa petrolífera do mundo, que explorava 95% do petróleo saudita. O rei Faisal, com sua túnica negra sobre um traje branco, sentado sobre 300 bilhões de barris de petróleo, com o sagrado Corão nas mãos, era um dos personagens mais fascinantes no plenário dos Países Não-Alinhados.

Outro era o coronel Muhammar Kadhafi, então o mais jovem dos personagens do mundo árabe, que em 1969 derrubou a monarquia na Líbia, declarou-se nasserista[7] e socialista, expulsou as bases militares inglesas e estadunidenses e assumiu o controle da produção de petróleo. E ali também estava Arafat, a dizer ao mundo que sem a reintegração do Estado Palestino não há discussão nem possibilidade de paz no Oriente Médio.

Além dos comandantes guerrilheiros da África dita portuguesa, em que se destacava o poeta Agostinho Neto, estava também

Leopold Sengor, presidente do Senegal, o primeiro poeta da negritude a chamar a atenção do mundo moderno.

Da América Latina, o grande astro era Fidel Castro. Realmente impressionante ver um plenário com mais de 90 chefes de estados, entre reis, príncipes, presidentes, primeiros-ministros, todos em pé batendo palmas por vários minutos em aclamação a Fidel. Isso nunca ocorreu com nenhum outro líder em qualquer foro mundial. O rei era nada menos que o rei-dos-reis, o próprio negus da Etiópia, Hayle Selassié.

Foi uma reunião histórica. O cenário mundial estava mudando e os protagonistas dessa mudança estavam ali. Madame Bin, a vietnamita que enfrentou Kissinger nas reuniões de Paz de Paris. O marechal Tito, que enfrentou com galhardia os vencedores da Segunda Guerra Mundial para construir uma Iugoslávia independente.

Esses líderes chegaram à conclusão de que precisavam atuar coordenadamente. Entenderam que não pode haver paz sem desenvolvimento, sem a anulação da brecha que separa os países pobres dos países industrializados, e aprovaram um programa de ação econômica no entendimento de que a segurança para os povos dar-se-á com o desenvolvimento integral e auto-sustentado em todas suas formas.

Eu estava tão enfronhado no processo peruano que a Central Geral dos Trabalhadores do Peru (CGTP), a maior central sindical do país, dirigida por comunistas, credenciou-me para representá-la num congresso de trabalhadores que a FLN argelina realizava paralelamente à Cúpula dos Não-Alinhados. Fui a essa reunião e, além de expor a posição da central peruana, fiz uma veemente denúncia sobre o golpe fascista dado no dia anterior no Chile.

Com o assassinato do presidente Salvador Allende e a instauração da ditadura do Pinochet, a delegação chilena perdeu representatividade. O chanceler Clodomiro Almeida, socialista, teve de se retirar e antes de deixar Argel pediu-me que falasse por ele no congresso dos trabalhadores e para os dirigentes da FLN. Em *Expreso* eu acompanhava atentamente o processo chileno, fiz numerosas viagens a Santiago e havia meses vinha denunciando a escalada golpista articulada com a CIA.

A palavra de ordem em todo o mundo parecia ser mudança, cambio, transformation, rivoluzione, turn over

A década de 1970 era cheia de esperança. A palavra de ordem em todo o mundo parecia ser mudança, *cambio, transformation, rivoluzione, turn over*... O mundo bipolar do auge da guerra fria se diluía com a consolidação de novos pólos de poder que apontavam para um mundo pentagonal com os vértices na Europa, na China, no Japão, nos EUA e na URSS. Apesar dos reveses sofridos no Brasil, na Bolívia e no Chile, a situação favorecia enormemente as revoluções libertadoras. Mais de dois terços da humanidade era socialista. No terço restante, a maioria contestava o capitalismo no interior de seus estados. A grande força nas Nações Unidas era o grupo dos Países Não-Alinhados. Os Estados Unidos só contavam com o seu poder de veto no Conselho de Segurança e na Assembléia Geral, apenas com os votos de contadas ditaduras como de Stroessner no Paraguai, Somoza na Nicarágua, Duvalier no Haiti, Banzer na Bolívia, Pinochet no Chile, e dos racistas da África do Sul[8].

Até a ditadura brasileira, após o choque do petróleo, deixou a política do "alinhamento automático" aos Estados Unidos, no plano externo, para adotar a do "pragmatismo responsável". No plano interno, passou a buscar a auto-suficiência, desenterrou os planos do governo Goulart de desenvolvimento da indústria de base e da produção energética, contrariando com isso os interesses estratégicos dos Estados Unidos. O que faltou aos militares e demais estrategistas brasileiros foi a visão de que o desenvolvimento autônomo só poderia consolidar-se com a incorporação do povo ao processo com base numa sociedade democrática e de participação. A mesma falta de visão que afetou os dirigentes soviéticos do pós-guerra. Lá e aqui, ressalvadas as diferenças históricas e conjunturais, estão desmontando o Estado e sucateando os alicerces da base produtiva.

Em Argel, nasceu a idéia de uma publicação alternativa

Neiva Moreira realizava cobertura dessa conferência para um jornal uruguaio do qual era o editor. Veterano jornalista dos Diários Associados — cobriu para esse jornal a revolução de Nasser no Egito —, Neiva trocou a redação pelo Plenário da Câmara Federal. Era deputado quando Juscelino Kubitschek construiu Brasília e continuava deputado e secretário da Frente Parlamentar Nacionalista quando o golpe de 1º de abril de 1964 fechou o Congresso. Saiu asilado para a Bolívia, indo em seguida para o Uruguai, onde se juntou com Leonel Brizola.

Reuniões de cúpula como essa de Argel reúnem mais de dois mil jornalistas do mundo inteiro. Quem procura sempre encontra a sua turma, aqueles com quem se vai trocar informações, bater um papo bebericando no final do dia de trabalho. Nós tínhamos muitas informações, quentíssimas. Os árabes, por exemplo, ameaçavam fechar as torneiras do petróleo para o Ocidente. Os guerrilheiros do Partido da Independência da Guiné e do Cabo Verde (PAIGC), do Movimento pela Libertação de Angola (MPLA) e da Frente de Libertação de Moçambique (Frelimo), estavam prestes a derrotar o colonialismo português na África. O pessoal do PAIGC chegou a me convidar: *"se regressares conosco para a Guiné, assistirás à festa da independência, no mais tardar em dezembro"*. Perdi essa oportunidade.

A conferência criticou o monopólio da informação exercido por poucas agências de notícias e propôs a criação do Pool de Agências de Notícias dos Países Não-Alinhados. Entre os jornalistas, constatava-se que os grandes temas de interesse para os povos não tinham a devida atenção da grande imprensa no mundo inteiro. Era preciso preencher esse vazio. Neiva diz que essas nossas conversas, das quais participava também o João Quartim, um dos fundadores da Vanguarda Popular Revolucionária (VPR)[9] e na época redator da revista *Afrique & Asie*, de Paris, foram o ponto de partida para o projeto dos *Cadernos do Terceiro Mundo*.

As publicações existentes que tratavam dos temas do Terceiro Mundo eram muito teóricas ou muito políticas. Faltava algo feito por jornalistas para o grande público. Ninguém dava os fatos relatados dentro do seu contexto. Faltava uma publicação na qual os protagonistas dos fatos pudessem se explicar. Lançado em Buenos Aires em setembro de 1974, *Cuadernos del Tercer Mundo* circulou até janeiro de 1976, quando seus editores tiveram de deixar a Argentina para escapar da *Triple A* — uma organização paramilitar de caça aos comunistas. Em fevereiro de 1977, voltou a circular no México e em Portugal, com edições em português, espanhol e inglês. Desde 1980, circula no Brasil. As demais edições não sobreviveram. Tinha o apoio entusiástico de jornalistas do mundo inteiro que não tinham onde publicar suas matérias. É, sem dúvida, a decana da imprensa alternativa. E sempre me senti umbilicalmente atado a esse projeto porque, no fundo, traduz, numa linguagem de revista, o que eu fazia na editoria internacional do *Expreso*, numa linguagem de jornal. Sobrevive pela tenacidade heróica de Neiva, de sua companheira Beatriz Bissio e dos abnegados colaboradores.

Notas

1. Harry Boumediene, comandante militar da luta de libertação da Argélia, então presidente do país.

2. Foi deputado federal pelo PMDB de Pernambuco.

3. Um dos fundadores do Partido Socialista Brasileiro no Rio de Janeiro.

4. Em abril de 1999, Bouteflika foi eleito o primeiro presidente civil desde o triunfo da guerra de libertação.

5. Um barril equivale a 159 litros.

6. Consórcio entre a Standar Oil, a Texaco, a Exxon e a Mobil Oil.

7. Refere-se a Gamal Abdel Nasser, que depôs o rei Faruk e iniciou uma revolução nacionalista no Egito.

8. África do Sul, hoje livre do Apartheid; Rodésia, hoje Zâmbia independente; Namíbia, hoje também independente.

9. Vanguarda Popular Revolucionária, organização armada de combate à ditadura brasileira na qual Carlos Lamarca foi militante.

16. Alfin

Constantemente ocorria o fato insensato
de um cidadão ser acusado e julgado
sem compreender uma palavra
de seus acusadores e juízes.

Augusto Salazar Bondy, pedagogo, filósofo, epistemologista na verdadeira acepção da palavra, foi convidado, em 1969, por Velasco para assumir como vice-ministro o planejamento da Educação num governo revolucionário no Peru. O ministro tinha de ser um general, que era Carpio Becerra, logo substituído por Morales Bermudez. A missão de Salazar era elaborar uma estratégia para a Educação que, no seu entendimento, não poderia funcionar sem uma estratégia de desenvolvimento. Um jovem alfabetizado e educado pela revolução, alguns anos mais adiante, ao estar apto para ingressar no mercado de trabalho, deveria encontrar um emprego a sua disposição. Em março de 1972, foi promulgada a Lei Geral de Educação e anunciado o início da Reforma Educativa.

A estratégia de educação começava pela alfabetização e a reforma do ensino em todos os níveis. A intenção era realizar uma campanha que, a curto prazo, erradicasse o analfabetismo e, depois, prosseguisse oferecendo condições para o alfabetizado evoluir no aprendizado tendo acesso à educação continuada. Sabendo já o que pretendia, Salazar formou duas equipes: uma técnico-pedagógica, com a missão de elaborar a metodologia e o conteúdo da alfabetização; outra para pensar e elaborar a comunicação necessária. Convidou para coordenador da primeira o jovem educador

Alfonso Lizarzaburo, que hoje ocupa um alto posto na Unesco. Para a segunda, convidou a mim. Foi uma experiência fascinante trabalhar, por cerca de dois anos, orientado por esse grande pensador e realizador.

A primeira etapa foi de elaboração teórica e definição das linhas de trabalho. A segunda, de criação de material, seleção e contratação dos quadros necessários para a execução. Numa terceira etapa, começou-se a difusão da Operação de Alfabetização Integral (ALFIN) e a formação dos monitores. O objetivo era selecionar e treinar três mil quadros que executariam a estratégia em todos os rincões do país.

O treinamento se fazia em regime de internato numa enorme colônia de férias no município de Huampani, a uns 50 quilômetros ao sul de Lima. Homens e mulheres entre 18 e 40 anos eram mantidos em atividade no mínimo 15 horas por dia. Além das questões diretamente necessárias para a alfabetização, recebiam muitas outras ferramentas, transmitidas em oficinas que utilizavam avançadas técnicas de dinâmica de grupo. Num laboratório, faziam a análise crítica do papel dos meios de comunicação; noutro exercitavam técnicas para criar comunicação alternativa a partir de nenhum ou dos poucos recursos que poderiam ser encontrados na selva ou no altiplano. O teatrólogo Augusto Boal foi convidado para coordenar a oficina de técnicas de teatro popular. Fazia-se "teatro invisível" no refeitório, no almoço, no jantar ou no café da manhã, com o intuito de manter o pessoal "aceso". Assistiam-se a seminários sobre história do Peru, geografia humana, modos de produção e ferramentas de trabalho em uso. Os treinandos recebiam também ampla informação sobre o processo revolucionário e as características da propriedade cooperativa ou da propriedade social.

Fiquei impressionadíssimo com a reação das pessoas, principalmente as de origem indígena, nos laboratórios em que se trabalhavam as categorias de alienação e o papel dos meios de comunicação, bem como dos sistemas educativo e de poder do Estado. Só então as pessoas se davam conta do quanto eram excluídas ou alienadas. Numa dessas reuniões, quando se solicitou que cada um do grupo desse um exemplo para definir a alienação, uma monja colocou-se no centro, lívida, e desabafou: *Yo! Yo con mi traje medieval; yo que no conozco la realidad de mi pueblo; yo a que se me prohiben hasta la higiene íntima. Yo soy la alienación.* Foi um espanto geral, mas todos a respeitaram. E era comum algum tipo de catarse em todos os grupos de trabalho. Uma outra moça, noviça, desistiu de ser freira e foi ser monitora numa comunidade agrícola no altiplano. Passado um ano ou pouco mais, encontrei-a em Lima. Disse-me que passaria um tempo na cidade porque havia decidido ser mãe. Numa típica "produção independente", escolheu quem seria o pai, engravidou dele e partiu com o filho, para continuar seu trabalho de educadora.

A população do Peru na época, era em torno de 16 milhões de habitantes, 40% rural. A revolução velasquista, com a reforma agrária cooperativa e a criação da empresa de propriedade social, pretendia frear o processo de esvaziamento do campo e superpovoamento das cidades, principalmente Lima, que já concentrava cerca de 4 milhões de habitantes, mais de 50% vivendo em condições precárias. As favelas, eufemisticamente chamadas de *pueblos jóvenes*, espalhavam-se pelas areias do deserto ao sul de Lima ou nas encostas da cordilheira, a leste. Villa El Salvador, na areia, a maior concentração de migrantes indígenas, foi um dos campos de pesquisa para a metodologia de trabalho.

Um domingo, cheguei a *Expreso* de manhãzinha para um plantão, e uma índia com três crianças estava sentada à porta. Na portaria, esclareceram-me de que não conseguiram se entender com a mulher porque ela só se expressava em quíchua. Estava muito angustiada e agitada. Havia pouca gente no jornal, ninguém que soubesse seu idioma. Telefonei para Efraim Ruiz Caro, diretor do jornal, cuzquenho com o quíchua fluente e pedi que viesse ver o que essa mulher queria com tanta insistência ou me indicasse alguém capaz de entendê-la. Nosso único repórter capaz de fazê-lo havia deixado o jornal para trabalhar numa publicação recém-lançada, creio que era *La República*. Chamei-o, e por meio do que entendemos na tradução simultânea publicamos a denúncia. Tanto no *Expreso*, como no jornal em que esse repórter trabalhava foi dada ampla cobertura ao fato.

A mulher estava aflita porque todos os homens de sua comunidade, sem exceção, estavam presos. Segundo seu relato, um capataz havia estuprado e assassinado uma mocinha, *cholita*, na língua quíchua. A família procurou as autoridades para exigir justiça. Com apoio das autoridades, o capataz silenciou a família e ameaçou de represálias violentas todos os membros da comunidade. Como era costume desde tempos ancestrais, a comunidade reuniu o conselho dos mais velhos. Decidiram então que, se a justiça da cidade não existia para eles, aplicariam a própria Justiça. Julgaram o assassino e aplicaram-lhe a pena de morte. Só então a justiça da cidade apareceu. Como o capataz integrava o sistema, queriam saber quem era o autor do "crime". Todos os habitantes da comunidade se apresentaram. Afinal, todos haviam participado na execução da pena, até mesmo as mulheres.

Sofri o mesmo choque que já havia passado na Bolívia: a constatação de que o Estado, a Justiça, as Leis, os serviços básicos de saúde e educação, era tudo em espanhol para os hispano-falantes. A população peruana nesse tempo ainda era de maioria quíchua e aimara, majoritariamente quíchua. Constantemente ocorria o fato insensato de um cidadão ser acusado e julgado sem compreender uma palavra de seus acusadores e juízes. Assim como acontecia de uma enferma ser atendida por um médico sem poder explicar suas dores e seus temores. Acabar com esse tipo de injustiça era o objetivo final da Operação Alfin. Por isso ela deveria ser multilíngüe, e o Peru deveria reconhecer o quíchua e o aimara como idiomas oficiais, juntamente com o espanhol.

Todos os meios de comunicação têm que estar integralmente a serviço da revolução

Em abril de 1973, teve início a Operação Alfin. A missão dos monitores era deslocar-se para determinada área e lá organizar e coordenar o trabalho de alfabetização, mobilizando de preferência o pessoal local que já tivesse sido iniciado nas letras. A base do método era o que hoje se conhece como construtivismo, com forte inspiração nas idéias de Paulo Freire, respeitando à realidade peruana e armado dos mais diversos acessórios de apoio. O monitor, depois de formado, era capaz de sobreviver em condições adversas na selva ou no altiplano, podia ministrar primeiros socorros, organizar jogos e atividades de lazer, potencializar a capacidade criativa dos moradores, criar condições para o desenvolvimento de meios de comunicação locais de caráter participativo, instrumentalizar os jovens e os adultos a aprender e a ensinar a ler e a escrever, capacitar em rudimentos de administração, e muitas outras coisas. Foram formados verdadeiros quadros da Revolução Peruana. Alistaram-se milhares e milhares de estudantes e universitários peruanos como voluntários na operação, os quais foram alfabetizar sob a orientação desses monitores. Os resultados foram fantásticos. Milhões de camponeses foram resgatados para a atividade intelectual.

Ainda na primeira etapa do trabalho da Operação Alfin, a pedido de Salazar, produzi um estudo sobre o papel dos meios de comunicação no Peru. Transcrevo as conclusões:

"1. Os meios de comunicação estão estruturados de acordo com a ideologia capitalista. Servem à perpetuação do sistema que a Revolução questiona por considerar ser a causa do subdesenvolvimento e da dependência.

2. Os meios de comunicação são os responsáveis pela alienação de nossos povos, pela difusão de falsos valores culturais, pelo desprezo dos valores mais autênticos de suas culturas milenares.

3. Todo esforço que se faça para a mobilização popular com vistas aos objetivos revolucionários se chocará com um esforço em direção contrária dos meios de comunicação. Em outras palavras, os meios atuarão com toda a força contra os objetivos da Operação de Alfabetização Integral e todos os instrumentos que a revolução venha a criar para conseguir a participação do povo no processo.

4. Diante dessas considerações, conclui-se que todos os meios de comunicação, particularmente os de maior penetração, como o rádio e a televisão, têm de estar integralmente a serviço da Revolução."

Salazar levou essas conclusões resumidas para uma reunião do gabinete ministerial, afirmando que este era seu pensamento e que a Revolução de fato seria frustrada se não fossem adotadas medidas de salvaguarda na área de comunicação. Pediram-lhe que organizasse a formulação de uma resposta objetiva e condizente com o espírito da Revolução Peruana. Foi estruturada uma comissão para propor alternativas, integrada por pessoal do *Expreso*, assessores de Velasco e o pessoal de *Sinamos* — o organismo encarregado da mobilização social e da comunicação da Revolução Peruana.

A Revolução Peruana entregou os jornais à sociedade organizada

A 27 de julho de 1974, foi promulgada a lei que liquidou com o regime de propriedade privada dos jornais de circulação nacional e os entregou à sociedade organizada.

El Comercio foi entregue às organizações camponesas, entre elas a maior organização de massa do Peru; *La Prensa*, às comunidades de trabalhadores, sindicatos e centrais sindicais; *Última Hora* às organizações de serviços; *Correo*, às organizações de profissionais; *Ojo* aos escritores e artistas. *Expreso*, expropriado pela segunda vez, foi entregue à comunidade educativa nacional. Em cada jornal foi estabelecido um Comitê Diretor — integrado por pessoal indicado pelo setor a que estava designado, uma personalidade escolhida pelo governo e por membros do sindicato da empresa — com a missão de, no prazo de um ano, organizar uma transição definitiva.

Iniciou-se um processo muito difícil. No *Expreso* nem tanto, porque continuou sendo porta-voz do velasquismo e incorporou alguns elementos das organizações relacionadas com a educação em seu comitê diretor. Porém, nos outros jornais a situação ficou complicada. Os trabalhadores, principalmente das redações, não conseguiam definir o seu papel na nova imprensa socializada e continuavam fazendo os jornais com todos os vícios anteriores. Tampouco os dirigentes e o público das entidades para as quais a propriedade dos jornais foi transferida entendiam a proposta. Ganharam um meio de comunicação e não souberam o que fazer com ele. Mas os autores da lei sabiam que a plena compreensão sobre a imprensa socializada se desenvolveria no processo. Por isso deram um ano para a transição, para se fazer um trabalho de educação e envolvimento em busca desse entendimento. Velasco deu a oportunidade para se criar uma alternativa de comunicação nova, diferente de tudo que estava em vigor em todo o mundo, e realmente democrática. Era um desafio de dar frenesi.

Boa parte do conteúdo dos estudos que realizei nessa época foi publicada no *Expreso* na forma de artigos. Posteriormente, depois da expropriação dos jornais de circulação nacional, fui convidado a proferir palestras sobre o tema em mais de uma dezena de faculdades no Peru. A partir de 1980, já no Brasil, voltei a trabalhar o tema, proferi várias palestras, participei de congressos da União Cristã Brasileira de Comunicação (UCBC) e apresentei um trabalho mais exaustivo em reunião da Sociedade Brasileira para o Progresso da Ciência (SBPC): "*Os meios de comunicação como instrumentos de dominação e alienação.*" Atualmente, continuo trabalhando sobre o tema, sob o enfoque da imprens na era da globalização e com a intenção de publicar um livro.

Com a socialização da imprensa peruana, os membros da Sociedade Interamericana de Imprensa (SIP), que reúne proprietários de jornais de todas as Américas e do Caribe, entraram em pânico, mobilizaram toda a força e recursos para combater o projeto. A CIA também, claro. O mínimo de tolerância que ainda havia com relação à Revolução Peruana na comunidade internacional, particularmente no continente americano, desapareceu. Até intelectuais que participavam do debate em busca da democratização dos meios de comunicação ficaram chocados. Ouvi de muitos colegas jornalistas e de professores críticas ao que diziam atentado contra a liberdade de imprensa no Peru. É fácil teorizar sobre a necessidade de democratização dos meios de comunicação. Mas não é fácil suportar a perda dos privilégios de classe que resulta da democratização.

A partir desse momento recrudesceu a conspiração contra-revolucionária. Isso será tratado num próximo capítulo.

17. Santiago

Trabajadores de mi Patria.
Tengo fe en Chile y su destino.
Superarán otros hombres este momento gris
y amargo, donde la traición pretende imponerse.
Sigan ustedes sabiendo, que mucho más temprano
que tarde se abrirán las grandes alamedas
por donde pase el hombre libre
para construir una sociedad mejor.
Viva Chile, viva el pueblo, vivan los trabajadores.
Estas son mis últimas palabras, y tengo
la certeza de que mi sacrificio no será en vano.
Tengo la certeza de que por lo menos
habrá una sanción moral que
castigará la felonía, la cobardía y la traición.

Últimas palavras de Salvador Allende

O original da Proclamação da Independência do Chile, firmado por Bernardo O'Higgins em 1818, foi queimado pelos militares comandados pelo general Augusto Pinochet Ugarte. O documento foi queimado junto com o *Palacio de La Moneda*, outro patrimônio histórico, depois de ter sido levado ao suicídio, em 11 de setembro de 1973, o presidente constitucional do Chile, Salvador Allende Gossens.

A queima do precioso documento de O'Higgins, muito mais que um fato casual, é um símbolo que caracteriza todos os atos da junta militar que tomou o poder. Foi queimada a independência no Chile em seu sentido mais amplo. Foram queimadas a independência e as liberdades individuais, o direito à livre expressão, o de reunião, o de trânsito e todos os demais direitos humanos reconhecidos pela Carta das Nações Unidas.

Quebraram o estado de direito, não para superá-lo, mas para instaurar outro, à sua maneira. Abortaram o jogo político, seus mecanismos institucionais de discussão e suprimiram os partidos políticos. Fizeram tudo isso desconhecendo o desenvolvimento histórico das massas, jogando fora os 150 anos de história e a constitucionalidade que diziam defender.

Foram queimadas a independência econômica e a soberania do país. A junta assumiu o poder como conseqüência da execução de um plano traçado, financiado e apoiado do exterior, e a política econômica iniciada pelo novo governo foi elaborada para satisfazer os interesses do capital internacional.

Apenas duas semanas após o golpe, o presidente da junta, general Pinochet, anunciava a restituição a seus proprietários estadunidenses de certas minas e indústrias expropriadas pelo governo de Allende. Toda a indústria petroquímica foi devolvida à *Dow Chemical*. Foram devolvidas mais de uma centena de indústrias do setor de propriedade social, fundamentalmente têxteis, de eletrodomésticos, farmacêuticas, de cerâmica, utilitária entre outras. Em novembro, foi iniciada a devolução a seus antigos donos das propriedades agrícolas com menos de 40 hectares, expropriadas pelo regime anterior. Mais de 500 propriedades foram devolvidas nos dois primeiros meses.

A junta militar anunciou que o Estado de Guerra implantado no Chile seria mantido por pelo menos um ano. Durou mais de vinte.

Para manter-se no poder, a junta desencadeou a mais desenfreada onda repressiva que se conhece na história do continente. Uma repressão que atingiu, além dos políticos, os setores nacionais de poder, o clero e particularmente os estrangeiros.

Sempre foi tradição, no Chile, a solidariedade com os lutadores pela democracia de qualquer parte. Buscaram refúgio ou asilo político no Chile durante o governo de Allende, cerca de seis mil bolivianos, cinco mil brasileiros, dois mil uruguaios, centenas de centro-americanos.

Nos dias seguintes ao golpe, o ministro do Interior, general Oscar Bonilla, lançou uma proclamação que dizia: "*Todos los extranjeros, especialmente los latinoamericanos, son sospechosos de extremismo. Han venido al país a matar chilenos*". Volantes atirados de um helicóptero exortavam: "*Vecino patriota, denuncie a su vecino extranjero*".

As embaixadas de países democráticos em Santiago não tinham onde colocar as pessoas que buscavam refúgio

Começaram as prisões. Os cárceres, tanto civis como militares, tiveram sua capacidade esgotada. A 27 de setembro, o Comitê Internacional da Cruz Vermelha informou oficialmente que até aquela data havia aproximadamente cinco mil pessoas detidas no Estádio Nacional.

Os políticos mais importantes foram confinados pela junta em um campo de concentração na ilha Dawson, custodiada pela Marinha. Uma ilha de dois mil km^2, localizada ao sul do Estreito de Magalhães, açoitada pelo mar e pelo vento gelado dos glaciais. Na primavera, a temperatura média ali é de um grau, no inverno chega aos 30 abaixo de zero. Outros campos de concentração foram abertos. Entre eles o de Chacabuco, em uma salitreira abandonada no interior de Antofagasta. Outro, que já tinha sido presídio, em Pisagua, entre o deserto e o mar. Outras ilhas inóspitas foram convertidas em cárceres, como a Quiriquina, em frente à costa de Concepción.

Em todas as prisões e campos de prisioneiros a rotina era a tortura. A preferida era o choque elétrico aplicado na fronte, mãos e órgãos genitais. Era também comum a participação de policiais brasileiros, argentinos, uruguaios e estadunidenses nos interrogatórios.

As embaixadas de países democráticos em Santiago já não tinham onde colocar as pessoas que buscavam refúgio. Na embaixada do Panamá, onde havia um grupo enorme de brasileiros, as pessoas dormiam amontoadas pelos corredores. A situação chegou a ponto de pôr em risco a saúde das pessoas por problemas de salubridade. Foi preciso, então, habilitar uma extensão da embaixada, uma casa cedida pelo sociólogo brasileiro Theotonio dos Santos. Em outubro, as Nações Unidas e o Comitê Internacional para as Migrações Européias (CIME), organizaram alguns acampamentos de refugiados que abrigaram mais de quatro mil pessoas.

Sobre o número de mortos, as informações eram contraditórias. Segundo versões autorizadas, no período de 11 de setembro a 31 de dezembro de 1973 foram mortas cerca de 30 mil pessoas. Apenas em setembro, foram assassinadas três mil.

Para sanar a economia, foram utilizadas as tradicionais fórmulas monetaristas do FMI e desencadearam contra os trabalhadores, uma violência repressiva jamais vista antes no continente. Dessa forma conseguiram também resolver o problema do desemprego, lançando ao exílio político e à migração econômica mais de dois milhões de trabalhadores chilenos. Em São Paulo, na década de 1980, viviam mais de 500 mil chilenos, a maioria trabalhando clandestinamente. Muitos ainda estão por aqui: são mecânicos de automóvel, músicos, artesãos, vendedores.

Pela redação do diário *Expreso* e por minha casa em Lima passaram muitos refugiados com destino a outros países. E esse era outro grande problema. Poucos governos se dispunham a receber essas pessoas. Eram muitas mulheres com filhos, homens e mulheres de todas as idades, que, além de um lugar para ficar, necessitavam trabalhar.

Os testemunhos que escutei, registrei e publiquei nessa época são horripilantes. Principalmente dos que passaram pelo inferno do Estádio Nacional:

"... diante de cerca de sete mil pessoas, um menino de apenas 14 anos foi liquidado no momento em que tinha um ataque de nervos... ."

"... a senhora M., grávida de 8 meses, foi golpeada na barriga com um fuzil. Como conseqüência abortou diante de nossos olhos e se viam também feridas sangrando em seu peito... ."

O capitão Vânio de Matos, da Polícia Militar de São Paulo, que foi militante da Vanguarda Popular Revolucionária (VPR), foi uma das vítimas assassinadas no Estádio Nacional depois de ter sido barbaramente torturado.

A morte de Victor Jara

Victor Jara era violonista, cantor e compositor do novo cancioneiro chileno. Fazia parte da geração de músicos latino-americanos comprometidos com o movimento de libertação dos povos: a argentina Mercedes Sosa, o uruguaio Daniel Viglietti, o brasileiro Geraldo Vandré, os cubanos Silvio Rodríguez e Noel Nicola e tantos outros. Victor era militante comunista. Participou dos comícios para a eleição de Allende e estava trabalhando no desenvolvimento da cultura popular quando foi preso pelos protagonistas do pinochetaço. Foi levado para o Estádio Nacional.

"... Em um dado momento, Víctor desceu para a platéia e se aproximou de uma das portas por onde entravam os detidos. Ali topou — cara a cara — com o comandante do campo de prisioneiros que o olhou fixamente e fez o gesto mímico de quem toca violão. Victor assentiu com a cabeça, sorrindo com tristeza e ingenuidade. O militar sorriu, contente com sua descoberta.

"... Levaram Víctor até a mesa e ordenaram que pusesse suas mãos em cima dela. Rapidamente surgiu um facão. Com um só golpe cortaram seus dedos da mão esquerda e, com outro, os da mão direita. Os dedos caíram no chão de madeira, ainda se mexendo, enquanto o corpo de Víctor se movia pesadamente.

"... Depois choveram sobre ele golpes, pontapés e os gritos: 'canta agora... canta...', a fúria desencadeada e os insultos soezes do verdugo ante 'um alarido coletivo' dos detidos.

"... De improviso, Víctor se levantou trabalhosamente e, com o olhar perdido, dirigiu-se às galerias do estádio ... fez-se um silêncio profundo. E então gritou:

"... Vamos lá, companheiros, vamos fazer a vontade do senhor comandante".

"... Firmou-se por alguns instantes e depois, levantando suas mãos ensangüentadas, começou a cantar com voz ansiosa o hino da Unidade Popular, a que todos fizeram coro.

"... Aquele espetáculo era demasiado para os militares. Soou uma rajada e o corpo de Víctor começou a se dobrar para a frente, como se fizesse uma longa e lenta reverência a seus companheiros. Depois caiu de lado e ficou ali estendido..."

Eu vi a cara do fascismo

São muitas as coisas que vi ou vivi no Chile. Muitas coisas boas, é claro. As boas e entranháveis amizades alimentadas por vinhos maravilhosos e incomparáveis frutos do mar. Os debates políticos e ideológicos com intelectuais e revolucionários de toda a América Latina. No entanto, o que se impõe nesta catarse é o pinochetaço. Só vejo necessidade de falar sobre isso. Assim como me parece absurdo que tudo isso tenha acontecido, hoje não creio ser impossível que não possa tornar a acontecer em qualquer de nossos países. Esse temor é o que me inspira a deixar o testemunho deste livro.

Em uma de minhas tantas viagens ao Chile fui fazer a cobertura do auge da campanha da Unidade Popular (UP) para eleger o presidente Salvador Allende. Em uma das reportagens de uma série que escrevi, disse que vi a cara do fascismo. Assisti aos comícios da Unidade Popular, a coalizão partidária que sustentava a candidatura de Salvador Allende à presidência: a frente política integrada pelo Partido Socialista (PSC), pelo Partido Comunista (PCC), pelo Movimento de Ação Popular Unitária (Mapu), marxistas independentes e a esquerda cristã. Eram vibrantes concentrações populares. Uma grande alegria com participação espontânea de artistas como Victor Jara, Isabel e Angel Parra, Kilapayun e outros. Vinte, trinta mil pessoas em torno do palco improvisado, a maioria de mestiços, povo trabalhador. E vi as manifestações da direita. Comícios com cerca de cerca de mil pessoas, passeatas de grande agressividade pelas ruas. A diferença estava no tipo das pessoas. É impressionante como a classe rica no Chile é extremamente branca em contraste com a massa popular, de maioria mestiça. Nos outros países da América Latina há a oligarquia local, ou seja, os poderosos com sangue mestiço. No Chile, não. Os "*momios*" ou "*rabiblancos*" normalmente não se misturam. Claro que para confirmar essa regra há as exceções, principalmente entre a classe média mais pobre. Os mais agressivos estavam organizados em Pátria e Liberdade, uma organização com um grupo armado de caça aos comunistas.

Segui atentamente todos os fatos relacionados ao Chile. Denunciava incansavelmente em *Expreso* as atrocidades cometidas pelo regime de Pinochet. Sistematizei toda a informação de que dispunha e escrevi, em Lima, o livro *Chile, anatomía de un golpe*, editado pela Editorial Horizonte. Mais tarde reescrevi esse livro, apresentando tudo isso em um contexto mais amplo e mostrando os cem anos de agressão do imperialismo dos Estados Unidos sobre os países da América Latina e do Caribe. Foi editado por Jaca Book de Milão, Itália.

Nesse livro menciono que a economia chilena está historicamente assentada na exploração e exportação de minérios — primeiramente o *guano*, depois o salitre, o cobre, e o ferro. O Estado foi estruturado em função dos interesses dos grupos que controlavam o setor fundamental da economia, ou seja, os grupos monopolistas. A sociedade chilena cresceu e se desenvolveu sob o reflexo desse Estado, como uma sociedade de imigração. Os setores dinâmicos não chegam a se constituir em força produtiva para si e também se organizam para exportar. A agricultura chilena produz uva, vinho, maçã, pêssegos, tudo para exportar. O produto da exportação é gasto para importar alimentos, tecidos, entre outros. Essa estrutura econômica, aliada à manutenção de uma baixa taxa de crescimento demográfico é suficiente para manter as amplas camadas da sociedade, particularmente os setores de serviço e comércio, com alto poder aquisitivo. Então, para o sistema, o Chile é interessante como fonte de matéria-prima e mercado consumidor.

Na medida em que a conjuntura obrigou o Chile a promover uma política de substituição de importações, desenvolveu-se o proletariado. E foi a imigração européia que nutriu esse proletariado.

Todos esses fatores determinam que o Chile se projete para fora e reflita o mundo exterior em seu mundo interior. Isso levou a que Luis Emilio Recabarren, dirigente operário e teórico marxista, advertisse que o Chile era *"a mais europeizada das nações latino-americanas"* e pregou a necessidade de *"nacionalizar o pensamento chileno."*

A formação de uma frente popular com partidos de esquerda agrupados na Unidade Popular e a própria proposta dos intelectuais que apoiavam e trabalhavam com o governo de Allende foram uma tentativa de encontrar um caminho chileno.

No entanto, a UP, presa de esquemas alheios à realidade — os quais só poderiam ser viáveis em antigas sociedades altamente industrializadas da Europa — parece ter abstraído a condição socioeconômica chilena e nem mesmo pensou que a estrutura militar pudesse ser conseqüência dessa realidade.

Em um exame crítico dos acontecimentos do Chile, deve-se reconhecer que a UP superestimou a força do proletariado e subestimou as forças das amplas camadas sociais, condicionadas pelos fatores mencionados e por uma pressão incalculável dos meios de comunicação de massa.

Ainda no fragor das perseguições e na clandestinidade, o secretário geral do Partido Socialista e membro da direção da Central Única de Trabalhadores (CUT), Ezequiel Ponce e o secretário geral da Juventude Socialista, deputado Carlos Lorca, expressaram em uma entrevista:

"A verdade é que a esquerda cometeu erros no curso dos três anos do processo. A inexistência de uma vanguarda real expressou-se em desvios, tanto de direita como de esquerda, que prejudicaram a possibilidade de uma condução proletária desse processo [...]. A grande superioridade material de que dispunha o adversário, que preparou o golpe em silêncio, nas sombras (e a verdade é que nós nos equivocamos ao não avaliar corretamente as forças que o fascismo havia atingido no seio das instituições armadas), levou-nos a decidir por um recuo ordenado, porque entendemos que a nossa luta não terminou em 11 de setembro, mas que o 11 de setembro marca uma derrota muito importante para a classe operária chilena, para o proletariado mundial, mas um hiato do qual o povo saberá extrair as lições para combater firme e implacavelmente esta ditadura, evitando a conciliação, evitando o infantilismo, até sua derrota completa e a restauração de um governo democrático, pluralista e popular".

Para o sistema, interessado em impor sua divisão de trabalho no continente, o convulsionado Chile da Unidade Popular era uma presa fácil que não poderia resistir a uma crise que o imperialismo foi capaz de desencadear. O imperialismo apostou na fragilidade do esquema. Apostou e ganhou. O Brasil, os Estados Unidos e os grandes conglomerados empresariais transnacionais geraram, articularam, promoveram e financiaram a crise chilena bem como a ascensão e consolidação do regime de Pinochet.

A anatomia de um golpe

O médico e militante do Partido Socialista do Chile (PSC), Salvador Allende Gossens, foi três vezes candidato derrotado à presidência da República. Venceu em agosto de 1970, depois de a esquerda ter conseguido formar uma ampla frente de massas conduzida pela Unidade Popular. Em muito pouco tempo, o governo da Unidade Popular havia conseguido transformações que colocavam em perigo a estabilidade do sistema e da sociedade consumista. No início de 1972, o Estado já controlava as riquezas naturais e as indústrias básicas do país, fundamentalmente o cobre. O latifúndio havia sido praticamente eliminado. O Estado controlava 30% do crédito, 85% das exportações e 45% das importações. Em 1971, o produto nacional havia crescido 8% em relação a uma média de 2,7% entre 1969/1970.

O desemprego havia sido reduzido e tinha aumentado o nível de consumo das famílias de menor renda. O programa de saúde havia diminuido a mortalidade infantil, por meio de várias campanhas sanitárias e de nutrição, como a distribuição de 1/2 litro de leite por dia a cada criança até 14 anos.

O Chile sob o governo da Unidade Popular constituiu com o Peru e o Panamá uma frente de luta democrática e antiimperialista nos fóruns internacionais. Essa frente trabalhou intensamente pela reforma do Sistema Interamericano, ainda hoje assentado na Organização de Estados Americanos (OEA) e o Tratado de Assistência Recíproca (Tiar), particularmente em seus mecanismos de segurança hemisférica, o Tiar e a Junta Interamericana de Defesa (JID). Denunciou a agressão do imperialismo em todos os seus aspectos, particularmente por meio dos grandes conglomerados transnacionais. Lutou pela criação de instrumentos de defesa dos recursos nacionais dos países em desenvolvimento; pelo pluralismo ideológico nas relações internacionais; pelo direito ao pleno exercício da soberania dos Estados e a livre determinação dos povos. Propugnou a reintegração de Cuba à comunidade latino-americana e o fim do bloqueio econômico imposto pelos Estados Unidos.

Cuba exultou com a vitória da Unidade Popular chilena, a qual abria novos caminhos para a revolução e o socialismo na América

Latina. Em 1971 Fidel Castro, a convite de Allende, fez uma viagem ao Chile. Ficou de 10 de novembro a 4 de dezembro, período em que pronunciou cerca de 40 discursos e entrevistas.

Os defensores do capitalismo, desesperados diante do desenvolvimento do programa da Unidade Popular decidiram fazer o máximo esforço para conseguir retomar o controle dos centros de decisão. Para isso, organizaram uma grande frente capitalista integrada pela Democracia Cristã (PDC), pelo partido Nacional (PN), pela Sociedade de Fomento Fabril (Sofofa), pela CIA, pelos agentes do capital estrangeiro e pelos grupos paramilitares de direita.

O *Council of America* é uma das maiores organizações empresariais dos Estados Unidos e agrupa as 250 maiores empresas do país. Além das transnacionais, abriga também o Conselho Interamericano de Comércio e Produção, a Câmara de Comércio dos Estados Unidos e o Conselho Nacional de Comercio Exterior.

Além da organização do Concil situada em Nova York, a mais importante era a do Rio de Janeiro, cujo papel foi preponderante na conspiração que levou ao golpe contra Goulart em 1964 e, juntamente com a CIA, foi peça-chave na condução dos acontecimentos no Chile.

Willian Colby, diretor da CIA na época, em declarações à Comissão Parlamentar que investigou a participação da Agência no Chile, admitiu a participação tanto da Agência como do *Council* na conspiração. Segundo consta dos *herings* do Congresso, que são os relatórios da Comissão Parlamentar — Colby disse, em outubro de 1973, que o diretor do Council para o Brasil, Jack Wyant, viajou duas vezes para o Chile, portando instruções e dinheiro para os golpistas.

Em 6 de janeiro de 1974, o *Washington Post* publicou um informe de Marlise Simons, "*Brazilian Connection*" no qual são citados o geólogo Glycon de Paiva, vinculado a um instituto dedicado à luta anticomunista e Aristóteles Drummond, criador de um grupo paramilitar. A referência era ao Instituto de Pesquisa e Estudos Sociais (IPES), fundado pelo milionário Gilberto Hubes, que entre 1961 e 1964, serviu de ligação entre empresários e as Forças Armadas na preparação do golpe contra o governo de Goulart, sob a coordenação do general Golbery do Couto e Silva. Segundo o depoimento de Glycon, reiterado mais tarde em uma entrevista à revista *Veja* de 16 de janeiro de 1974, eles não apenas planejaram o golpe, conforme o modelo brasileiro de 1964, como ainda tinham seus "pombos-correios" que levavam o dinheiro e as instruções para a oposição ao presidente Allende.

Na época também foi denunciada a participação da gigantesca transnacional *International Telephone and Thelegraph Co.* (ITT) Em um relatório, a ITT recomenda à Agência de Informação dos Estados Unidos que dê instruções ao *United State Information Service* (USIS) sobre como devem ser os editoriais de *El Mercurio*, o principal diário de circulação nacional no Chile.

Paralelamente, nos *herings* mencionados, o ex-diretor da CIA, Richard Helms, revelou que a Agência havia destinado 400 mil dólares para apoiar órgãos jornalísticos de oposição a Allende.

O dinheiro servia para ditar a linha aos jornais e também para provocar o desabastecimento, o que ocasionava uma verdadeira psicose coletiva. Escondiam leite em pó, café, fósforos, pasta de dentes, cimento, pregos, entr outros produtos. Cinqüenta mil chupetas foram encontradas enterradas em um canal a 130 km ao sul de Santiago, onde os empresários tinham a fábrica.

Uma decisiva ação de desestabilização para levar os chilenos ao desespero foi a greve dos caminhoneiros. León Villarín, líder dos transportadores que após o golpe iniciou uma extensa viagem pela América Latina, pelos Estados Unidos e pela Europa, tratando de justificar a ação das Forças Armadas, foi repetidamente qualificado de agente da CIA. Villarín era filiado ao Instituto Americano para o Desenvolvimento do Sindicalismo Livre (Iadesil) cuja sede localiza-se nos EUA, e se dedica, entre outras atividades, a formar líderes de oposição ao sindicalismo de esquerda.

No entanto, o que garantiu o êxito foi o assassinato do general Prats, comandante-em-chefe das Forças Armadas, fiel à institucionalidade, ou seja, ao governo de Allende. Apenas em maio de 2000 foi confirmado o que já se sabia. Os jornais publicaram a confissão do agente secreto Michel Townley, que reconheceu ter sido o executor do atentado contra Prats por ordem de seu superior, o comandante da DINA, o serviço de informações chileno, o general Manuel Contreras. O lugar de Prats no comando geral foi ocupado pelo general Augusto Pinochet Ugarte que, 20 dias depois, comandou o golpe que derrubou o governo da Unidade Popular e a morte do presidente Allende.

Por último, por uma inexplicável coincidência, o golpe de 11 de setembro foi produzido quando estava presente em águas chilenas uma frota da Marinha de Guerra dos Estados Unidos, que participava da Operação Unitas... e três dias depois de haver sido chamado a Washington o embaixador Davis, "para prestar contas".

Em 24 de janeiro de 1974, um telegrama da agência de notícias AP veiculava a denúncia feita pelo escritor colombiano Gabriel García Márquez à revista nova-iorquina *Harpers* sobre o espetacular bombardeio do *Palácio de la Moneda,* executado *"por um grupo de acrobatas aéreos norte-americanos"*. García Márquez dizia que a intervenção militar começou a ser gerada desde o final de 1969 entre companheiros de armas dos Estados Unidos e do Chile.

Uma geopolítica inspirada em Hitler

Quando, no século XIX, os interesses do imperialismo viramse afetados pelo esgotamento das salitreiras, este não duvidou em buscar na expansão territorial a saída para seus problemas. A guerra do Chile contra a Bolívia e o Peru (1879/1883) foi uma guerra de expansão territorial, ditada pelos interesses do imperialismo que naquele momento histórico tinham suas bases em Londres.

Harry Guggenheim, empresário, financista e dirigente sionista, foi quem explorou o salitre do Chile no século XIX. Foi quem determinou a insuficiência das salitreiras e a necessidade de buscar outras. Por estranha coincidência, a família Guggenheim é também indiretamente a "dona" da *Kennecott Koper Co.,* monopólio que apertou seus garrotes para sufocar a economia chilena durante a chamada "guerra do cobre", movida pelo governo de Richard Nixon contra o governo de Allende, que tentou embargos de mineral chileno em vários portos do mundo.

Os antecedentes históricos são importantes porque determinam a característica e o conteúdo original das Forças Armadas do Chile. Uma instituição a serviço de interesses estrangeiros. Uma instituição feita para a guerra.

Outro aspecto é o conteúdo social, ou seja, a origem de classe da oficialidade chilena. A política de extermínio das populações indígenas esteve presente não apenas na conquista, mas também nas épocas posteriores. À colonização espanhola sucedeu, em fins do século XIX e início do século XX a imigração de colonos alemães, franceses, ingleses, judeus, italianos. Principalmente alemães.

A oficialidade chilena está conformada, fundamentalmente, pelos filhos das camadas médias do meio urbano ou rural, formado pela imigração, na qual abunda a origem germânica ou francesa. Imigrantes que deixaram seus países para vir "fazer a América", isto é, vieram com alguns recursos para realizar o sonho de ascensão social que a dureza do sistema lhes impedia de realizar na Europa.

Nas marchas das "panelas vazias" que as mulheres freqüentemente realizavam em Santiago contra o governo de Allende via-se a presença de um grande número de esposas de oficiais superiores. Era visível a fobia dessa gente contra o marxismo.

E isso também tem que ver com a formação dos oficiais nas escolas militares. O grande teórico da doutrina militar chilena é o general Augusto Pinochet Ugarte, autor de quatro obras: *Diferentes etapas para o estudo geopolítico dos Estados* (1968); *Geografia do Chile; Geografia da Argentina, Peru e Bolívia* e *Guerra do Pacífico de 1879.*

Pinochet já previa a possibilidade de intervenção armada com o fim de controlar a política interna ao pregar que: ... *deve-se analisar como o poder político cede sua frente ao poder militar, quando a violência se faz necessária, para fazer predominar os objetivos que sejam fixados pelo país*."

E sabia igualmente que a ação dos meios de comunicação, armas da guerra psicológica, seria a chave mestra para desencadear a ação que "*salvaguarda o sistema em seu país*." Essa lição ele a aprendeu de seu mestre da geopolítica alemã e o cita:

Foi Adolf Hitler o primeiro que compreendeu a importância extraordinária da ação psicológica, expressando em sua obra Minha Luta *(Mein*

Kampf): A propaganda revolucionária desempenhará no futuro o papel que tem a cortina de fogo artilheiro como preparação para o ataque da infantaria. Suas tarefas serão derrotar psicologicamente o inimigo antes que entrem em ação os exércitos.

E não foi só essa a lição que Pinochet aprendeu da escola hitlerista. Quando era coronel do Estado Maior e professor de Geopolítica, ensinava a geopolítica como a ciência do "espaço vital", no qual *"o Estado é um organismo vivo que se encontra empenhado em uma luta constante pela existência."*

Conseqüentemente, *"um dos objetivos da geopolítica é o de proporcionar antecedentes sobre a possível aplicação e utilização dessas leis espaciais na política exterior do Estado no período de desenvolvimento."*

Para o general Golbery do Couto e Silva, geopolítico brasileiro, autor do livro *Geopolítica* (1967), os Estados subdesenvolvidos do continente devem subordinar sua segurança aos conceitos de segurança hemisférica da grande potência do Norte.

Para Pinochet: "Os *Estados Unidos, jovem país de grande potencialidade econômica, estão em condições de exercer um controle político econômico indireto sobre as maiores áreas mundiais. Sua geopolítica trabalha com base nestas possibilidades, para ampliar sua área de influência que tem hoje em âmbito mundial."*

Finalmente, ao estudar a influência do fator racial na geopolítica, Pinochet deixa claro ter herdado também o racismo xenófobo que foi uma das vigas mestras da aventura bélica do Terceiro Reich. Tipifica bem o pensamento de Pinochet a seguinte transcrição de sua obra Geopolítica:

"Base social do grupo racial

As áreas geográficas ocupadas por um determinado grupo racial dão produtos diferentes; assim, a região da Grécia teve resultados diferentes no grupo racial dolicocéfalo loiro que quando foi ocupada pelos braquicéfalos celto-eslavos.

Enquanto os dolicocéfalos loiros produziam filósofos, pensadores, artistas, etc., quando a mesma zona foi ocupada pelos braquicéfalos celto-eslavos não houve tal auge intelectual.

O espanhol não teria aproveitado o carvão e a posição marítima da Inglaterra da forma como o realizou o anglo-saxônico. Da mesma forma, os anglo-saxônicos não exploraram as entranhas e a localização de suas ilhas, senão quando ultrapassaram as portas da etapa industrial.

As raças de estado devem ser estudadas e analisadas pelo geopolítico para ver:

— Se ela é uma raça perfeitamente harmonizada com o período político-econômico do Estado.

— Se é necessário trazer imigrantes para que esta corrente seja favorável ao Estado e que ela se arraigue ao território, misturando seu sangue com o aborígine, como um meio de melhorar o valor racial da população".

18. Roma e Barcelona

O passaporte é a parte
mais importante do homem.
Ademais não se fabrica um
passaporte de uma forma
tão fácil como se faz um homem.

Bertolt Brecht, em "Diálogo dos Exilados"

Em Lima, com Bia e os meninos, morávamos num quadrilátero de classe média pobre na fronteira de um bairro de classe média alta, num prédio de esquina com frentes para as ruas Roma e Barcelona, no bairro de San Isidro. Era um prédio de três andares sem elevador. Já havia sido um *flat*, mas o proprietário desistira de oferecer os serviços de hotelaria e apenas alugava os apartamentos mobiliados. Continuava aceitando contratos temporários de um mês, dois, até um ano, sem muita burocracia, o que facilitava a vida para os novos ciganos, a diáspora dos que sonhavam com liberdade fugindo das ditaduras do fascismo moreno.

O local foi se tornando ponto de referência e fomos ficando. Moramos nesse endereço até o último dia de nossa permanência no Peru. Nesse mesmo prédio, veio morar o Augusto Montesinos e sua companheira Elba, refugiados da Bolívia. Logo depois chegou o pintor mineiro Vicente de Abreu, sua esposa Zélia e a filha Carmencita. Carlos Ortega, companheiro editorialista de *Expreso*, depois que se divorciou de sua primeira esposa também veio morar aí. No prédio do outro lado da rua Barcelona, vivia um casal peruano, Ézio Parodi, dirigente local da Democracia Cristã, e sua esposa, Laura, com dois filhos da mesma idade dos meus, e nos tornamos muito amigos. Perto de casa também morava Begoñia Ibarra, grande amiga peruana que não poupou esforços para abrigar refugiados e ajudar nas demais questões da solidariedade.

A demanda foi crescendo, o proprietário do prédio do outro lado da rua, também de esquina, passou a oferecer apartamentos mobiliados. Moraram aí os bolivianos Coco Manto e Pepe Luque[1], com suas respectivas esposas e filhas. Também o Altair Campos, capitão do Exército brasileiro cassado, com sua esposa Vanize e duas filhas. Passaram por essa esquina, por temporadas mais curtas, vários argentinos militantes dos Montoneros ou do Exército Revolucionário do Povo (ERP) (trotskista). Perto, uns três ou quatro quarteirões, morava o Gui de Almeida com Clélia, e seus cinco filhos. Depois do golpe do Pinochet no Chile, a colônia brasileira residente chegou a umas seis famílias e uns quatro ou cinco avulsos, entre eles a Darci e o Mauro, o Marcilio e Helena, a Malu, o Walter e a Miriam, a Elza, Zenildo, Araquen, Expedito, entre outros. Dois grandes poetas: Thiago de Melo, que teve um enfarte enquanto estava em Lima, e o Ferreira Gullar, com a família. Ambos amargaram um exílio doído, inconformado. E também estiveram Neiva Moreira e sua companheira Beatriz Bissio. Fugiam do Uruguai e permaneceram um tempo antes de seguir para o México. Em Lima, Neiva escreveu um livro sobre a Revolução Peruana: *Modelo Peruano*.

O exílio e a solidariedade aproximam as pessoas e criam vínculos às vezes muito mais fortes que os familiares. Os grupos mais afins formam sua própria família. Nesse período também morava em Lima o professor Darcy Ribeiro, com contrato de trabalho com a Unesco, coordenando um projeto de sistematização da experiência de Sinamos. Nos víamos com a freqüência possível. Meus dois filhos, quase adolescentes o adoravam. Eles o chamavam de "Patoconcio", um personagem "de grande sabedoria" das historietas de Disney. Era um barato ver os três rolando no tapete.

Em uma de suas viagens à Europa, Darcy foi hospitalizado em Portugal e diagnosticaram um câncer num dos pulmões. Incrédulo, foi a um hospital na França. Confirmaram. Teria de fazer uma cirurgia radical. Voltou ao Peru muito angustiado, achando que ia morrer logo. Tomamos alguns porres homéricos nesse período por causa disso. Então ele decidiu que, se era imperativo operar, iria fazê-lo no Brasil. Sua chance de sobrevivência: 5%. Sua família no Brasil preparou o ambiente, avisando a imprensa, combinando com os médicos e o hospital. Quando ele quis viajar, a Embaixada Brasileira conseguiu que a Varig se negasse a embarcá-lo. Fizemos um escândalo na imprensa continental. Depois, com intermediação do governo peruano, conseguimos embarcá-lo. O aparato repressivo aguardava por ele no aeroporto do Rio de Janeiro, agentes da repressão presentes até no centro cirúrgico. Darcy sobreviveu a isso e a muito mais e nos deixou seus livros, o que, sem dúvida, é a mais importante contribuição à reflexão sobre nós mesmos como brasileiros.

Eu estava sempre muito bem informado sobre as questões e os fatos brasileiros. Recebia semanalmente um pacote de recortes de jornais e as principais revistas enviadas por familiares e amigos jornalistas. Em *Expreso,* tinha o *cast* de todas as agência internacionais de notícias, separava tudo referente ao Brasil, sistematizava e arquivava. Amigos jornalistas que passavam pelo Peru sempre me traziam livros e discos e aceitavam com prazer qualquer encomenda desse tipo. Wladimir Herzog e Miguel Urbano Rodrigues, enquanto estiveram na revista *Visão* me mandavam a revista e alguns discos. Wilson Gomes, um dos editores do *Diário da Noite* também. Ruy Fernando Barbosa e Luzia Rodrigues foram os mais fiéis entre os poucos amigos jornalistas brasileiros. Sempre arrumavam um jeito de fazer uma visita, trazer material para uma feijoada, mandar a última novidade em disco ou livro, visitavam meus pais em São Paulo.

Roma com Barcelona — *la esquina roja* — era a esquina de uma comunidade latino-americana no exílio. Ficava a 100 metros da avenida Javier Prado[2], com seus casarões, seus jardins sem cerca. Estávamos bem perto das embaixadas da União Soviética, da Checoslováquia, do Panamá, da China, da Coréia do Norte e do Japão. Morava num apartamento de dois quartos, sala, cozinha e banheiro no terceiro andar, de frente para a rua Roma. Do outro lado da rua havia uma pracinha, muito bem cuidada, onde se reuniam as comunidades latino-americanas das mães e das crianças, vivendo o pesado trauma do exílio. Com o passar do tempo, minha casa virou uma referência muito forte. Os demais membros dessa comunidade brincavam comigo dizendo que ali era uma embaixada e eu, o embaixador do povo brasileiro.

A oficial, a Embaixada da República do Brasil, ficava num casarão no bairro vizinho de Miraflores. Fomos lá tão logo chegamos ao Peru para solicitar renovação dos passaportes vencidos. Por sorte nossa, fazia parte do corpo diplomático uma amiga, Vera Pedrosa, filha de Mário Pedrosa, grande intelectual marxista brasileiro. Vera nos apresentou ao ministro conselheiro, diplomata de carreira que com muito respeito e franqueza disse que havia ordens superiores para reter o passaporte e conceder, no máximo, salvo-conduto para um retorno ao Brasil. Consegui ficar com os passaportes, mesmo vencidos, pois passaporte é o único documento válido para identificar um cidadão de qualquer nacionalidade fora de seu país. Aproveitamos a boa vontade do corpo diplomático para encaminhar as procurações necessárias para processar o governo brasileiro por esse absurdo. Se fosse depender do serviço consular, isso teria sido impossível.

Idibal Piveta, advogado, teatrólogo e jornalista, meu amigo desde fins dos anos 1950, quando fazíamos política universitária, já havia impetrado um Mandado de Segurança no Tribunal Federal de Recursos (TFR) contra o Ministério de Relações Exteriores, em função de negativa idêntica ao teatrólogo Augusto Boal que estava asilado na Argentina. Idibal já era um de meus advogados no processão da ALN, e assumiu também essa causa. Muitos dos asilados brasileiros não tinham passaporte e, a partir de 1972, o governo Médici resolveu não dar e não renovar mais nenhum documento para "subversivos". Tive muitos dissabores por causa disso. Até para Micaela, a filha recém-nascida de Eunice e Etevaldo, ele se negou a documentar.

Fiz algumas viagens mesmo com passaporte vencido, sempre correndo riscos, a começar pelas companhias aéreas que são instruídas a não dar o cartão de embarque nessa situação. Não havia problema quando um governo amigo dava visto ou um salvo-conduto entendendo a situação. Como eu era muito solicitado para cobrir foros internacionais, a pedido da chancelaria peruana o Departamento de Imigração me concedeu um passaporte peruano para estrangeiros, nos termos da Resolução 468 da Convenção de Genebra, aprovada pela ONU em 1947. Essa convenção foi subscrita logo no pós-guerra para documentar um número enorme de apátridas, grande parte judeus e ex-nazistas, e outros fugitivos de guerra, que perambulavam pela Europa. Um documento incômodo, pesado. Quando viajava sozinho era terrível. Nem todo funcionário de imigração conhecia esse tipo de documento. Quase sempre, olhava com enorme desconfiança, levava-me para uma sala especial para interrogatório. *"Se você é brasileiro, porque não viaja com passaporte brasileiro? Se você é residente peruano, porque não tem passaporte peruano?"* Era um suspeito: podia ser um ex-nazista, um judeu, um cigano, um traficante ou, pior dos piores, um terrorista. Fui detido nos aeroportos de Roma, Londres, Paris, Argel, até no de Moscou.

A ditadura me deixou de 1972 até 1977 sem passaporte. Bia também ficou todos esses anos sem o documento. Cinco anos que mereceriam uma reparação. O TFR julgou primeiro o caso de Boal. Os juízes deram-lhe ganho de causa por nove a favor e dois contra. Em seguida, foi a julgamento o meu caso: onze a zero. Com a jurisprudência firmada, foi Liberado para todo o mundo. O caso de Micaela ilustra bem a mentalidade dos ditadores da época. Guardei a defesa feita pelo Idibal. Micaela nasceu em dezembro de 1974 em Lima, filha de pais brasileiros e foi registrada na Embaixada do Brasil. Em setembro de 1976, os pais solicitaram o passaporte da menor junto à embaixada. O passaporte não foi providenciado nem foi explicado o porquê. No final deste capítulo, reproduzo partes da defesa do Idibal. Vale a pena conferir

Eu era da turma, portanto, que parassem de me aborrecer

Além de me negar passaporte, o governo brasileiro pedia minha cabeça aos governos dos países onde residi. Em alguns casos, informavam o governo do país onde me encontrava dizendo que eu era *persona non grata,* que estava desenvolvendo atividades contrárias aos interesses do governo brasileiro e me queriam de volta ao Brasil. Uma ocasião, a chancelaria peruana ofereceu uma recepção a chefes de Estado e convidou todo o corpo diplomático credenciado em Lima. Também fui convidado. Conversei alguns minutos com o presidente, general Velasco Alvarado, e ele, antes de me deixar para dar atenção a seus convidados, puxou carinhosamente minha barba, dizendo: *"Cuidese, barbudo! "* Isso diante do embaixador brasileiro. Foi uma maneira muito cordial do general Velasco mostrar ao embaixador, o oficial, que eu era da turma, portanto, que parassem de me aborecer. Quando deixei de ser da turma, os peruanos me deram cinco dias para abandonar o país.

Fiquei sabendo depois, não me lembro agora a fonte, que na embaixada brasileira havia um funcionário, mandado pelo SNI, só para controlar meus passos. Recortava todos os meus escritos, gravava meus discursos e minhas conferências. Certamente ele teve bastante trabalho.

Assim que chegamos a Lima, começamos a participar ativamente do Comitê contra as Torturas no Brasil[3] e, de 1º a 7 de setembro de 1972, realizamos a Semana de Solidariedade Internacional com o povo do Brasil. Foi um êxito. Quase um ano de preparação, durante o qual escrevi muitas matérias em *Expreso* e em revistas, com grande repercussão dentro e fora do Peru. Integraram-se ativamente a essa semana mais de uma dezena de organizações e movimentos peruanos, como o Conselho Mundial da Paz, o Instituto Cultural José Carlos Mariátegui, a Central Geral dos Trabalhadores do Peru (CGTP), a União Popular de Mulheres Peruanas (UPMP), a Federação Provincial de Trabalhadores do Callao (FPTC), a Frente de Trabalhadores de Arte Popular (FTAP), a Federação dos Bancários do Peru (FBP), a Federação de Jornalistas do Peru (FPP), os sindicatos dos jornalistas e os sindicatos dos trabalhadores gráficos dos jornais *Expreso, Extra, La Prensa,* e *El Comércio.*

O Documento de Lima, aprovado num grande ato de massa de encerramento da semana, solicitava ao governo de Velasco *"que interceda junto al gobierno brasileño para que la Comisión Internacional de la Cruz Roja, pueda visitar las prisiones y comprobar las denuncias sobre torturas."* E concluía tornando pública *"su protesta y repudio por el caracter represivo y expansionista de la dictadura militar brasileña."* No final dessa semana, todas as organizações e demais participantes passaram a integrar o Comitê de Solidariedade com o Povo do Brasil.

O professor social-progressista Augusto Salazar Bondy, vice-ministro de Educação, homem de estrita confiança do presidente Velasco, era quem presidia o Comitê contra as Torturas e acumulou a presidência desse novo. Além das organizações, havia um número enorme de personalidades que participavam: advogados, médicos, dentistas, professores. O novo comitê ampliou a área de atuação e se tornou mais político. Denunciva, além das torturas, o modelo econômico, o falso milagre econômico. Procurava demonstrar como duas Forças Armadas podiam trilhar por caminhos tão diferentes para alcançar os fixados objetivos de desenvolvimento. Os peruanos buscando a redenção de seu povo, os brasileiros, a exclusão. Escrevi pilhas de papel, dei palestras, participei de muitos debates sobre o tema. Continuo acreditando que a maior riqueza de uma nação é sua gente. Que isso é o único que importa. O dia que tivermos governo que entenda isso, em dez anos ou pouco mais seremos uma grande potência.

Depois do golpe do Chile, toda a mobilização em torno do Comitê de Solidariedade passou a ser de grande valia. Chegavam refugiados em pencas: argentinos, uruguaios, brasileiros, bolivianos e chilenos, todos precisando de algum tipo de apoio. O comitê conseguia roupas, dava assistência médica, conseguia internação hospitalar, ajuda de psicólogo, enfim, o que fosse preciso. As médicas Eteldrita Humala, Marta Montano e Augusto Arrunategui eram incansáveis no atendimento a crianças e adultos doentes. Na Europa, o Tribunal Bertrand Russell, que havia sido convocado para julgar os crimes da ditadura brasileira, fez nova convocação ampliando o julgamento para os crimes cometidos no Brasil, no Chile e outros países latino-americanos.

Éramos uma grande família de sofredores

Ainda em 1972, o diário *Expreso* organizou o I Festival Internacional de Água Dulce[4] que reuniu compositores, músicos, autores e cantores de todo o continente. Contamos com a assessoria da Bia que, em Cuba, havia trabalhado na organização do arquivo da Casa das Américas, sabia muito do que estava acontecendo com a música na América Latina e conhecia muita gente dessa área. O primeiro prêmio do festival foi dado a uma canção com música de Manduka, filho do poeta Thiago de Melo e letra de Geraldo Vandré, interpretada pela venezuelana Soledad Bravo e o próprio Vandré. A música é linda e a letra é um diálogo entre um asilado e sua terra natal — *"eu que dos filhos teus, fui te querer demais!*

O festival valeu para a gente rever alguns amigos e consolidar carinho, principalmente entre os que, como nós, eram perseguidos em seus países. O uruguaio Alfredo Zitarroza foi entre os asilados que conheci o que talvez mais tenha sofrido o exílio. Doía-lhe na alma e no corpo. Caso não pudesse voltar, ele sucumbiria a essa paixão e dor irresistível. Era impossível ouvir sua *Zamba de mi país* sem verter lágrimas — *...em mi país, que tristeza... la pobreza... el dolor...*

Um dia, creio que em 1974, estava no aeroporto de Lima para me despedir de alguém, quando vejo caminhando em minha direção pelo saguão, de braços abertos, a cantora argentina Mercedes Sosa. Ela me abraçou em prantos. Perplexo e preocupado, tentei acalmá-la. *"Meche, que paso?" "Pablo! No me dejaron cantar en tu país."* Meche, do tamanho do mundo, com uma dor maior que ela. Poucos meses antes Mercedes havia perdido seu companheiro, morto em um acidente. Estava muito abalada emocionalmente e estava regressando do Brasil onde fora realmente proibida, pela ditadura, de realizar um show. Éramos uma grande família de sofredores.

O Argumento de Idibal Piveta

Exmo Sr. Ministro Presidente do Tribunal Federal de Recursos

> "Temos reclamado aos reis da Espanha em todos os tons. Com a voz do amigo respeitoso, encarregado de ver que nos façam justiça nas Cortes. Com o protesto honrado dos senhores desta terra que viajaram pelo mar para informar dos abusos que sofremos há muito tempo...
>
> (Micaela Bastidas, heroína nacional do Peru, da obra *Habla Micaela*, de Alfonsina Barrionuevo, Lima, Editorial Iberia, 1976)

Micaela Bastidas Hipólito Senna, brasileira, menor, residente atualmente em Lima, Peru, nascida aos 6 de dezembro de 1974, em Lima, Peru, registrada na Embaixada do Brasil em Lima, Peru, filha de Etevaldo Hipólito de Jesus, brasileiro, casado, jornalista, e de Dona Eunice Hipólito Senna, brasileira, casada, socióloga, ambos residentes em Lima, Peru, vem mui respeitosamente à presença de V. Excia. impetrar o presente Mandado de Segurança contra ato do Ilustre Senhor Ministro dos Negócios das Relações Exteriores do Brasil, pelos motivos que passa a expor.

> *"Todos os seres humanos nascem livres e iguais em dignidade e direitos e, dotados que são de razão e consciência, devem comportar-se fraternalmente uns com os outros."*
>
> Art. 1º da Declaração Universal dos Direitos Humanos

1. A impetrante nasceu em 6 de dezembro de 1974, em Lima, capital do Peru.

2. Filha de pais brasileiros, foi registrada na Embaixada do Brasil, em Lima, Peru.

> *"Toda pessoa tem direito a uma nacionalidade."*
>
> Art. 15º da Declaração Universal dos Direitos do Homem

> *"Todo ser humano tem direito, em toda parte, ao recebimento de sua personalidade jurídica."*
>
> Art. 6º da Declaração Universal dos Direitos Humanos.

3. Na data de 8 de setembro de 1976, a menor, devidamente representada por seus progenitores, solicitou, nos termos da legislação em vigor, seu passaporte junto à Embaixada do Brasil, em Lima, Peru.

4. Até a presente data o Ilustre Ministério dos Negócios Exteriores do Brasil não providenciou o Passaporte da Impetrante e também não explicou por que não o fez.

5. Às vezes, a ironia dos pensadores sugere foros de profunda verdade:

> *"O passaporte é a parte mais importante do homem.*
>
> *Ademais não se fabrica um passaporte de uma forma tão fácil como se faz um homem.*

Um homem se faz em qualquer parte, do modo mais despreocupado e sem qualquer causa razoável, porém nunca um passaporte.

Por isso se reconhecerá o valor de um passaporte, se é bom; enquanto que a um homem, por bom que seja, nem sempre se reconhecerá o seu valor.

Pode-se dizer que o homem não é mais que o veículo ideal de um passaporte. Pode-se dizer, sem dúvida, que o homem é necessário para o passaporte.

O passaporte é o principal. Temos que tirar nosso chapéu ante ele... Mas sem o homem o passaporte não seria tão importante, perderia, ao menos, um pouco de sua importância".

(Bertolt Brecht, em *Diálogo dos Exilados*, Madrid, Edicusa, 1973)

6. Ao omitir-se diante da solicitação da Impetrante, o Ilustre Senhor Ministro dos Negócios das Relações Exteriores feriu um seu direito líquido e certo.

7. É inadmissível, inaceitável, inconcebível, foge às raias da humana compreensão que todo o aparato de um regime se volte contra uma inofensiva criança de dois anos!!!

"Ó tempora, ó mores..."

Estaríamos regredindo às épocas em que a "Justiça" se estenderia além do réu, de seu corpo, de seu espírito, para atingir seus bens, salgar suas propriedades, amaldiçoar e perseguir todos os seus descendentes?

"Meu Deus, meu Deus, mas que bandeira é essa, que impudente na gávea tripudia?

Auri-verde pendão da minha terra, antes te houvessem roto na batalha do que servires a um povo de mortalha".

(Antonio Castro Alves, *Navio Negreiro*)

8. A impetrante cumpriu todos os requisitos legais (Dec. Lei 3.545 de 30/11/38, arts. 5 e 48)

9. Estriba-se a Impetrante nos Arts. 153 — #21; 122, letra c e 123 — *caput* — da Constituição Federal em vigor para impetrar o presente Mandado de Segurança.

"Em meu peito, desde que entendi a prostração dos meus, começou a doer uma ferida que cada dia se foi tornando mais profunda...

E em minha carne se fez carne o choro das crianças, o crispar já sem lágrimas do rosto das mulheres e o clamor dos homens que sofrem..."

(da obra Habla Micaela, Alfonsina Barrionuovo, Lima, Editorial Iberia, 1976)

10. Só é possível aceitar tal atitude de protelar o Passaporte de uma criança de dois anos, privando-a do contato com seus avós, com sua gente, com suas origens, se baseada em empecilhos burocráticos ou em mau assessoramento!?!

"Os Estados Unidos são muito sensíveis a modismos em assuntos internacionais, e no momento "direitos humanos" é o carro-chefe da moda".

(Chanceler Azeredo da Silveira, em *O Estado de S. Paulo*, 23/12/1976)

11. Não acreditamos que a atitude do Itamarati com relação à Impetrante seja motivada por um mero desejo de "estar ou não estar na moda"...

12. Igualmente não concluímos que a base da negativa de fornecer o Passaporte seja dar continuidade às perseguições que sofreu Micaela Bastidas (da qual a Impetrante assumiu o nome), heroína nacional peruana, morta no cadafalso e que teve todos seus descendentes, por gerações e gerações, perseguidos e aniquilados...

"Sou que nem soca de cana.
Me cortem que eu nasço sempre".

(CésarVieira, em *O Evangelho Segundo Zebedeu, Revista da SBAT*, nº 411, 1976)

13. Para que se desfaça o engano, para que se demonstre que este não é um país onde se perseguem crianças, espera a Impetrante o direito, a posteridade e a história que seja provido o presente Mandado e concedida a Segurança pleiteada para os fins colimados, a fim de que paire sobranceiro o espírito de Justiça e de eqüidade, apanágio do ser humano.

Notas

1. Coco Manto é Jorge Mancilla, o qual já foi mencionado em capítulos anteriores. Com José Luque, artista plástico e jornalista, trabalhei junto na Bolívia e no Peru: ele como caricaturista.

2. Correspondia à avenida Brasil, na cidade de São Paulo nos anos 1950, uma área situada num bairro nobre.

3. Esse comitê havia sido fundado um ano antes pelo médico brasileiro David Lerer, também refugiado político. Ele havia deixado o Peru para ir trabalhar num hospital na França. Não estava satisfeito. Abandonou tudo e foi ser oficial médico do Movimento pela Libertação de Angola (MPLA) na guerra de libertação de Angola.

4. Uma das belas praias de Lima.

19. Morales

Hay golpes en la vida, tan fuertes... Yo no sé!
Golpes como del odio de Dios; como si antes ellos,
la resaca de todo lo sufrido
se empozara en el alma... Yo no sé!.

César Vallejo, poeta maior peruano

Em julho de 1974, com o início da operação de alfabetização e da reforma na educação, o governo peruano expropriou os jornais de circulação nacional entregando-os aos setores organizados da sociedade. Iniciou-se a transição para uma imprensa e uma economia socializadas. Setores da sociedade e do governo, à esquerda, defendiam que Velasco deveria dar luz verde para a organização do Partido da Revolução que, guiado pelo pensamento velasquista e pelos fatos, aglutinasse as bases de apoio para garantir a continuidade do processo revolucionário. Outro setor, incluindo o próprio general Velasco, rechaçava a idéia do partido e defendia a organização da sociedade em função das atividades produtivas ou comunitárias. Para trabalhar nessa direção foi criado o Sistema Nacional de Mobilização Social (Sinamos), cuja missão era assessorar a organização da sociedade.

Essa contradição gerou sérias divergências entre os intelectuais de esquerda que apoiavam a revolução. Para muitos marxistas a proposta do Sinamos refletia o pensamento anárquico do general Velasco, a desconfiança dos militares com relação aos partidos políticos tradicionais. Para os comunistas, a proposta era anticomunista.

O pessoal do Sinamos, no qual também havia marxistas, inclusive ex-guerrilheiros, acreditava estar criando o novo. De um lado o sistema de propriedade proposto, e, de outro, a organização comunitária, seriam os gestores da produção e da administração pública, sem intermediação partidária. O Sinamos trabalhou intensamente na organização de cooperativas de produção e na implementação da propriedade social, uma empresa em que não só os trabalhadores eram os proprietários, mas também os representantes da comunidade de seu entorno, fornecedores de matérias-primas e consumidores.

Para dirigir o Sinamos, com hierarquia de ministro de Estado, Velasco designou o general Leonidas Rodriguez Figueroa, um *cuzquenho* de origem humilde como ele, fluente no quíchua. Além de ser oficial do serviço de inteligência do Exército, era comandante de uma unidade militar motorizada. Ficou nesse posto até dezembro de 1973 quando assumiu o comando da Segunda Região Militar — a maior concentração de força do país — e a responsabilidade por todo o sistema de comunicação peruano. Para seu lugar no Sinamos foi nomeado seu amigo, general Rudecindo Zavaleta, também oficial de inteligência.

A Aliança Popular Revolucionária Americana (Apra), fundada na década de 1920 por Haya de la Torre, foi e ainda é o maior partido político do Peru. Foi criado com uma estrutura leninista e uma proposta latino-americanista e antiimperialista e teve nos primeiros anos de vida posições avançadas. Nas décadas de 1930 e 1940 copiou todas as técnicas de mobilização e manipulação das massas utilizadas pelo nazi-fascismo europeu. A Apra serviu de modelo para o peronismo argentino e as teorias de Haya de la Torre inspiraram vários movimentos sociais na América Latina, como o trabalhismo no Brasil, o movimentismo na Bolívia, o liberalismo de Figueres na Costa Rica, entre outros. Sempre que conquistou o poder, a Apra foi alijada por golpes militares. Não obstante, era o grande eleitor que garantia toda e qualquer eleição no Peru. E foi no desempenho da Apra e em sua capacidade de mobilização das massas que a direita foi se apoiar para buscar reverter a situação revolucionária conduzida por Velasco.

Velasco era o polarizador que garantia a unidade das Forças Armadas

Em 23 de fevereiro de 1973, Velasco Alvarado foi hospitalizado, acometido de um aneurisma na aorta abdominal. Fizeram uma intervenção cirúrgica e logo em seguida tiveram de fazer outra para retirar um coágulo na perna direita. Em 10 de março, teve a perna amputada. Lutou bravamente contra a morte, com apoio do povo que em massa ia rezar em frente ao hospital. Dia 16 realizaram uma grande marcha em solidariedade a Velasco e pela continuidade do processo. O general Mercado Jarrín, primeiro ministro, afirmou que estavam garantidas a continuidade da revolução e a unidade das Forças Armadas. A 31 de março, Velasco reassumiu suas funções, concedeu uma entrevista coletiva, mas já não era o mesmo. Estava bastante debilitado. Não obstante, continuava estimulando o avanço do processo, comparecendo a comícios, fazendo pronunciamentos para explicar os rumos da revolução. A partir do início de 1975 seu estado se agravou e não recuperou mais a saúde até sua morte, em dezembro de 1977.

Foi só em agosto de 1975 que o general Morales Bermudes conseguiu dar um golpe e depor o general Velasco. Ganhou impulso, então, a grande conspiração de âmbito continental para pôr fim não só ao governo de Velasco, mas ao sistema político-social por ele instituído, com tudo o que ele significava na teoria e na prática.

Velasco era o polarizador que garantia a unidade das Forças Armadas. Tinha como fiéis seguidores os coronéis com os quais deu o golpe, mas nem todos os oficiais superiores concordavam com suas idéias socializantes. Velasco se impunha por sua autoridade moral e energia nas decisões. Em certas circunstâncias, na base da truculência.

Em fins de agosto, estando o líder enfermo, o general Morales Bermudez, ministro da Fazenda durante quase todo o governo velasquista, com o pretexto de preencher o vazio de poder, conseguiu apoio para destituir Velasco e assumir a Presidência da República. Logo em seguida realizou-se em Lima uma reunião dos chanceleres dos Países Não-Alinhados. Morales compareceu e afirmou em discurso que houve apenas uma troca de comando, que o processo revolucionário seguiria avançando. Enganou todo o mundo.

Administrando uma crise econômica, de um lado, pressionado pelos credores internacionais, e, de outro, pela esquerda e a direita peruanas, Morales iniciou o processo para devolver o poder aos civis. E o fez comprometendo-se cada vez mais com a direita, pactuando com oligarcas, que conspiravam para liquidar as conquistas revolucionárias, e com o Fundo Monetário Internacional (FMI) para conseguir recursos externos. A crise econômica e o conseqüente desemprego ampliavam a marginalidade social, geravam descontentamento generalizado nas massas populares, formando caldo de cultivo para as manipulações apristas e as provocações da direita, com participação direta da Agência Central de Inteligência dos Estados Unidos (CIA).

Não tardou muito, esse descontentamento chegou às instituições. Oficiais da *Guardia Civil* — encarregada da ordem pública — enfrentaram-se com o governo por uma disputa hierárquica, aproveitaram o descontentamento da tropa com os baixos soldos e sublevaram a corporação. Insuflados pela Apra e pela CIA, populares saíram às ruas depredando e saqueando o que tinham pela frente. Foi preciso a intervenção dos tanques do Exército para controlar a situação. Em outra manifestação desse tipo, a turba incendiou as instalações do jornal *Ojo* e tentou, sem conseguir, fazer o mesmo com *Expreso*. A situação foi ficando cada dia mais difícil de ser controlada.

Quando ficou claro que o propósito de Morales Bermudez era desmontar tudo o que o velasquismo vinha construindo, o general Leonidas Rodriguez tornou-se a esperança dos que apoiavam o processo. Era o militar com comando de tropa de maior poder de fogo em todo o país, exercia grande liderança sobre a oficialidade, principalmente sobre os mais jovens e tinha o apoio do Sinamos — a organização da mobilização social. Ciente do perigo que isso representava, Morales tirou o comando de tropa a Rodriguez e este, simplesmente e por uma questão de respeito a hierarquia, aceitou. Morales ocupou os espaços. Quando Rodriguez quis reagir já era tarde. Foi preso e deportado para a Argentina, onde o mantiveram isolado em uma base militar.

Houve grande movimento das forças progressistas em toda a América Latina, sobretudo por parte do general panamenho Omar Torrijos, para conseguir a libertação de Rodriguez. Quando finalmente isso ocorreu, já me encontrava no Panamá. Fui recebê-lo e o levei para casa. Aí tomou seu primeiro banho decente. Comprei as primeiras meias e cuecas limpas que ele vestiu depois de ter ficado muitos dias preso num quartel argentino. Numa catarse, em torno de um bom vinho, chorou desconsolado por ter perdido a grande oportunidade de reverter o processo. Tinha todas as condições de mobilizar o povo e o Exército. Não o fez por escrúpulos, ou seja, por respeito à hierarquia.

De novo, o cerco se fechava...

A 31 de maio de 1976, solicitei ao Departamento de Imigração a prorrogação de meu visto de residência. Fizeram mil exigências, queriam saber por que eu não tinha passaporte. Estava evidente que queriam caracterizar minha permanência como ilegal no país. Policiais armados rondavam minha casa. Numa dessas, intimaram a mim e a toda a família para comparecer a uma delegacia. Era onde funcionava a Interpol. Tiraram impressões digitais de toda nossa família, de todos os dedos. Os meninos tinham 12 e 13 anos. Fotografaram-nos de frente e de perfil. De novo, o cerco se fechava.

Comentei com meus amigos cubanos a situação. Luis Felipe Vasquez, ex-dirigente da Juventude Comunista de Cuba (JCC), era conselheiro político na embaixada, e o professor e comandante Antonio Nuñez Jimenez, presidente da Academia de Ciências de Cuba, o embaixador. Ficaram preocupados e se colocaram à disposição para o que fosse preciso para garantir a nossa segurança. Ofereceram asilo político, emprego, tudo de que precisássemos.

Até então, conseguira sobreviver sem ter pedido asilo político e não pretendia fazê-lo, muito menos a Cuba. Achava que ir a Cuba, apesar de tudo o que esse país significava e significa ainda hoje para mim, seria isolar-me, desistir de tudo o que vinha fazendo. Aceitei, no entanto, a bolsa de estudos que ofereceram para meus dois filhos. Chegamos à conclusão de que era necessário tirar os meninos o mais rapidamente possível do Peru a fim de evitar-lhes maiores constrangimentos. Em junho, eles viajaram para Cuba para o ano letivo que se iniciaria a primeiro de julho. Foi uma separação traumática para todos, principalmente para Bia. Toda essa tensão, mais a angústia da separação, mergulhou-a em grande depressão.

Albert Brun, diretor regional da Agência France Presse (AFP), foi um dos melhores jornalistas que conheci até hoje. Filho de mãe marroquina e pai francês, começou a trabalhar na agência quando ainda se chamava Abas. Veio para América Latina ainda durante a Segunda Guerra Mundial. Conhecia a história e as condições atuais de cada um de nossos países. Tinha suas fontes de informação em todos os círculos de poder, da direita à esquerda. E também uma paixão secreta por tudo que cheirasse a subversão. Seus melhores amigos eram marxistas e/ou guerrilheiros. Ele mesmo era um intelectual trotskista.

Conhecemo-nos e ficamos amigos quando eu estava na Bolívia, apresentados por Nicole Bonet, jornalista francesa *free lancer* do *Le Monde*. Quando ele teve uma oportunidade, nomeou-me correspondente da AFP na Bolívia. Viajamos juntos por uma dezena de países em coberturas de foros internacionais. Em algumas dessas conferências, eu entrava como colaborador na equipe da agência. Na convivência no Peru, ficamos *hermanos del alma*. Era o tiozão de meus filhos. Saíamos todas as férias para descobrir os mínimos detalhes da geografia peruana. No verão, nos finais de semana em que eu não podia ir à praia, ele fazia questão de levar os meninos. Enquanto estive no Panamá ele foi lá, para me ver, várias vezes. Depois que voltei para o Brasil, continuamos a nos encontrar ou a nos escrever com menos freqüência, mas nos mantinhamos fiéis. Albert morreu de câncer, em Lima, em 1988. Sofreu não pouco mas estava feliz. Feliz por estar de companheira nova, amando apaixonadamente.

Em pleno processo de renovação do visto de residência, em março de 1976, fui demitido de *Expreso* juntamente com onze outros companheiros que formávamos o núcleo pensante da direção do jornal. A 14 de junho de 1976, incluí no processo de renovação da residência um novo contrato de trabalho, com a AFP. No Peru, todo contrato de trabalho tinha de ser homologado no Ministério do Trabalho. Enquanto isso, alguns amigos que tinha no Ministério de Relações Exteriores conseguiram demorar a tramitação do processo na Imigração. Era imperativo ganhar tempo. A 1º de setembro saiu o registro no Ministério do Trabalho e o acrescentei ao processo. No final do mês, recebi a comunicação de que a prorrogação de minha residência tinha sido negada e que teria cinco dias para abandonar o país.

Pouco antes desses fatos, o escritor uruguaio Mário Benedetti — com quem fiz amizade em Cuba, em 1968 —, que estava asilado no Peru e escrevia em *Expreso* como colaborador, teve sua prorrogação de residência negada e foi expulso do país. Se isso tinha ocorrido com ele, com todo seu prestígio internacional, obviamente eu também não teria chance. Fui ao Departamento de Imigração explicar que sairia imediatamente, desde que me dessem um passaporte ou um salvo-conduto. Disseram-me que fosse à embaixada brasileira, que era onde eu deveria solicitar documento. O domínio da direita sobre a imigração já era tal que meus amigos do Ministério de Relações Exteriores já não eram atendidos. Não obstante, por solicitação do Secretário Geral do Ministério de Relações Exteriores, consegui mais dez dias. O general Omar Torrijos, chefe de Estado do Panamá, havia oficialmente pedido à chancelaria para que não me tocassem, que ele era responsável por mim. Por ordem de Torrijos, o embaixador panamenho, então o jornalista Boris Moreno, providenciou salvo-conduto especial e as passagens para mim e Bia pela Air Panamá. A 10 de outubro de 1976 saímos de Lima rumo ao Panamá.

20. A quinta fronteira

Panamá é um país tipicamente caribenho.
Caribenho no ritmo, na melodia,
na maneira de encarar a vida
e gozar a liberdade.

Panamá era, até há bem pouco tempo, o único país do mundo com cinco fronteiras. Limitava-se ao sul com o oceano Pacífico, ao norte com o Atlântico, a leste com a Costa Rica, a oeste com a Colômbia e ao centro com os Estados Unidos. Essa quinta fronteira era o enclave colonial do Canal do Panamá, que passou ao domínio de soberania plena do Panamá, a 31 de dezembro de 1999. Uma presença tão forte dos Estados Unidos que muita gente acha que Panamá é apenas um canal, ignorando que esse país tem história feita por um aguerrido povo de personalidade própria, que desde o século XVIII vem lutando por sua soberania.

O Panamá é um país de 75 mil km^2, com 1,5 milhão de hectares utilizados pela agricultura e pecuária. Está situado no início do istmo que une a América do Norte e a do Sul. A floresta amazônica se estende pelo norte da Colômbia e cobre boa parte do território panamenho até bem próximo da Zona do Canal. Essa região é conhecida como *El Tapón del Darién*, uma verdadeira tampa sanitária imposta pelos Estados Unidos sob o pretexto de evitar que o gado da América Central possa ser contaminado pela febre aftosa, endêmica na América do Sul, e ameaçar o rebanho do Norte. A estrada Pan-americana é interrompida por uma densa floresta de várias centenas de quilômetros. O Darién começou a ser desbravado na década de 1970, como parte do plano de desenvolvimento do governo de Omar Torrijos. Desde que ele deixou o poder, a região está sendo vítima de uma ocupação desordenada.

No Panamá ainda vivem algumas nações indígenas, como os chocoe, nas selvas do Darién e os kuna, no arquipélago de San Blas, no Atlântico. A partir da Zona do Canal em direção à Costa Rica, concentram-se a população e a atividade agrícola do país. Mas mesmo nessa área, nas franjas das altas montanhas ainda existem vários povoamentos dos guaymis, particularmente nas províncias de Chiriqui, Veráguas e Bocas del Toro.

Além dos índios, contribuem para a mestiçagem panamenha os negros descendentes dos escravos trazidos pelos espanhóis, e os negros antilhanos — jamaicanos e outros — que, juntamente com chineses e indianos, foram trazidos para trabalhar na construção do canal. O Panamá é um país tipicamente caribenho. Caribenho no ritmo, na melodia, na maneira de encarar a vida e gozar a liberdade.

Os kuna constituem uma civilização de mais de 20 séculos e habitam 243 ilhas e *cayos* que formam o arquipélago. Eles habitam as ilhas porque ali o clima é mais agradável, mas vivem da pesca e do extrativismo na costa atlântica do Darién. As mulheres usam vestimentas muito coloridas e cobrem o peito com as *molas*, belos bordados com retalhos que formam desenhos. Usam muito ouro, em grandes peitorais com contas coloridas, brincos para orelha e para nariz, e colares.

O principal produto da agricultura panamenha é a banana, mas também há produção de açúcar, cultivo de café e criação de gado. A pesca, principalmente do camarão, é outro item importante. Mas as principais atividades econômicas são: a exploração do Canal transoceânico, uma zona de livre comércio, e atividades de comércio e de serviços. O Panamá é importante centro bancário internacional — na verdade um paraíso fiscal, como a Suíça ou as Bahamas, no qual somam 113 bancos do mundo todo. A moeda nominal se chama *balboa*, porém só existe no papel e em moedas para os caça-níqueis. O que circula no país é mesmo o dólar. É também fornecedor de bandeira de conveniência. Por isso o Panamá e a Libéria figuram em alguns livros de geografia como detentores das maiores frotas mercantes do mundo. Os dois países emprestam a bandeira para armadores independentes que não querem pagar impostos em seus países de origem.

O Panamá também possui, em Cerro Colorado, na província de Chiriqui, reservas de minério de cobre estimadas em dois bilhões de toneladas, o que as situam entre as quatro de maior importância no mundo. Um dos objetivos da revolução comandada pelo general Omar Torrijos era transformar o país em potência cuprífera. Foi feito um projeto de exploração em parceria com a Shell. No entanto, esta desistiu porque há muitas reservas no mundo, o preço estava baixo e a exploração do cobre panamenho poderia fazer cair ainda mais. Outra atividade de grande importância é o turismo. Belas praias, montanhas, vulcões extintos, vales, selva, bancos de corais, *resorts* maravilhosos como os de Contadora ou Taboga, cassinos e uma infra-estrutura hoteleira de fazer inveja. É um país fantástico para fazer turismo.

O Panamá já era entreposto importante muito antes de Colombo

Quando em 1513 Vasco Nuñez de Balboa cruzou o istmo e descobriu que havia um oceano do outro lado, o Panamá já era um entreposto de trocas entre os povos mesoamericanos — os chibchas e os maias — e os que habitavam o que hoje chamamos de América do Sul. Com a conquista do Peru, o Panamá foi, durante certo tempo, o mais importante porto de embarque de ouro e outros produtos do saqueio espanhol aos povos americanos. Por isso mesmo era um dos alvos principais dos piratas, como os ingleses Francis Drake, que pilhou Portobelo, em 1596, e Henry Morgan, que em 1671 atacou as fortificações espanholas, saqueou o que pôde e incendiou a Cidade de Panamá.

O Panamá foi, até 1717, parte do vice-reino do Peru, depois integrou o vice-reino de Nova Granada. Com a independência, em 1821, passou a integrar a Gran Colômbia. Em 1826, Simón Bolívar, o grande articulador e chefe militar nas guerras da independência das colônias espanholas na América, convocou o primeiro Congresso Anfictiônico Americano. Nele, Bolívar advertiu os chefes de estado das jovens nações sobre o perigo que para elas representava o gigante expansionista do norte. E realizou o congresso no Panamá porque considerava que ali era o centro do mundo, o ponto crucial para o projeto hegemônico dos Estados Unidos.

No início de 1800, o Panamá tinha bastante autonomia com relação a Nova Granada mas, paulatinamente, a subordinação da oligarquia e seus vínculos com a oligarquia colombiana e com a grande potência do norte foram debilitando o poder nacional, aumentando a dependência em relação à Colômbia. Em 1845, Cipriano de Mosquera, eleito presidente da Colômbia, negociou a construção da Estrada de Ferro Transistmica e firmou convênio com os Estados Unidos, garantindo-lhes a neutralidade e o livre trânsito através do istmo. Já nessa época os nacionalistas panamenhos não se conformavam com a prepotência dessa presença. Em 1856, quando ainda se fazia a travessia do istmo por trem, uma briga entre um soldado estadunidense e um civil panamenho se transformou em grande tumulto envolvendo soldados e civis, deixando 16 mortos e centenas de feridos. A briga começou por uma disputa em torno de um pedaço de melancia. Esse episódio é um marco na história das relações entre os dois países.

Nessa época ocorria nos Estados Unidos a corrida pelo ouro da Califórnia. Com a consolidação da ocupação do litoral do Pacífico, o uso do istmo para a ligação da costa leste com a oeste se tornou prioridade estratégica. Era demorado, arriscado e oneroso atravessar o continente de costa a costa em diligência ou qualquer outro meio de transporte. Na década de 1970, a descoberta do petróleo no Alasca aumentou essa importância estratégica. Isso explica o porquê da permanente intenção dos Estados Unidos em manter controle hegemônico sobre essa área e o Caribe, e as razões para as freqüentes intervenções na Guatemala, na Nicarágua, em Cuba, Porto Rico, República Dominicana, entre outros.

Em 1886, a Colômbia concedeu autonomia ao Panamá. O país estava dominado por uma oligarquia submissa. Sob o império da corrupção e da fraude se firmou, em 1889, um contrato com a empresa *The Universal Interoceanic Canal*, encabeçada por Ferdinand de Lesseps, o engenheiro francês que ganhou fama e prestígio por sua participação na construção do Canal de Suez. O canal de Panamá imaginado por Lesseps não saiu dos desenhos. Foi uma grande maracutaia que enriqueceu muita gente.

Em 1902, os Estados Unidos, descontentes com o governo da Colômbia, que rechaçava suas pretensões sobre o projeto do canal, intervieram no conflito interno, sob o pretexto de evitar uma guerra civil e apoiaram as oligarquias panamenhas que reivindicavam a independência. Mas o preço cobrado foi muito alto. Em 1903, impuseram à nascente república a *Convención Istmica* para a construção de um canal de água doce, de oceano a oceano, e um tratado perpétuo que lhes assegurava soberania sobre o canal e a zona adjacente. Foi um francês, Phillippe Buneau-Varilla, que nada tinha a ver com Panamá, quem assinou esse tratado pelo lado panamenho. Ele era o encarregado das escavações ao tempo de Lesseps e foi quem negociou com os Estados Unidos o tratado. A negociata foi tão escandalosa que a palavra "Panamá" passou a ser utilizada na França como sinônimo de fraude.

Na construção do canal, pessoas morriam como moscas

O canal foi inaugurado em 1914. Foram necessários onze anos para construir essa obra verdadeiramente ciclópica, que consumiu principalmente mão-de-obra chinesa e de negros das Antilhas britânicas. Mosquitos, febres, excesso de trabalho sob calor intenso, má alimentação, faziam com que as pessoas morressem como moscas. O suicídio era prática comum.

O canal tem dois sistemas de eclusas: uma no lago Gatún, a 26 metros sobre o nível do Atlântico e outro no lago Miraflores, a 8 metros sobre o nível do Pacífico. As comportas das eclusas são de estrutura de aço com 20 metros de largura, até 25 metros de altura e dois metros de espessura. Pesam entre 400 e 700 toneladas.

Pelo canal podem passar seis barcos a cada período de 24 horas. Pagam pedágio que, em 1979, variava de 1 a 1,5 dólares por tonelada. Em 56 anos de exploração do Canal, os Estados Unidos ganharam 13 bilhões de dólares. Só com a cobrança do pedágio arrecadaram três vezes mais do que gastaram para construir todo o complexo. O mais importante, contudo, são os ganhos indiretos. Durante a guerra, a economia pela utilização do canal foi de 1,5 bilhão. O exército dos EUA economiza mais de 200 milhões anuais pelas facilidades oferecidas pelo canal. Para o mundo inteiro é um pedágio barato se consideramos o que se gastaria para dar a volta pelo cabo de Hornos, no extremo sul do continente.

O canal, as terras e parte das águas necessárias para seu funcionamento constituem a Zona do Canal, território de 1.432 km^2, uma faixa com 80 quilômetros de comprimento por 8 quilômetros de largura. Possui dois portos, Balboa no Pacífico e Cristóbal no Atlântico. Desse lado, na década de 1970, foi construído um terminal petroleiro e um oleoduto para facilitar o escoamento do petróleo do Alasca. Até bem pouco tempo, tudo isso estava sob jurisdição dos Estados Unidos.

Nessa franja, um verdadeiro enclave colonial, os EUA mantinham 50 mil homens entre técnicos, burocratas, empregados de serviços e militares. Um verdadeiro exército de ocupação distribuídos em 14 bases militares. Das cinco bases mais importantes, só duas tinham o papel de defender o canal: *Fort Davis* no Atlântico e *Fort Clayton*, no Pacífico onde estava acantonado o Quarto Batalhão de Infantaria. O *Fort Amador*, no Pacífico, abrigava o quartel-general da Marinha; o *Fort Gulick* era a sede da Escola das Américas; o *Fort Sherman* era onde treinavam os *rangers* que iam lutar no Vietnã.

Com o fim da guerra do Vietnã, esse território passou cada vez mais a servir para treinamento de tropas especiais de intervenção rápida e para treinar em guerra de antiinsurgência oficiais e soldados latino-americanos. Na base aérea de *Albrook*, funcionava a *Inter American Air Force Academy*, outro centro de treinamento para oficiais dos países amigos. As tropas especiais de *rangers* estavam preparadas para intervenção onde fosse necessário. A Escola das Américas, por sua vez, era o centro de adestramento dos gorilas latino-americanos. Daí saíram ditadores como Somoza[1], Barrientos[2] e tantos outros. Ali se ensinavam as táticas antiinsurgência e as práticas de tortura que se tornaram comuns em nossos países. País de vocação pacifista, sem ter declarado guerra a ninguém, o Panamá estava exposto a uma represália por parte de países que estavam sendo agredidos por tropas e armas saídas de seu território.

Desde a construção do Canal já estavam presentes os fuzileiros navais em território panamenho sob o pretexto de defender a obra. A partir de 1917 instalaram um comando, o *Carabbian Defense Command* e, em 1963, o *Southern Command*, ou seja, o Comando Sul das Forças Armadas dos EUA. É como se o comando do nosso Terceiro Exército tivesse sua sede em Montevidéu. Com a assinatura dos Tratados Torrijos/Carter o número de tropas diminuiu para 10 mil e, a partir de 31 de dezembro de 1999, deveria ser zero. Só poderiam ser panamenhas.

Durante a Segunda Guerra Mundial os Estados Unidos instalaram 114 bases militares por todo o território panamenho. Nessa época, ampliaram e transformaram o canal em duas vias. Os soldados ianques achavam que os lares panamenhos eram bordéis para sua diversão. Foi muito difícil conseguir que os EUA voltassem aos limites da Zona do Canal. Era um país dentro do país, com suas leis e seus costumes próprios. As leis eram do estado de Alabama, um dos mais reacionários e racistas do sul dos EUA. Os cidadãos estadunidenses residentes na área do canal eram chamados de *zonians*. Eles tinham correio, telefone, supermercados, escolas, máquinas de coca-cola, cinema, como se morassem num bairro de Nova York. Era uma presença agressiva e ofensiva em todo o país. Em janeiro 1964, outra vez as relações chegaram a ponto álgido. Os estudantes queriam colocar a bandeira panamenha num prédio escolar no interior da Zona e foram reprimidos com máxima violência pelo exército de ocupação. O Panamá rompeu relações com os EUA e foi necessária a intervenção da Organização dos Estados Americanos (OEA) para normalizar a situação.

Da assinatura dos Tratados Torrijos/Carter até a vigência da plena soberania panamenha sobre todo o complexo do Canal, ocorreu uma transição não muito pacífica, pois nos Estados Unidos há muita gente que não se conforma com abandonar o Panamá, desfazendo-se do que eles julgam ser deles. No entanto, a transição se fez. O programa de descolonização foi cumprido representando um impacto de mais de 20% sobre o Produto Interno do país. O Panamá já é soberano sobre todo seu território.

O mundo ficou em silêncio diante de uma das mais graves intervenções de nossa história

Outubro é mês de revolução na América Latina. Nossa Revolução de 1930, a Revolução de Perón na Argentina, de Velasco Alvarado no Peru, de Torrijos no Panamá, de Ovando/Torres na Bolívia, ocorreram em outubro. E 1968 foi um ano em que América Latina viveu suas mais violentas contradições. No Brasil, a repressão aos movimentos democratizantes e revolucionários alcançavam seu auge, consolidando uma ditadura militar de características fascistas. Na Bolívia, no Peru, no Equador e no Panamá, deu-se um processo de sentido inverso, em que os militares assumiam posições nacionalistas e democráticas, conduzindo processos de profundo conteúdo social.

Em outubro de 1968, a Guarda Nacional panamenha, comandada por Boris Martinez, desfechou um golpe contra o governo de Arnulfo Arias Madrid[3]. O coronel Omar Torrijos era secretário executivo da corporação. Ambos iniciaram um processo revolucionário de inspiração nacionalista. O coronel Martinez queria um governo duro, ditatorial, Omar, o máximo possível de aproximação com o povo. Não demorou muito e aproveitando que Omar estava em visita oficial ao México, Martinez tentou expurgá-lo do poder. No entanto, Omar, com a ajuda de jovens oficiais, entre os quais o capitão Antonio Noriega, reverteu a situação a seu favor. Boris Martinez foi preso e deportado, e Omar iniciou o seu projeto revolucionário.

Omar queria fazer do Panamá um país soberano, uma nação em desenvolvimento, não só uma passagem transoceânica. Em 1972, conseguiu aprovar uma nova e revolucionária Constituição que criou a *Assamblea Nacional de Representantes de Corregimientos*. No lugar do parlamento tradicional, algo parecido com uma assembléia popular, na qual atuam representantes eleitos nos 505 *corregimientos*[4] em que o país está dividido. Governou com quadros jovens que haviam militado na esquerda universitária. Tinha a oposição política das oligarquias e dos partidos tradicionais que ansiavam por retornar ao controle do poder. Mas era uma oposição sem muitas conseqüências. Na realidade, Torrijos conseguiu fazer da luta pela soberania do país uma verdadeira religião dos panamenhos.

Convencido de que devia dar condições para que o processo revolucionário por ele iniciado tivesse continuidade, patrocinou a formação do Partido Revolucionário Democrático (PRD), filiado à social-democracia internacional. O PRD, em aliança com pequenos partidos de esquerda, esteve no poder desde 1978 até 1999, com exceção do período em que o país foi invadido por tropas dos Estados Unidos que impuseram um governante títere fiel.

Os Estados Unidos usaram como pretexto para a invasão a necessidade de expurgar do Panamá o general Antonio Noriega, por seu comprometimento com o tráfico internacional de drogas. O pior é que muita gente foi na onda e se calou diante de uma das mais graves intervenções dos Estados Unidos em nosso continente.

Noriega foi o homem forte do general Torrijos enquanto este governava e era comandante da guarda. Era o chefe do G2 — inteligência militar —, e ministro do Interior, que controlava a segurança do Estado. Teve papel decisivo na preparação dos planos estratégicos e táticos para obrigar os Estados Unidos a aceitar os novos tratados. Da mesma forma que foi decisivo seu papel na participação panamenha na guerra contra Somoza. Torrijos era um aliado incondicional de quem quer que estivesse lutando por uma bandeira de liberdade. Era solidário com todos os movimentos revolucionários da América Latina e também de outras partes do mundo. Ajudou os palestinos e estabeleceu relações com o Vietnã. Não havia, portanto, revolucionário dessa época que tenha tido contado com Torrijos e não tenha encontrado Noriega.

Depois da morte de Torrijos, chegou a vez de Noriega ascender ao comando da Guarda Nacional. Sem o talento político de seu predecessor, na cadeira do todo-poderoso, achou que podia fazer os Estados Unidos se manterem na linha com respeito aos Tratados do Canal por meio de bravatas. Assisti a um desfile militar organizado por Noriega nessa época que me deixou horrorizado. Realizou-se dentro da Zona do Canal no que havia sido a base aérea de *Albroock*. Os *machos del monte* desfilaram com roupas ensangüentadas; com carros alegóricos reproduzindo pedaços da selva e os inimigos trucidados. Além de toda essa provocação, um discurso radical contra os Estados Unidos.

Depois disso, os Estados Unidos começaram a operação para acabar com Noriega. O seu envolvimento com a droga pode até ser verdadeiro, pois era verídico seu envolvimento com a CIA e ficou mais que comprovado que boa parte dos recursos para as operações encobertas da agência provinha do tráfico. Tráfico de drogas, de armas e de dólares que executavam em parceria com sionistas, nazistas e mafiosos. Se a ação contra Noriega fosse exclusivamente moral, teriam de ter sido presos com ele muitos altos chefes militares e primeiros escalões do governo estadunidenses. A questão da droga com Noriega foi usada cientificamente numa operação psicossocial. Deu certo.

A invasão deixou muitas vítimas no Panamá. Jovens inconformes que pegaram em armas para tentar uma guerrilha contra as tropas de ocupação. Chuchu Martinez[5], que havia sido um dos principais auxiliares diretos de Torrijos, não resistiu. Seu coração se partiu de tristeza, sofrimento e vergonha. E deixou também uma boa parte da população com medo. No entanto, os panamenhos foram se recuperando, na primeira oportunidade conseguiram realizar eleições. O PRD voltou ao poder e iniciou-se um novo período nas relações político-sociais.

Para as eleições presidenciais de 1999, o PRD não teria tido problema para manter-se no poder se tivesse conseguido fazer aprovar o dispositivo da reeleição. Houve forte disputa interna no partido. A esquerda queria lançar o filho mais velho de Omar Torrijos, Martín Torrijos. Martín não conseguiu consenso partidário, mas mesmo assim, em maio, disputou e perdeu as eleições para presidente da República.

Perdeu para Mireya Moscoso, a viúva de Arnulfo Arias, presidente deposto por Torrijos, em 1968, porque não se empenhava pela descolonização do país. Os 38% dos panamenhos que votaram em Martín queriam que fosse um Torrijos a receber a posse total do Canal do Panamá na passagem para o ano 2000 em cumprimento aos Tratados Torrijos/Carter. Ironia do destino ou fraude. Antes das eleições as pesquisas indicavam a vitória de Martín. Mais provável é que tenha sido medo. Estão frescos na memória dos panamenhos os sofrimentos que tiveram com a última invasão das tropas estadunidenses, em 1989.

Notas

1. General Anastácio Somoza García, ditador da Nicarágua de 1936 a 1956, servil aos Estados Unidos.

2. General de aviação René Barrientos, foi um dos ditadores bolivianos. Foi mencionado nos capítulos sobre a Bolívia.

3. Arnulfo Arias, líder do movimento panamenhista, a maior força eleitoral do país. Três vezes eleito e três vezes deposto da Presidência da República.

4. Corresponde a nossos municípios. São administrados por prefeitos eleitos, elegem um legislativo local e representantes para o legislativo nacional.

5. José de Jesus Martinez. Falaremos dele nos próximos capítulos.

21. A Batalha do Canal

No hay colonialismo que dure 100 años,
ni pueblo que lo aguante!

General Omar Torrijos Herrera, revolucionário panamenho

Gostava que o chamassem Omar. Talvez por constrangimento diante da autoridade, poucos amigos o faziam. Quando andava pelas ruas se alegrava quando gente do povo lhe acercava chamando-o Omar ou de longe gritavam seu nome. Sabia valorar a lealdade e condenar a falsidade. Era fiel a seus amigos. Nunca perguntou a ninguém sua ideologia ou sua crença. Avaliava as pessoas pelo que eram e faziam. Preferia ouvir a falar. Ouvia observando profundamente as pessoas. Olhava nos olhos dos interlocutores como quem estivesse perscrutando a alma. Quando falava era conciso e preciso. Várias coletâneas de suas frases constituem aforismos que são verdadeira lição de vida.

Expressava-se em linguagem bem popular. Fazia questão de que o povo percebesse que era um deles. Ele mesmo dizia que era 99% idêntico a seu povo e que por isso entendia seus problemas. E não havia falsidade nisso. Era mesmo um homem do povo. Ele disse uma vez que achava que quando chegasse a ser chefe, deixaria de ser mandado. Chegou ao mais alto posto, de comandante da Guarda Nacional e chefe de Estado e constatou que estava muito enganado: *ahora me manda todo el mundo! Me mandan los sindicatos, me mandan los estudiantes, me manda cualquier madre de família que asoma a la puerta, que quiere conversar comigo. No solo me manda sino que me programa!*

Omar Torrijos Herrera nasceu a 13 de fevereiro de 1929 na pequena cidade de Santiago de Veráguas, de pai colombiano e mãe panamenha. Foi criado com seus dez irmãos numa família de educadores e ele mesmo iniciou seus estudos na Escola Normal, onde permaneceu até que ganhou uma bolsa para a Academia Militar de El Salvador. Queria ser soldado, achando que saindo de Veráguas teria mais futuro. Em 1951, incorporou-se a *Guardia Nacional* como subtenente, onde fez carreira até alcançar o mais alto posto. Tinha 48 anos quando assinou o tratado de descolonização. Infligiu a mais espetacular derrota diplomática jamais sofrida pelos Estados Unidos. E isso sem dar um tiro.

Três coisas o incomodavam como militar: estar servindo a uma elite corrupta; ser usado para reprimir o povo em suas manifestações legítimas, sabendo que ele tinha razão; e o enclave colonial da Zona do Canal, com a presença militar ofensiva dos Estados Unidos. Achava que um dia chegaria o momento oportuno para tentar acabar com isso. Esse dia chegou a 11 de outubro de 1968, logo depois que um grupo de oficiais e suboficiais assumiu o comando da Guarda Nacional, quando deu um golpe no presidente Arnulfo Arias Madrid e assumiu os poderes da República.

Em fevereiro de 1969, Omar assumiu o poder e iniciou a sua revolução. Sua principal bandeira era a recuperação da soberania sobre todo o território panamenho e o desenvolvimento. Em novembro, ele se reuniu com as lideranças sindicais de todo o país chamando-as a apoiarem a luta nacionalista. *No hay colonialismo que dure 100 años, ni pueblo que lo aguante!* Iniciou um novo estilo de governo cuja característica principal era o contato direto com o povo e com as organizações sociais.

Denunciava como falso o dilema comunismo x anticomunismo. Para ele, no Panamá, a questão era de nacionalismo contra colonialismo, desenvolvimento contra subdesenvolvimento, amplitude democrática contra tirania pró-imperial. Também dizia que seu governo não tinha surgido somente contra os maus governantes. *Surgió también y sobre todo, contra un sistema malo. Lo nuestro no es una rebelión. Quiere ser revolución.*

Estabeleceu relações com os países socialistas. Entendia que, sendo o canal um benefício para o mundo, o Panamá não podia estar alinhado a um dos pólos do conflito da guerra fria. Não só restabeleceu relações com Cuba como combateu duramente o bloqueio imposto à ilha pelos Estados Unidos, com todos os riscos que isso significava durante o período de negociações. O então chanceler Henry Kissinger[1], o homem forte da Trilateral[2] e dos governos Kennedy, Nixon e Carter, advertiu-o publicamente dizendo que devia *"entrar na fila* (alinhar-se) *e não estar rompendo o bloqueio, pois as conseqüências de tal conduta serão imprevisíveis e de alta severidade."* Omar respondeu dentro da lógica militar, dizendo que podia compreender que se bloqueasse uma guarnição, como tantas que foram bloqueadas na história do mundo, porém não podia compreender um bloqueio contra um povo.

Um veto contra a humanidade

A primeira grande vitória da diplomacia panamenha na batalha pelo canal foi conseguir que o Conselho de Segurança da ONU se reunisse no Panamá de 15 a 21 de março de 1973. Os Estados Unidos fizeram de tudo para evitar que isso ocorresse. Primeiro ameaçaram matar Omar Torrijos. Como não surtiu efeito, mandaram colocar um milhão de dólares em suas mãos, sem recibo. Tiveram como resposta o recrudescimento da batalha diplomática. Omar mandou dizer que *nunca hemos sido, no somos, ni nunca seremos estado asociado, colonia o protectorado, ni queremos agregar una estrella más a la bandera de los Estados Unidos*. O Conselho de Segurança examinou a reivindicação panamenha e aprovou a proposta de descolonização.

Cobri essa reunião do Conselho de Segurança como enviado especial de *Expreso* e colaborador da Agência France Presse (AFP). Havia vários focos de tensão no mundo: Vietnã, lutas contra o colonialismo na África, Oriente Médio ... . A delegação chinesa se referia à URSS e aos EUA como os dois imperialismos, e a representação soviética replicava dizendo que havia um só imperialismo. Uma das proposições em discussão reconhecia os direitos soberanos do Panamá sobre todo seu território. Não estava fácil obter consenso.

Certa noite, o governo panamenho ofereceu uma recepção às delegações presentes. Era difícil para um jornalista entrar em recepções desse tipo. Fui acompanhando o chanceler peruano, Miguel Angel de La Flor. Ninguém me pediu convite, entrei. Lá pelas tantas, estava andando pelo salão, quando o chanceler australiano começou a conversar comigo. Percebi que ele estava me confundindo com o chanceler chileno, na época um tipo com a barba grisalha como a minha. Dei corda ao australiano e ele confidenciou que deveria votar com os Estados Unidos na questão da soberania do Panamá. Não esperei o final da festa. Fui procurar o jornalista Albert Brun, diretor regional da AFP, residente no Peru, que também estava na cobertura, e ele mandou a notícia de que o representante da Austrália havia declarado seu voto favorável aos Estados Unidos e que isso, certamente, contrariava a posição do governo social-democrata recém-empossado em Melbourne. Os jornais australianos repercutiram o fato e o governo teve de ordenar que seu representante mudasse o voto. A proposição foi finalmente aprovada por treze votos e um veto — o dos Estados Unidos.

Outra grande vitória diplomática foi alcançada em fevereiro de 1974, com a Declaração Tack/Kissinger, pela qual os Estados Unidos aceitaram a eliminação do conceito de perpetuidade e a necessidade de elaborar um novo tratado.

Em novembro de 1976 foi eleito Jimmy Carter. Foi a vitória de um grupo geracional no seio da Trilateral da qual Carter era membro ativo. Em janeiro de 1977 as negociações, que estavam emperradas desde 1975 por causa da campanha presidencial, foram retomadas em novo clima. Carter assumiu com a intenção de resolver o problema e indicou Sol Linowits e Ellsworth Bunker para perseguir esse objetivo. Formou-se nova Comissão Negociadora presidida por Bunker do lado estadunidense e por Rómulo Escobar Bethancourt do lado panamenho.

Em 1975, o Panamá foi reconhecido como membro pleno do Movimento dos Países Não-Alinhados. Estabeleceu relações plenas com os países socialistas da Europa, com a URSS, a China e a Coréia. Reconheceu a soberania da Guiné Bissau antes mesmo da independência. Apoiou a Organização para a Libertação da Palestina (OLP) de Arafat, e todos os movimentos libertários em qualquer parte do mundo. Em 1976, procurou contato com todos os chefes militares e com os Estados Maiores da América Latina para mostrar o absurdo da imposição de um tratado à perpetuidade e que nenhum panamenho assinara. Mostrava os riscos que isso significava para a soberania dos países do continente. Os países da América Central eram os mais reacionários. Só pelo fato do Panamá ter relações com Cuba achavam que o Canal podia cair em mãos dos comunistas.

Em 1977, Omar empreendeu várias viagens pelos cinco continentes. Sua intenção era internacionalizar ao máximo o problema. Raciocinava: já que todo o mundo se beneficia do canal, não é justo que seja tratado como um problema bilateral entre Panamá e EUA. Por onde passava obtinha apoio governamental a suas posições e grande repercussão na mídia. Foi talvez a única pessoa no mundo que tendo manifestado apoio à Líbia de Kadhafi e à OLP de Arafat foi recebida também em Israel. Nessa mesma ocasião visitou a Índia, Sri Lanka, Iugoslávia, Espanha, França, Itália, Vaticano, Suécia, Finlândia, Alemanha Federal, Grã-Bretanha e por duas vezes os Estados Unidos. Chuchu Martinez o acompanhava em todas essas viagens. No final do dia, quando se recolhiam para dormir, ele me passava por telefone as reflexões do general sobre o dia de trabalho, as impressões sobre o país e os governantes visitados. Eu transcrevia e repassava para os meios de comunicação de massa. Depois de tudo terminado, publicamos um livro com esses pensamentos.

Torrijos foi solidário com todos os movimentos revolucionários da América Latina e tinha entre seus amigos vários dirigentes revolucionários. Quando derrubaram Allende no Chile, a embaixada panamenha ficou repleta de refugiados, entre eles vários brasileiros. Quando conseguiu embarcá-los para o Panamá, ele os recebeu em sua casa, mandou que fossem examinados por médicos, deu duzentos dólares para cada um e ofereceu trabalho, nas cidades do interior, para quem quisesse ficar. De posse do dinheiro, alguns o gastaram em poucas horas comprando bugigangas no deslumbrante comércio livre de impostos da Cidade de Panamá. Só duas famílias aceitaram o asilo oferecido. Os demais queriam ir para a Europa — Paris, Lovaina, Estocolmo, Roma. Um dia Omar comentou comigo que ficou decepcionado, achando que isso não era comportamento de revolucionário.

Muito raro o ano em que não havia uma provocação dos Estados Unidos contra o Panamá. Em 1971, dois barcos com bandeira panamenha, que iam desembarcar agentes contra-revolucionários em Cuba, foram aprendidos pelo governo de Fidel Castro. Nixon propôs a Torrijos que enviasse outro barco em socorro para que também fosse apreendido. Como conseqüência, pediria ajuda aos Estados Unidos que, então, invadiriam Cuba.

Omar mantinha tudo isso em silêncio, pois sabia que a sua era a luta de Davi contra Golias. E mais: para os Estados Unidos invadirem o Panamá bastava ordenar às suas tropas acantonadas na Zona do Canal que atravessassem uma rua.

Certa vez, na fase álgida das negociações, vieram comunicar a Omar que o Comando Sul dos Estados Unidos realizaria uma manobra militar de treinamento por toda a extensão da Zona do Canal. Evidenciando a intenção provocativa e intimidatória batizaram a manobra de *Black Fury*. Os oficiais que levaram essa informação a Omar estavam muito preocupados. Ele os acalmou, provocando risos na equipe. Quando mencionaram o nome da manobra, *black fury*, emendou rápido, com um trejeito na munheca: *Ay, !qué miedo!* Estava batizada a manobra simultânea que seria realizada pela força armada panamenha.

Ambas cruzariam o istmo do Pacífico ao Atlântico. Os *rangers* estadunidenses por dentro do território da Zona do Canal, os *machos del monte* panamenhos por fora, bordejando a fronteira do enclave, um caminho muito mais inóspito e difícil. Eram mais de mil efetivos da Guarda Nacional em manobras de "envolvimento e redução" de "destacamentos guerrilheiros". Nas áreas de selva, tinham de abrir caminho a *machetazos*, ou seja, a golpes de facão. Omar me desafiou a acompanhar a operação. Tão importante quanto a manobra militar era a ação propagandística, a utilização dos meios de comunicação de massa e a mobilização do apoio popular. Fora de forma, levando uma vida um tanto quanto sedentária, no primeiro dia de marcha, escalando uma colina, o Cerro Cabra, pensei que morreria de cansaço. Num dado momento, no início da tarde, minhas pernas já não obedeciam o cérebro e rolei ribanceira abaixo. Recolheram-me em frangalhos. Fui para casa desmoralizado. Depois de um bom banho e algumas horas de sono, recuperado, voltei a acompanhar a tropa. Prevista para ser feita em dez dias, a operação durou cinco. Um exército regular levaria oito. Chegamos à costa atlântica com mais de doze horas de vantagem sobre os *rangers* estadunidenses. O moral lá em cima. A volta foi sobre caminhões em desfile pelas ruas de Colón, pela estrada transistmica e pela Cidade de Panamá. Por onde passava, os populares ovacionavam o comboio carregado de heróis.

A assinatura dos Tratados Torrijos / Carter, a 5 de setembro de 1977, na sede da OEA, em Washington, foi outra grande vitória da batalha pelo Canal, más não a definitiva porque os novos tratados teriam de ser aprovados pelo Senado dos Estados Unidos, onde havia forte oposição. O Panamá os aprovou em plebiscito logo após a assinatura. Em 16 de março de 1978, em Washington, o Senado aprovou o Tratado de Neutralidade — o qual reconhece a neutralidade do Panamá e seu canal. Somente a 18 de abril aprovaria os tratados do Canal — que previam o desmantelamento progressivo das bases militares, a participação panamenha na administração e manejo do canal, a reversão à soberania panamenha das terras e águas até a retirada total dos Estados Unidos, a 31 de dezembro de 1999.

Da assinatura dos tratados à aprovação pelos senadores foram oito meses de grande tensão. A diplomacia panamenha conseguiu levar em visita ao Panamá, para ver de perto a questão do canal e para que conhecessem o país e sentissem o ânimo dos panamenhos, mais da metade dos senadores estadunidenses. Eles sempre vinham acompanhados de vários jornalistas. Quando Carter, por ocasião da troca de notas ratificatórias, desembarcou no Panamá, trinta quilômetros de panamenhos o saudaram no trajeto do aeroporto à capital. Houve uma manifestação popular na praça com a participação dos presidentes Rodrigo Carazo, da Costa Rica; Andrés Pérez, da Venezuela; López Portillo, do México; López Michelsen, da Colômbia; e Michael Manley, da Jamaica. Carter confessou que nunca vira nem falara para tanta gente. Falou em espanhol numa praça onde estava mais da metade da população da capital e de Colón[3].

O Canal é indefensável por várias razões

Omar, mais de uma vez durante o processo de negociação, havia advertido que o canal *"es tan indefenso como un niño recién nascido.*" De fato o Canal é indefensável por várias razões: o complexo hidrográfico que move as eclusas é alimentado por rios que estão fora da zona; mísseis de curto, médio e de longo alcance podem ser disparados de qualquer lugar do planeta; a ação de comandos, guerrilhas, sabotadores, é impossível de ser evitada. Várias vezes o Comando Sul surpreendeu militares panamenhos como se estivessem perdidos nas áreas estratégicas da Zona do Canal.

A eleição de Carter significou a ascensão ao poder de um grupo de intelectuais que se poderia chamar de moderno. Boa parte formada de jovens recrutados pela Trilateral que era quem mandava no mundo e nos Estados Unidos na época. A contradição entre esse pensamento e os mais conservadores pesou no encaminhamento em favor de uma solução negociada com o Panamá. Os setores mais atrasados não queriam negociar. O Canal é coisa dos EUA e ponto — diziam. A mídia, em geral, seguia esse raciocínio.

Outro fator que influenciou o encaminhamento favorável à negociação foi, sem dúvida, o trauma do Vietnã na sociedade estadunidense. O pessoal da Trilateral, cujo chefe maior era o Henry Kissinger, sabia que Torrijos tinha razão quando dizia que o Canal é indefensável; que a melhor defesa era a paz na região e que a paz só seria possível com a descolonização. Mas para que essa geração pudesse impor seu ponto de vista foi preciso muito mais que o empenho e o charme de Carter. Foi um processo lento de convencimento em que se foi ganhando a opinião pública.

Quando cheguei ao Panamá em 1977, a tarefa que me foi dada foi a de ajudar a reverter a expectativa, conseguir apoio da mídia em todo o mundo, principalmente nos Estados Unidos. Devagar foram surgindo os apoios de importantes jornalistas do *New York Times*, *Washington Post*, as cadeias de televisão *NBC* e *ABC*. A partir daí tudo ficou mais fácil. Até com a CIA se manteve contato, por meio de um tal de Sorensen, apresentado por um ex-auxiliar do general Velasco Alvarado que também se refugiou no Panamá por uns tempos. Sorensen queria o diálogo inclusive com Cuba. Não soube até que ponto ele tinha influência na CIA, mas que ele não estava lá por sua conta, isso não estava.

Quando buscava apoio dos senadores estadunidenses, Omar mandou uma longa carta ao senador Edward Kennedy. Nela referia-se ao combate que travou contra um foco guerrilheiro desencadeado por estudantes no início dos anos 1960. Ele escreveu: "*Se o dever profissional não me houvesse obrigado a reprimir aquele levantamento romântico dos jovens rebeldes, eu teria cruzado a linha para a eles me unir.*" Era um recado bem claro e que parece que também foi entendido. Durante as negociações, tentando acalmar o ânimo da juventude inquieta, dizia em reunião com os estudantes que de não haver um acordo satisfatório... "*ocorrerá, por combustão espontânea, uma explosão do povo panamenho ... A Omar Torrijos restam dois caminhos à frente da Guarda Nacional: esmagar essa rebelião patriótica do povo ou conduzi-la. E eu não a vou esmagar!*"

Se os senadores tivessem rechaçado os tratados, não haveria novas negociações e a 19 de abril começaria nova etapa da luta. "*Sé que cuando a un pueblo se le cierran todas las rutas de negociación pacífica, a quienes dirigimos no nos queda otro camino que elegir la ruta de la liberación nacional violenta. Así que mañana se iniciaba outra etapa de la lucha,*" disse Omar em coletiva à imprensa logo após a ratificação.

De fato estava tudo preparado e havia uma "senha" que faria explodir os pontos principais das eclusas, inutilizando o canal para navegação. Torrijos lembrava que o líder nacionalista Nasser[4] só conseguiu a soberania egípcia sobre Suez depois que trancou a navegação pelo canal, em 1952. De acordo com o planejado na *Operación Potable*, caso os senadores não ratificassem o tratado, um comando integrado por *machos del monte* explodiria o Canal. O grupo especial da Guarda Nacional estava sintonizado na *Radio Libertad*[5] e atuaria ao ouvir a senha: "*no son potables.*" Para isso, passou por rigoroso treinamento e havia jurado que cumpriria com a missão. Felizmente, o grupo ouviu na rádio a frase que significava que deviam recolher-se à casa e comemorar: "*son potables.*" Conheciam a senha, somente Omar Torrijos, Rómulo Escobar e o comandante do grupo de ação. Rómulo seria o primeiro a saber o resultado da votação em Washington. Deveria avaliá-la e decidir se acionaria ou não o dispositivo. Viveu momentos de grande angústia. Temia morrer de um ataque no coração ou vítima de um atentado e não poder cumprir a ordem.

Em 1º de outubro de 1979 entraram em vigência os novos tratados. Desde zero hora dessa segunda-feira, despertada com ribombar de canhões e fogos de artifício, teve início um fluxo contínuo de gente à Zona do Canal, que só terminaria no final da tarde. Umas 500 mil pessoas entraram na Zona nesse primeiro dia. Oligarcas e mendigos, banqueiros e bancários, liberais, conservadores e comunistas, ultras de todas as cores. A população da capital estava mobilizada. Nesse dia reverteu-se à soberania panamenha boa parte da área urbana da Zona do Canal. Omar, que dizia não querer entrar na história e sim na Zona do Canal, não apareceu à concentração popular na praça nem em nenhum ato. Ficou recolhido em sua casa. Queria que o presidente eleito, Aristides Royo, presidisse os eventos. Não queria roubar-lhe o show.

Notas

1. Foi ministro de relações exteriores dos Estados Unidos e depois assessor presidencial para assuntos internacionais durante os governos de Kennedy, Nixon, Ford, Carter e Reagan. Foi quem negociou com o Vietnã os Acordos de Paz firmados em Paris, em 1975.

2. Comissão Trilateral, integrada por representantes de governos e de grandes conglomerados empresariais dos Estados Unidos, da Europa e do Japão. James Carter foi secretário executivo dessa agência que realizava análises conjunturais e estratégias de conduta. Escrevi um artigo que explica o funcionamento da Trilateral, publicado na revista *Nueva Sociedad*, editada em Caracas pela Fundação Friedrich Hebert, em 1979.

3. Ciudad de Panamá é a capital do país e porto no Pacífico. Colón é a segunda cidade em importância e em número de população e é porto no lado Atlântico do Canal.

4. O coronel egípcio Gamal Abdel Nasser protagonizou uma revolução nacionalista em seu país e nacionalizou o Canal de Suez, que permite a comunicação do Mediterrâneo com o Mar Arábico e o Oceano Índico.

5. Rádio estatal com programação informativa e musical. O diretor de jornalismo obedecia diretamente ao general Torrijos.

22. Nicarágua

Quedará de nosotros
algo más que el gesto o la palabra:
Este deseo candente de libertad,
esta intoxicación,
se contagia!

Gioconda Belli — poeta nicaragüense

Quando, com a assinatura dos novos tratados, terminou uma etapa da guerra pelo Canal do Panamá, Omar Torrijos iniciou uma nova fase, mais delicada mas não menos tensa. Os tratados precisavam ser aprovados pelo Senado dos Estados Unidos e havia oposição parlamentar com forte apoio na opinião pública. Nenhum dos aparatos armados para essa guerra foi desmobilizado. A Guarda Nacional continuou em disfarçado estado de emergência. Os *machos del monte* — tropas especiais antiinsurgência, preparadas para a sobrevivência na selva e muito mais que isso —, tinham consciência de quem era o inimigo e como combatê-lo.

Entre os *machos del monte*, nome que no linguajar local designa o porco selvagem, ou o nosso cateto — tropa com treinamento igual ao dos ao *rangers* dos EUA —, havia um grupo especial cuja missão era destruir o canal caso não fossem aprovados os tratados. Felizmente o Senado os aprovou. Os panamenhos respiraram aliviados. O general Torrijos chamou um por um os grupos até então mobilizados — diplomacia, inteligência, comunicação etc. — para dizer que deveriam manter-se em seus postos. *"Bueno, eso ya fué. Ahora vamos nos ocupar a tumbar a Somoza"* — ordenou.

Anastasio Somoza Debayle já era a segunda geração da ditadura dos Somoza. Seu pai Anastasio Somoza García havia sido colocado no comando da Guarda Nacional da Nicarágua pelos Estados Unidos, na década de 1930 e governou até 1956. Morto num atentado foi substituído por seu filho, formado na Academia Militar de West Point, nos EUA.

O Panamá já estava havia bastante tempo envolvido com a luta dos nicaragüenses contra uma das ditaduras mais cruéis e despóticas do hemisfério. A Nicarágua era um dos poucos países do mundo que na questão do canal era a favor dos Estados Unidos e não do Panamá. Dirigentes da Frente Sandinista de Libertação Nacional (FSLN) circulavam e realizavam reuniões livremente pelo país com a velada colaboração do G2 — a inteligência militar panamenha, comandada pelo coronel Antonio Noriega. O Partido del Pueblo (PP) — comunista — e intelectuais de esquerda realizavam com freqüência atos de solidariedade para sensibilizar a opinião pública e para arrecadar fundos para a Frente Sandinista. Um médico panamenho, Hugo Spadafora, tinha patente de comandante na guerrilha sandinista. Chuchu Martinez, homem de confiança do general, tinha contatos freqüentes com o comando guerrilheiro. Na casa de Chuchu, foram dados os últimos retoques ao hino da Frente Sandinista. A letra e a música têm contribuições de todos que nos reuníamos com Chuchu: o médico e comandante Camilo, a poeta Gioconda Belli, o comandante Tomás Borge, o cantor e compositor Carlos Mejía Godoy, a jornalista argentina Stella Calloni, Bia, eu e outros.

A partir da ordem de Torrijos, o Panamá deixou de ser uma base passiva de apoio à guerrilha para assumir um papel beligerante. Formou-se um corpo de voluntários com seiscentos homens. A maioria era de soldados e cabos que "deram baixa" da Guarda Nacional. Entre os poucos civis, estava Martín Torrijos, o filho mais velho do general Omar Torrijos.

Somoza queria invadir a Costa Rica, único país desarmado

Continuei trabalhando na sistematização, processamento e análise de informação; e, no planejamento e execução de ações de comunicação de massa. O que eu fizera durante a batalha do canal fazia agora em favor dos sandinistas: reversão de expectativas. E eu também já estava envolvido com os nicaragüenses — os nicas, como se diz na região — desde a grande ofensiva guerrilheira desencadeada em outubro de 1977 que havia custado a morte de duas mil pessoas em curtos dez meses. Entre 1977 e 1978, entrevistei vários comandantes e escrevi um livro contando um pouco da história do país, colocando a luta sandinista em seu contexto histórico e dando detalhes sobre o massacre que Somoza dirigia contra o povo e sobre o desenvolvimento da guerrilha. O livro: *Pelos caminhos de Sandino* foi publicado na Itália com relativo sucesso e as entrevistas, em várias publicações periódicas por diversos países.

Nessa segunda etapa, aprofundei mais ainda meu relacionamento com os sandinistas e no acompanhamento da evolução da guerra. Estava muito bem relacionado com jornalistas de várias partes, principalmente dos Estados Unidos e da América Latina. Além de trabalhar na Secretaria de Informação do Chefe do Governo do Panamá, era o diretor da Inter Press Service (IPS), uma agência italiana de origem, dedicada aos problemas do Terceiro Mundo, na época com boa penetração nos países latino-americanos. A IPS tem estatuto consultivo nas Nações Unidas, veicula as questões suscitadas pelo Programa das Nações Unidas para o Desenvolvimento (PNUD) e servia de canal[1] para o projeto Ação de Sistemas Nacionais de Informação (ASIN) — um *pool* de agências de notícias estatais dos países latino-americanos, formado sob inspiração da Unesco, como alternativa ao fluxo informativo mundial monopolizado pelos grandes países. Só o Brasil não participava desse grupo. Os empresários da Sociedade Interamericana de Imprensa (SIP) faziam o que podiam para sabotar o projeto.

Tínhamos a nosso favor muita credibilidade e confiabilidade e logo éramos uma das principais fontes de informação sobre a guerra, já que Somoza e as fontes estadunidenses que lhe apoiavam não eram confiáveis. O apoio dos Estados Unidos era ostensivo e descarado. Em 1978, em plena guerra civil, Carter mandou cumprimentar Somoza pelo respeito aos direitos humanos e liberou 20 milhões de dólares de empréstimo para compra de armas. Obedecendo aos Estados Unidos, o Brasil, a Argentina, Israel, a Espanha e a França forneciam armas e mercenários. Nessa época, havia grande tensão em toda a área centro-americana e do Caribe e confronto armado com guerrilhas em El Salvador e Guatemala.

Outra peça de grande importância no apoio à luta sandinista na Nicarágua foi a Costa Rica, então governada por Rodrigo Carazo, do Partido Liberación[2]. Nas eleições de 1978 o partido de Carazo elegeu seu sucessor, Daniel Oduber, que continuou com a mesma política de apoio aos sandinistas. O comando e os centros de treinamento da Frente Sul da guerrilha nicaragüense ficavam em território da Costa Rica. E havia algumas centenas de voluntários ticos — como são chamados os costarriquenhos em toda a América Central — armados na FSLN.

Somoza, num dado momento , ameaçou invadir a Costa Rica. Torrijos acionou Andrés Pérez, presidente da Venezuela, e este colocou na base aérea de Farallón, em território panamenho, uns dois ou três *Mirages* artilhados da Força Aérea Venezuelana. Era uma maneira de dizer a Somoza que ficasse quieto em seu canto. A Costa Rica, desde a revolução de Figueres, não tem forças armadas, mas tinha quem a defendesse: o Panamá e a Venezuela.

Chuchu Martinez nos contava que ficou muito excitado diante dos *Mirages* e frustrado por não ter condições técnicas para pilotá-los. Queria usá-los para destruir o *bunker* em que Somoza se escondia. Com outros companheiros arquitetou um plano. Na calada da noite, roubaram uma das bombas de um dos *Mirages* e a puseram a bordo da avioneta de Chuchu. No dia seguinte a avioneta custou para decolar e voava a baixa altitude pois o artefato pesava demais para a sua potência. A intenção era jogar a bomba sobre o *bunker*. Não demorou muito, contudo, para que os pilotos venezuelanos pusessem a boca no mundo e os radares das numerosas bases dos Estados Unidos na área descobrissem o vôo. A avioneta já estava sobre território da Costa Rica quando Torrijos, a pedido de Andrés Pérez e do próprio Carter, conseguiu interceptá-la e fazer com que voltasse à base. Na época, não sabia se Chuchu sonhara com isso ou se realmente perpetrara. Em agosto de 1980, quando Torrijos me visitou em minha casa em São Paulo, conversando com um grupo de jornalistas, entre os quais o Flávio Tavares[3], ele confirmou essa façanha.

Manágua é a única cidade do mundo em que não há centro, só periferia

Nicarágua é o maior país da América Central, com 128.000 km^2 e 3,5 milhões de habitantes. Paisagem com serras, lagos e vulcões na faixa central, selva na costa atlântica e lindas praias no Pacífico. Formava a periferia do império Maia, e no século XVI, os miskito resistiram heroicamente à conquista espanhola. Hoje a população é mestiça com forte predominância dos miskito, suno e ramo, nações que se esforçam por preservar suas culturas, inclusive o idioma.

De Ciudad de Panamá a San José da Costa Rica são cerca de mil quilômetros pela estrada Panamericana[4]. Mais uns quinhentos quilômetros e se chega a Manágua. Com um amigo nica, munidos dos respectivos salvo-condutos, em 20 de julho de 1979, no dia seguinte ao triunfo da Revolução Sandinista, partimos para fazer esse trajeto. Demoramos um dia inteiro para chegar da fronteira com a Costa Rica até Manágua, a capital. As estradas estavam péssimas e havia barreiras sandinistas por toda a parte. E havia muito tiroteio também, confronto com somozistas que ainda não haviam deposto as armas e franco-atiradores. Parávamos o carro, esperávamos que a coisa se acalmasse, retomávamos a estrada. Estávamos impregnados de mística revolucionária. Havia acompanhado de longe cada passo da escalada guerrilheira e estava ansioso por compartilhar com meus amigos sandinistas a alegria da vitória.

Nos primeiros meses após o triunfo sandinista, chegou ao Panamá o autor e diretor César Vieira com seu grupo de teatro União e Olho Vivo[5]. O grupo chegava de Cuba, onde fez uma série de apresentações. Eu o ajudara a chegar lá gestionando com Manoel Galich, diretor do Departamento de Teatro da Casa das Américas, para viabilizar a turnê e a questão dos vistos. Quando chegaram ao Panamá, realizava-se uma convenção do recém-fundado Partido Revolucionário Democrático (PRD), governista. Alojei o grupo no cinematográfico Hotel Panamá, ex-Hilton, e ele fez um show para os convencionais, uma apresentação para o público, além de desfilar no carnaval de rua com as *murgas* locais, bandinhas que tocam músicas folclóricas.

A Nicarágua era a grande atração do momento e o grupo queria viver essa experiência. Afinal, como dizia Mariátegui, *"revolu-*

ção é criação heróica de todo um povo." Administrei o processo com meus amigos sandinistas para que o grupo realizasse a turnê. Alugamos um ônibus, desses muito coloridos que fazem o transporte urbano em Ciudad de Panamá e o grupo fez a viagem por terra até Manágua e outras províncias nicaragüenses. Embora tivesse muita vontade, não pude acompanhá-los. Meus dois filhos se somaram como voluntários à aventura[6]. Para o grupo, foi uma experiência fascinante. A situação no território da Nicarágua em nada havia mudado de quando eu fizera o mesmo trajeto. Barricadas, franco-atiradores, patrulhas sandinistas parando tudo o que se movia. Nas proximidades de pontes ou outros pontos estratégicos era preciso vasculhar o caminho em busca de minas antes de seguir. Era uma grande emoção.

* * *

Manágua é a única cidade do mundo em que não há centro, só periferia. Para se chegar a qualquer parte é preciso percorrer enormes distâncias. O terremoto de 1972 arrasou o que era a capital colonial e o centro comercial. Quando lá cheguei, logo após o triunfo, Manágua era um caos. Não foi fácil conseguir um quarto no Hotel Intercontinental. Além de jornalistas do mundo inteiro, havia de tudo: guerrilheiros ou ex-guerrilheiros da Argentina, da Colômbia, do Uruguai, do Brasil, simpatizantes e opositores do sandinismo, agentes da CIA e de outras agências de espionagem. Estava ali o estado maior inteirinho dos montoneros argentinos, fardados e armados. Frank Manitzas, repórter e produtor, na época, da cadeia ABC de televisão dos EUA, foi agredido por um dos monstros fabricados em *Langley* ou *Fort Brag,* centros operacionais da CIA nos Estados Unidos. O cara, do tamanho de um gorila, deu um golpe de caratê em sua máquina de escrever portátil. Não sobrou nada. Isso só porque achou que Frank estava sendo simpático à causa sandinista.

Aluguei um carro e fui fazer um reconhecimento. Assustei-me. Davam tiros por todos os lados. Mais tarde fui andar pelos arredores do mercado, comer *chicharrón con vigorón* — carne de porco frita com salada de repolho curtido no limão e pimenta, servido em palha de milho. Na Nicarágua, comem-se as *parrilladas de mariscos* mais sensacionais do planeta. Mas é preciso tomar cuidado com o trivial deles. O *gallo pinto con tortilla de maiz* que servem como café-da-manhã pode derrubar alguém de estômago sensível. É feijão feito com muita banha de porco, lingüiça e bolo de milho, tudo frito.

Apresentei-me ao comando sandinista e pedi para falar com Tomás Borge. Depois de dois dias de espera, Tomás mandou uma patrulha para buscar-me. Ficamos contentes de nos reencontrar. Disse-lhe que podia estar por pouco tempo na Nicarágua, mas que queria fazer qualquer coisa que pudesse ser útil. Pediu-me que fizesse um levantamento e um informe sobre os recursos de comunicação do país e me colocou em contato com o pessoal de inteligência e comunicação.

Com Carlos Garcia, um jipe, um motorista e um escolta, começamos a buscar e a catalogar os recursos. Não foi difícil, pois tínhamos a colaboração dos técnicos simpatizantes da causa. Quem não havia fugido com Somoza e não era do exército somozista, estava entusiasmado com a revolução. Ao cabo de uns dias, apresentei o relatório e um projeto sugerindo o quê e como fazer com os recursos. Com Carlos, também montamos o primeiro núcleo da Agência Nicaragüense de Notícias. O projeto recomendava o monopólio estatal da rádio e televisão, a criação da imprensa oficial e a manutenção do jornal *La Prensa*, da família Chamorro.

* * *

O assassinato de Pedro Joaquim Chamorro, diretor e proprietário do diário *La Prensa*, em janeiro de 1978, foi o estopim da ofensiva final dos sandinistas, agora com o apoio maciço da população. Pedro Joaquim foi assassinado porque a CIA descobriu que ele estava em entendimentos com os sandinistas e comunicou o fato à repressão somozista. A partir desse momento, parcela considerável da pequena burguesia nica, que estava indecisa por medo ou oportunismo, aderiu à revolução. Violeta, viúva de Chamorro, fez parte dos primeiros governos revolucionários. E é interessante registrar, que os irmãos de Pedro Joaquim eram sandinistas. Após o triunfo, um de seus irmãos foi dirigir *La Prensa* e outro, também jornalista, foi dirigir *Barricada*, o diário oficial da revolução. Quando os dirigentes sandinistas pensaram que a revolução estava consolidada e que deviam radicalizar para a construção de um socialismo *a la cubana* a família se dividiu. Posteriormente, quando os sandinistas concordaram em realizar eleições para evitar conflagrar o país em nova guerra civil, Violeta foi a carta mediadora e, eleita presidente, fez o governo de transição.

A Nicarágua era um feudo e uma empresa de Somoza

Para fazer o levantamento dos recursos de comunicação, viajei por praticamente todo o território nicaragüense. Havia ainda muita confusão, um caos. Os sandinistas consolidando suas posições e organizando o novo poder. Barricadas por toda parte. Patrulhas revolucionárias se confrontavam com grupos contra-revolucionários. Havia também franco-atiradores e atentados à bomba.

O que mais me impressionava era, precisamente, que a Nicarágua, tal como concebemos um Estado, praticamente não existia. Era um feudo de Somoza. Na realidade o clã controlava 40% da economia do país, era proprietário de 40% das terras cultiváveis e era sócio de todas as grandes empresas lá instaladas, inclusive as estrangeiras. Essa era a grande diferença entre Somoza e os clássicos ditadores do Terceiro Mundo — ao ser sócio das transnacionais era um homem do sistema.

De outro lado, no correr da guerra, com a morte dos revolucionários, a idade média dos sandinistas foi baixando e girava em torno dos 16, 17 anos. Da população da Nicarágua, 80% é indígena e essa proporção era ainda maior no exército guerrilheiro. Gente simples, tinha necessidade de contar as coisas vividas nos últimos anos — a repressão, a luta, a clandestinidade, a emoção da vitória. Em certas áreas do interior, particularmente na Frente Norte, onde é mais densa a população indígena, toda a população estava engajada. Alguns camponeses iam à luta com suas máscaras rituais. O conceito de clandestinidade era o de encarnar o espírito dos heróis e dos deuses ancestrais. Na falta de armamento convencional, inventavam todo tipo de artefatos e armadilhas para atacar o exercito somozista ou dele defender-se. Pude compreender bem e convencer-me de que uma revolução popular é um parto maravilhoso, resultado da criatividade e da ânsia de liberdade de todo um povo.

A Nicarágua era uma empresa de Somoza. Os ministros de estado eram seus amigos e quase não havia ministérios, ou seja, aquela estrutura burocrática organizada para realizar determinadas missões que conhecemos. A minoria, menos de 5% de brancos e mestiços do ápice da pirâmide gozava de todos os privilégios e a massa, principalmente as populações indígenas, estava relegada à mais extrema miséria. Na Nicarágua de Somoza, além dos catadores de lixo, havia crianças catadoras de restos nos esgotos.

Quem era amigo de Somoza ganhava um documento, uma carteira com fotografia que servia tanto de documento de identidade como carta de motorista. Era um salvo-conduto para a impunidade. Os mais chegados e endinheirados tinham, além disso, um passaporte. Quando visitei o que fora o *bunker* do ditador, para ver o que havia ali de recursos de comunicação, pude ver alguns desses documentos e levar um comigo de lembrança. O restante da população não era documentada. Só nas igrejas católicas fazia-se algum tipo de registro: em batizados ou casamentos. Quanto à população indígena, havia apenas uma estimativa sobre seu número.

Havia um ministro das Relações Exteriores de Somoza, mas não havia o ministério. Os sandinistas nomearam o padre Miguel D'Escoto[7] como chanceler e um dirigente do Partido Comunista como vice-ministro. Uma panamenha, com muitos anos de trabalho no Ministério de Relações Exteriores de seu país, foi designada para ajudar na organização e montagem da infra-estrutura do novo ministério. Ela pediu minha ajuda na preparação do corpo diplomático e dos funcionários, que eram todos muito jovens, sem experiência administrativa ou de gestão, a maior parte estudantes que interromperam seus estudos em faculdades para ingressar na guerra. Foi mais de uma semana com dias e noites de treinamento intensivo sobre o que são e para que servem os foros internacionais e sobre política internacional, conjuntura mundial etc. E assim estavam sendo montados todos os demais ministérios. Cubanos, panamenhos, ticos, brasileiros, italianos, franceses, estadunidenses, canadenses, voluntários de várias partes do mundo procuravam ajudar na estruturação do novo Estado. Mas, principalmente, os cubanos. Inestimável a quantidade e qualidade do esforço cubano para ajudar os nicaragüenses, particularmente nas áreas de saúde e educação.

Os EUA sempre estiveram de olho na Nicarágua por considerar um território alternativo para o Canal de Panamá

Um dia, eu estava no gabinete de Tomás Borge, então começando a organizar o Ministério do Interior, o organismo de segurança do novo estado revolucionário. Tomás há meses sem um minuto livre de tensão, com ar cansado, parou com o que estava fazendo, chamou um escolta, avisou a secretária que estava saindo, que mais tarde daria notícias, me segurou pelo braço dizendo: *"vámonos de aqui."*

Entramos num carro e iniciamos um passeio (*recorrido*) pelos bairros pobres da cidade, cidadelas que haviam sofrido horrores durante a guerra e estavam na maior euforia pela vitória. Somoza bombardeou intensamente alguns desses bairros, verdadeiros canteiros de sandinistas. No final, vendo-se perdido, bombardeou também as indústrias para não deixar infra-estrutura para os vencedores. Tomás, estressado, se revitalizava em contato com a alegria do povo sandinista.

Passadas umas poucas horas deu uma ordem ao motorista e pouco depois estávamos visitando o que fora um dos quartéis da polícia de Somoza. Mostrou-me uma cela onde estivera preso durante alguns meses. Media algo como um metro e meio de largura por dois de comprimento, um catre de cimento de uns 60 centímetros de largura, grades de ferro na frente e atrás, ambiente úmido. Tomás permaneceu o tempo todo algemado numa das grades de ferro. Podia sentar, podia até mesmo deitar no frio catre de cimento, sempre com as mãos enroscadas na grade. Podia até comer desse jeito mas era quase impossível usar as mãos para as necessidades fisiológicas. Perguntei a Tomás como ele pôde sobreviver a isso. *Soñando...* respondeu. *"Soñando con el triunfo de nuestra revolución... sonãndo con nuestros niños, todos con sus uniformes saliendo de sus aulas. Y haciendo versos!"*

Os cárceres na Nicarágua de Somoza eram terríveis. Quando percorri o país com Carlos García, visitamos um campo de prisioneiros abandonado pelos somozistas. Os guerrilheiros que o ocupavam nos mostraram a solitária. Era um buraco cavado no meio do pátio, coberto com zinco. Manter um prisioneiro ali num dia de sol era o mesmo que mantê-lo num forno. Essa técnica tinha sido ensinada por assessores estadunidenses.

Tomás foi preso em 1976 e libertado como resultado de uma ação espetacular iniciada a 22 de agosto de 1978, quando um comando sandinista tomou o Palácio Nacional, onde funcionava o Senado, a Câmara de Deputados e vários órgãos do governo. Todos os que estavam no prédio — praticamente todo o governo, pois se realizava uma reunião para aprovação do Orçamento da Nação — foram seqüestrados. Essa ação foi comandada pela médica Dora Maria Tellez Arguello com a ajuda do comandante Edén Pastora[8]. Livre, em setembro, Tomás foi clandestino para o Panamá. Recebi-o em minha casa, estava ainda muito abalado e debilitado. Tomou seu primeiro gole de vinho depois de muitos anos. Fizemos uma longa entrevista que foi publicada em vários países. Falamos de nossos sonhos. Tomás tem vários livros de poemas publicados. E não é fácil ser visto como bom poeta em um país onde há muitos deles e que deu às letras hispânicas Rubén Dario, Gioconda Belli, Ernesto Cardenal, Mejía Godoy, entre outros.

* * *

A Frente Sandinista de Libertação Nacional foi criada em 1961 por um grupo de jovens liderados por Carlos Fonseca Amador. Pretendiam retomar a luta de libertação nacional iniciada por Augusto César Sandino[9] que organizou um exército popular e expulsou tropas da marinha dos Estados Unidos que tinham invadido o país com intenção de ficar.

Os Estados Unidos sempre estiveram de olho na Nicarágua por considerar um território alternativo para o Canal de Panamá. Financiaram a invasão de mercenários capitaneados pelo pirata Willian Walker, em 1885. Desembarcaram fuzileiros navais em 1909 e de novo em 1912 para ficar até 1933, quando foram expulsos pelo exército popular organizado por Sandino.

Os 1.500 fuzileiros navais dos EUA foram então substituídos por uma Guarda Nacional, criada e comandada pelo general Anastasio Somoza Garcia, quem liquidou com Sandino, fez-se o homem mais poderoso do país e em 1937 assumiu a presidência. Em 1956, Somoza Garcia foi morto num atentado. Assumiu a presidência seu filho mais velho, Luiz Somoza. O filho mais novo, Anastasio Somoza Debayle, formado em *West Point*, assumiu o comando da Guarda Nacional, fez-se o homem mais forte do país e logo assumiu a presidência iniciando outra longa ditadura. Os Somoza ajudaram os Estados Unidos na invasão da Guatemala para derrubar o governo progressista de Jacobo Arbenz em 1954 e, na invasão da República Dominicana, para evitar uma vitória da frente popular de Juan Bosch e Caamaño Deño, em 1965/1966.

Tomás Borge era e é o único sobrevivente do grupo de refundadores do sandinismo liderado por Carlos Fonseca. E após a vitória de 1979, ficou com a tarefa mais difícil na reorganização do estado revolucionário. Como ministro do Interior tinha a responsabilidade de organizar a polícia e de detectar os focos da reação contra-revolucionária. Como era o mais velho entre os comandantes, era também o elemento aglutinador, ou seja, importante fator de unidade do grupo. E da unidade do povo também, porque sem dúvida era o líder sandinista de maior carisma popular. Nas duas ou três vezes que estive na Nicarágua, entre 1980 e 1990, apesar de todos seus afazeres, Tomás encontrava tempo para receber-me, levava-me a almoçar em sua casa em companhia da mulher e filhos, ou tomávamos um lanche no final do expediente, perto da meia-noite, no próprio gabinete no ministério e conversávamos por várias horas. Nas poucas vezes que ele esteve aqui na cidade de São Paulo, deu-me o prazer de sua visita, presenteou-me com seus mais recentes poemas.

Notas

1. Fornecia a infra-estrutura de comunicação por satélite e por micro-ondas.

2. Partido nascido da revolução liberal de José Figueres nos anos 1950.

3. Foi jornalista de *O Estado de S. Paulo*; correspondente no Brasil do jornal mexicano *Excelsior*. Foi preso e barbaramente torturado pela repressão da ditadura brasileira, sofrimento que ela relata de maneira lancinante no livro: *Memórias do Esquecimento*.

4. Estrada de rodagem planejada para ligar as três Américas.

5. Grupo de Teatro Popular mundialmente mais premiado no gênero. César Vieira é o pseudônimo de Idibal Piveta, jornalista e advogado. Fomos parceiros nas lides da política universitária dos anos 1950 e somos amigos ainda hoje. Na década de 1970, Idibal Piveta mantinha com Luis Eduardo Greenhalg e Ayrton Soares um dos escritórios de advocacia mais comprometidos com a defesa de perseguidos políticos. Eles fizeram minha defesa no processo da ALN.

6. No Panamá conseguimos reunir de novo toda a família.

7. Miguel D'Escoto era beneditino. Além dele eram ministros do governo sandinista o trapista Ernesto Cardenal, da Cultura e o dominicano Fernando Cardenal, da Educação.

8. Também conhecido como o Comandante Zero. Interessante que toda a mídia reacionária se preocupou de fazer com que ele aparecesse como herói. A verdadeira comandante da operação em nenhum momento foi mencionada. Mais tarde Pastora se somou aos contra-revolucionários.

9. Denominado "general de hombres libres", foi assassinado em 1934.

23. Torrijos

É difícil escrever sobre a morte de Omar.
Realmente quis a esse homem.
Que coisa extraordinária que um país diminuto
como o Panamá tenha produzido a um
dos grandes homens de nossa época.
Talvez sejam os panamenhos a quem menos falta fará.
Posso imaginar a catástrofe que significará sua morte
em Nicarágua e em El Salvador.

Graham Greene — escritor inglês

Cheguei ao Gran Hotel Soloy no meio da tarde de um sábado, a 25 de junho de 1981, telefonei para a residência do general Omar Torrijos e pedi a Esther, uma de suas secretárias, que lhe avisasse que eu já estava na cidade e aguardava instruções para um encontro. Em seguida tratei de localizar o sargento José de Jesus Martinez (Chuchu), escolta e assessor do general, com quem já havia combinado previamente, por telefone, de São Paulo, o que deveríamos fazer para iniciar com êxito a Operação Teatro, motivo pelo qual eu viajara ao Panamá. Tínhamos pouco tempo e muita coisa para fazer. Falei com alguns amigos por telefone, fui dormir cedo. Estava tresnoitado. Durante toda a semana e a anterior, eu estava no Iraque, participando de um evento.

Para chegar ao Panamá, saindo de Bagdá, tive de ir primeiro a Aman, na Jordânia, num vôo noturno. O Iraque estava em guerra com o Irã, os aviões só decolavam de noite e voavam com janelas fechadas e luzes apagadas. Depois de um vôo curto, dormi um pouco num pequeno hotel e passei um dia maravilhoso em Aman e nos arredores, visitando ruínas romanas, saboreando comidas de mil-e-uma-noites. À noite embarquei para o aeroporto Kennedy em Nova Iork e de onde, no dia seguinte embarcaria no La Guardia rumo ao Panamá, via Atlanta. Uma façanha temerária, pois não tinha visto para entrar nos Estados Unidos. Mas, o pessoal da empresa jordaniana me garantiu que resolveria o problema. Era um passageiro em trânsito e a legislação internacional garante esse direito. Até que conseguissem me tirar de lá e me levar para um hotel fiquei umas duas horas preso numa sala do aeroporto, custodiado por um policial. Era um imigrante dominicano. Ainda bem, pois podia entender-me com ele num espanhol parecido com o dele, o que aliviou a situação. Passei o resto do dia até a madrugada rodando pela cidade. No sábado de manhã, embarquei rumo ao Panamá.

No domingo tomei o café da manhã no hotel com a jornalista Norma Nuñez Montoto. Queria estar bem informado sobre as fofocas locais. Norma sugeriu que fôssemos visitar o Cerro Ancón, um morro na entrada do Canal, uma das primeiras coisas devolvidas à soberania panamenha depois da assinatura dos tratados Torrijos-Carter. Gostei da idéia mas tinha um compromisso logo mais com o major O' Calaghan, porque queria estar bem informado também sobre as fofocas no meio militar. O' Calaghan era um dos jovens oficiais da confiança de Torrijos e tivera papel importante na politização da Guarda Nacional e no trabalho de interação desta com o movimento popular. Estreitamos uma bela amizade no período em que trabalhei na assessoria do general. Reuníamo-nos em família, viajávamos juntos.

O major chegou e fomos os três "tomar posse" do Cerro Ancón. Lá no alto, um mastro de uns 30 metros com uma enorme bandeira panamenha que podia ser vista de quase todos os cantos da cidade. Foi um passeio um tanto quanto frustrante, pois, à metade do caminho para chegar ao cume, fomos barrados por um portão com cadeado e com a placa: *prohibido el paso*. O major não conseguiu reter as lágrimas de indignação. Norma sugeriu que no meu encontro com o general lhe dissesse que não adiantou conquistar o cume, era preciso também conquistar o caminho de acesso.

Na terça-feira, dia 28, escurecia, estava no bar do hotel esperando uns amigos. Esther, por telefone, me diz para estar preparado às seis da manhã que alguém passaria no hotel para levar-me a tomar o café da manhã com o general. Fiquei muito contente. E mais ainda quando entrou no bar o próprio Chuchu Martinez para dar-me essa notícia junto com as boas-vindas.

José de Jesus Martinez, filósofo, matemático, ensaísta, dramaturgo, poeta e diretor de cinema. Como professor universitário dava aula de filosofia e de lógica matemática. Fez pós-graduação na França e na Alemanha. Falava espanhol, francês, inglês, alemão, italiano e relativamente bem português. Lia e compreendia latim e grego. Foi marinheiro, conheceu numerosos portos. Era aviador e tinha sua própria avioneta. Um de seus livros, *Aleph Cero,* refere-se à filosofia da matemática do infinito. Já tinha completado quarenta anos quando Omar Torrijos procurava aproximação com os intelectuais.

Numa reunião na Universidade do Panamá, Omar e Chuchu se enfrentaram em discussão sobre as contradições entre os intelectuais e os militares. O general, em tom de desafio, disse que um militar pode ser um intelectual, mas que um intelectual não pode ser um militar. Chuchu aceitou o desafio e dias depois se alistou como recruta na Guarda Nacional. Sofreu o diabo nas mãos dos sargentos, mas agüentou firme até chegar a cabo. Foi quando o general o colocou em sua escolta. Chuchu passou a ser um de seus principais auxiliares. Era o intérprete nas recepções a dignitários de Estado ou nas viagens, era o escriba, o secretário, o amigo leal. Aproximou vários de seus amigos intelectuais do general e este os cativava. Gabriel García Marquez e Graham Greene visitavam o Panamá com freqüência para estar com Chuchu e com o general. Ambos escreveram livros e artigos sobre os dois personagens.

Chuchu estava fardado, não quis beber nem mesmo um refrigerante, mas, apesar de sua pressa, falamos por quase uma hora. Quarta-feira, às seis em ponto, eu estava esperando na porta do hotel, Chuchu chegou dirigindo um dos carros de uso privativo do general. Uns 40 minutos depois estava cumprimentando Omar Torrijos e sentando-me a seu lado diante de uma mesa farta na casa de seu amigo Rodrigo (Rori) Gonzales, em Cerro Azul, no alto de umas colinas fora do limite leste da cidade. Uma bela casa, num terreno de mais de 1.000 m^2, num local que lembra alguns trechos da Serra da Cantareira, no limite norte da cidade de São Paulo.

Omar estava de ótimo humor. Conversamos por quase uma hora, querendo saber o que aconteceu de mais importante na vida de cada um depois de quase um ano de nosso último encontro, quando ele me surpreendeu chegando a minha casa em São Paulo para uma visita. Isso foi em agosto de 1980. Estava acompanhado de Chuchu, do comandante da força aérea, que pilotava o avião, e a secretária Guadalupe (Lupe). Levei-o para conhecer o ABC paulista, a região de Campinas e o Vale do Paraíba. Reunimo-nos com jornalistas e intelectuais e visitamos alguns políticos. Passamos um belo dia na fazenda colonial do senador Severo Gomes, em Jacareí, para satisfazer a curiosidade de Omar de conhecer uma criação de búfalos. Na reunião com jornalistas, Omar revelou fatos ocorridos durante as negociações para o novo Tratado que até então eram segredo. Mas nossos jornalistas não consideraram a visita de Omar Torrijos importante nem registraram o fato. Ele regressou ao Panamá bem impressionado com o parque industrial brasileiro e com o potencial de nosso país para se tornar plenamente desenvolvido.

Às oito horas, Rori nos interrompeu para dizer ao general que estava tudo pronto, que podíamos partir quando ele quisesse. Ele achou que era bom sair cedo. Embarcamos num *trailer*: Rori na direção, sua esposa ao lado. Nos bancos traseiros, Omar e sua esposa Raquel, Eduardo Moreno, com sua esposa brasileira, eu, Chuchu Martinez e a secretária Damaris. Atrás, a uma distância prudente, um jipe da Guarda Nacional com o motorista e três escoltas. Perguntei qual era o plano, para onde íamos. *"Vamos a pasear por el Darién. Hace tiempo que no camino por ahi y quiero ver como está."* Apontei que era bom saber que ele não havia perdido o hábito de sair em *patrullaje*, percorrer regiões do país para ver como estavam as coisas, conversar com os líderes, ouvir as populações locais sobre seus problemas. Confessou que fazia um certo tempo havia se descuidado, com intenção de não parecer querer interferir no governo, mas que o resultado não era bom.

Ele sonhava com construir no Panamá uma sociedade o mais igualitária possível, solidária

Já havia percorrido o Darién com Omar Torrijos quando ele ainda era chefe de governo do Panamá e decidira levar a estrada Panamericana até a fronteira com a Colômbia e incorporar a região ao processo de desenvolvimento do país. Em 1977, a estrada ainda em fase de terraplanagem e assentamento quase atingia a fronteira colombiana. Nessa ocasião, visitamos algumas aldeias indígenas e a barragem sobre o rio Bayano, onde se construía uma usina hidrelétrica com a ajuda do governo do marechal Tito, da Iugoslávia.

Lembro-me de que num acampamento da empresa que rasgava a selva, quando Omar me apresentou aos engenheiros dizendo que eu era brasileiro, eles me disseram que havia dois peões brasileiros trabalhando na obra. Eram nordestinos do sertão do Ceará e de Pernambuco. Haviam deixado suas terras para incorporar-se às frentes de trabalho para abrir estrada na floresta no Amazonas. Haviam chegado até ali caminhando. Como, não sei, não consegui avistar-me com esses dois compatriotas que eram considerados quase heróis por seus companheiros de trabalho.

Quatro anos haviam passado desde essa minha primeira visita ao Darién. A estrada ainda em construção, porém, víamos por quase toda a extensão de suas margens grandes incêndios. Estavam queimando a floresta para semear capim. *"És un problema cultural,"* justificou-se Omar. *"Esses caboclos, principalmente os de Veraguas, não podem ver um pau em pé que querem derrubar. A ocupação dessa área devia ser melhor planejada mas parece que liberaram geral "*— criticou. Pediu a Chuchu que, uma vez de volta à base, procurasse os ministros de Planejamento e da Agricultura para solicitar uma reunião para discutir esse assunto.

Quando chegamos à ponte sobre o rio Bayano, encontramos um índio com uniforme da Guarda Nacional. Omar o chamou para conversar. Queria saber como a formação do lago pela represa da hidrelétrica havia repercutido na navegação e na integração entre as várias comunidades ribeirinhas. Depois nos explicou que tinha dado certo a idéia de incorporar à Guarda os próprios nativos. *"Ellos se entienden entre si en su própio idioma. Conocen sus problemas mejor que cualquiera que venga de fuera."*

De novo no carro-casa, fomos ao povoado de Cañazas, uma aldeia dos índios chocoe. Já haviam incorporado muitos costumes dos brancos, mas continuavam vivendo da caça e da coleta de frutas, e muitas das mulheres vestiam apenas saias, mantendo os seios de fora. A grande diferença é que havia uma escola. Das 120 escolas existentes no país, Omar já havia visitado quase todas. Essa ele não conhecia, era nova. Na realidade era um galpão coberto de palha, sem paredes nem carteiras escolares. Era hora de almoço, dia do primeiro aniversário da escola, e as crianças estavam sendo organizadas para comer. Omar sentou-se ao lado delas em um dos pequenos bancos e pediu também um prato. Aprovou o conteúdo e o sabor. Depois da comida houve o rompimento da *piñata*, cheia de guloseimas. Omar conversou bastante tempo com a professora. Queria saber tudo: por que não havia carteiras, por que não havia paredes, como a garotada evoluía em cada aspecto do aprendizado, como estava a questão da saúde, como estava o abastecimento e a situação alimentar das famílias. Deixou um dinheiro com a professora, para que melhorasse o local e pediu a Damaris que dirigisse um ofício ao Ministério da Educação relatando o ocorrido. Nesse povoado, a maior autoridade era a professora.

Mais de uma vez eu havia acompanhado Omar, quando era chefe de governo, em visitas a aldeias indígenas, chocoes na selva e kunas no arquipélago San Blas. Os caciques queriam conversar de chefe para chefe, o que ele aceitava com a maior naturalidade. Sentavam-se frente a frente e dialogavam com todo o respeito um pelo outro. Fazia o mesmo quando estava com camponeses ou com soldados. Costumava dizer: *"no es jefe el que quiere mandar. Nuestro pueblo no acepta grados. Acepta jerarquías morales, acepta la jerarquía del ejemplo, acepta la jerarquía de la valentía."* Sabia que de não ser assim iria contribuir para aprofundar as diferenças.

Ele sonhava com construir no Panamá uma sociedade o mais igualitária possível, solidária. Sabia que era difícil, mas não acreditava ser impossível num país pequeno. Pequeno no território e na população, porém, uma síntese da problemática comum a todos os povos da América Latina. Numa de suas "*patrullas*", ouvi-o dizer: "*Fizemos a reforma agrária, a reforma fiscal, a reforma administrativa, a reforma da educação, a reforma laboral e estamos empenhados na transformação das estruturas para que o país saia do poço negro em que o puseram os demagogos e os mandatários desonestos.*" E acrescentava que "*nenhum país conserva sua estabilidade e ordem se mantém grandes grupos marginalizados do progresso.*"

A descolonização do Panamá era o seu propósito de vida

Seguíamos nosso passeio familiar, quase íntimo. Creio que era a primeira vez que Raquel participava de um dos costumeiros *patrullajes* de seu marido general, ou que ele o realizava em trajes civis, sem autoridade de governo, na mais absoluta informalidade. Olhando a paisagem, igualzinha a de certas áreas da Amazônia brasileira, eu ia me lembrando de outras oportunidades que tive de acompanhá-lo.

A primeira foi em março de 1973. Estava no Panamá cobrindo para o diário *Expreso*, de Lima, a reunião especial do Conselho de Segurança da ONU e solicitei uma entrevista com o general, então chefe do governo. Estava difícil. Toda sua atenção estava voltada para a reunião do Conselho e na concertação de apoio à posição de Panamá pelos países membros. Pedi ao então chanceler Juan Antonio Tack que intercedesse em meu favor. Há muito tempo eu vinha escrevendo em apoio à luta panamenha por sua soberania e achava injusto não ser atendido.

Terminou a reunião do Conselho. Inconformado, no final da tarde do dia seguinte fui ao aeroporto a fim de regressar a Lima. Apresentei minha passagem e meu passaporte ao encarregado da empresa aérea. Ele leu meu nome, conferiu um papel, olhou para mim e disse: "*usted no puede seguir en este vuelo.*" Fiquei indignado: "¿Como?" "*Tenemos orden de no dejarlo embarcar.*" "?Ordem de quem?" *"Orden del general."* *"A mi general ninguno me da ordenes, y yo voy a embarcar en esse vuelo!"* Estava armada a confusão. Como a essa altura eu já gritava, vieram seguranças do aeroporto ver o que ocorria. Eu a dizer que ia embarcar, que era meu direito, que tinha pagado a passagem *cash* etc.; eles contestando com a maior cara de pau que *"!no!."*

Estávamos nesse entrevero, quando chegou ao saguão do aeroporto o chanceler peruano Miguel Angel de la Flor com sua comitiva e acompanhado do chanceler panamenho Juan Antonio Tack. Não tive dúvidas. Fui correndo em direção a Tack para reclamar do que me ocorria. Ele deu risada. *"¿Tu no querias avistarte con el general para entrevistarlo? Pues él te vá a recibir mañana y te invita a conocer un poco de Panamá con él."* Que tentação para um jornalista! Contudo, eu devia chegar a Lima no dia 22 para no dia 23 participar do lançamento da campanha de difusão da Operação de Alfabetização, da qual eu era um dos coordenadores. Tack não se convenceu, achou que isso podia ser resolvido sem a minha presença. De la Flor sugeriu que se as duas coisas fossem tão importantes, o mais fácil seria adiar uma delas. Respondi que se ele se comprometesse a conseguir com Salazar Bondy adiar por algumas semanas o lançamento da campanha de difusão de Alfin ficaria mais uns dias para atender o convite do general.

Um carro oficial me levou de volta ao hotel Panamá, o antigo Panamá Hilton, estatizado pelo governo de Omar. No dia seguinte pela manhã, levaram-me de volta ao aeroporto, só que para a ala privativa da Força Aérea Panamenha, onde me embarcaram juntamente com um grupo de jornalistas e uma equipe de televisão cubanos. Desembarcamos em Chiriqui, província forte na agropecuária, perto da fronteira com a Costa Rica. Assisti a uma reunião com empresários e fazendeiros da região, outra com líderes comunitários e a primeira entrevista de Omar com o pessoal de Cuba. No dia seguinte, seguimos de avião para Santiago de Veráguas. A entrevista com os cubanos continuou durante o vôo. Em Santiago, Omar presidiu um ato na Escola Normal, a mesma escola em que ele havia cursado o primeiro grau e iniciado o curso para graduar-se professor com intenção de seguir a carreira de seus pais. A mesma escola na qual estudava o grupo de jovens radicais que no início da década de 1960 instalara um foco guerrilheiro, que foi reprimido por Omar quando ainda era capitão da Guarda Nacional. *"Yo sabia que ellos tenían la razón "* — comentou mais tarde, mas não podia contrariar o seu dever de ofício.

Santiago é a cidade onde Omar nasceu e foi criado em lar docente e decente, como ele, filho de professores, costumava dizer. O ato na escola normal foi impressionante, num prédio todo coberto de faixas em que alunos, pais e professores, demonstravam o carinho para com o líder e expressavam com veemência o rechaço contra a presença da força bélica de ocupação estadunidense em território panamenho. *"!Yanque animal, sal del canal! Omar, seguro, a los yanques dále duro."* Em ocasiões como essas ele deixava claro em seus discursos que a descolonização do Panamá era seu propósito de vida, que ele a conseguiria a qualquer custo. Não bem a qualquer custo, porque acima de tudo estava a dignidade de seu povo. *"Pueden ustedes estar seguros de que en nuestras negociaciones com los Estados Unidos nos encontrarán siempre de pié, nunca de rodillas. Nunca!* — afirmava Omar.

Daí para frente a caravana ficou menor. Além do general, sua escolta e uma secretária, viajávamos eu, Abraham Lama, jornalista peruano da Inter Press Service (IPS), o empresário Gerardo Gonzales e mais duas pessoas. Durante oito dias rodamos por todo o país, de *caravan*, de jipe, de avioneta, de helicóptero ou avião. Vimos aldeias indígenas, sítios arqueológicos, fazendas experimentais de frutas e legumes para exportação, para concorrer com multinacionais, usinas de açúcar, plantação de banana dirigida por sindicato onde se aplicava avançada tecnologia aprendida nas bananeiras da *United Fruit*. Fomos a Coclesito, uma das grandes paixões do general. Coclesito era o protótipo do projeto de reforma agrária idealizado por Torrijos. A comunidade era proprietária da terra e da produção agrícola. O Estado auxiliava construindo escola para as crianças e designando os técnicos para orientar a produção e a administração. Era também o refúgio de Omar, que tinha um relacionamento quase familiar com os camponeses do projeto.

A última escala dessa nossa viagem foi na paradisíaca ilha de Contadora, no arquipélago Las Perlas, no Pacífico onde ele participaria de um jantar organizado por empresários. Quando chegamos parecia que já éramos bons amigos há séculos — uma amizade que só cresceu com o tempo. Depois disso voltamos a nos encontrar algumas vezes, duas das quais no Peru, e em todas as oportunidades reiterava convite para que eu fosse trabalhar com ele no Panamá.

Quando, no final de 1976, ele soube que minha situação em Lima ficou insustentável, mandou me buscar. Quando me recebeu, cobrou: *"si estuvieras aqui eso no te hubiera pasado. Creo que ahora sí, aceptas trabajar con nosotros. ¿O no?"* Isso ocorreu numa casa de segurança que ele utilizava como escritório, perto de sua residência, em Calle 50. Ele morava, com sua mulher e filhos, numa casa que comprou, quando ainda era capitão, pelo plano da casa própria do seguro social. Foi tudo o que deixou de herança. Mandou então chamar Rómulo Escobar Bethancourt, seu assessor político e chefe da delegação panamenha na comissão de negociação dos novos tratados com os Estados Unidos e nos apresentou: *"Rómulo, usted ya conoce a Pablo Cañabraba, periodista brasileño. Arréglense para que él trabaje con usted. Y cúidese porque él puede ser peligroso. No lo quisieron en el Peru ni lo quieren en su país porque es subversivo. Pero a nosotros nos gustan los subversivos, principalmente cuando son revolucionários."* Trabalhei com Rómulo na assessoria política e de comunicação do general Torrijos os três anos que passei no Panamá.

Nos primeiros meses, trabalhava com Fabian Velardi, que estava cuidando da área de comunicação de massa, atendendo à imprensa do mundo inteiro, tentando obter apoio dos jornais dos Estados Unidos. Um dia convidei-o para jantar em minha casa, para apresentá-lo a Juan de Onis, um amigo jornalista do *New York Times*. Esse amigo estava impressionado com os fatos que eu já lhe havia relatado, principalmente com a iniciativa que tivera Omar de socorrer-me no difícil momento em que fui expulso do Peru. Combinamos que no dia seguinte nos reuniríamos com Velardi no escritório para programarmos uma série de entrevistas com líderes panamenhos. Esse encontro nunca se realizou. Terminado o jantar, Velardi, acompanhado de sua esposa, foi para casa. No meio da noite teve um enfarto fulminante.

Fiquei praticamente sozinho, sob a coordenação de Rómulo Escobar, cuidando do que chamávamos a "guerra psicológica", ou seja, tentando obter apoio dos meios de comunicação às posições panamenhas, planejando ações de efeito psicossocial, escrevendo sobre o desenvolvimento dos trabalhos na Comissão Negociadora. Rómulo, além de ser o presidente panamenho na Comissão, era o principal assessor político do general Torrijos. Ajudei-o a preparar material para convencer os oficiais da Guarda Nacional sobre a necessidade de se organizar um partido político para dar continuidade ao processo revolucionário iniciado e conduzido por Torrijos. Realizei numerosos *workshops* com militares panamenhos. Depois, redigi o rascunho dos textos para discussão que deu origem aos princípios, programa e estatuto, além do plano de ação para a construção do partido político de sustentação do torrijismo, o Partido Revolucionário Democrático (PRD).

O escritório ocupava umas três salas num dos três andares da empresa de mineração Cerro Colorado, no edifício do Banco de la Nación. A empresa era dirigida por Rori Gonzales Jurado e Rubén Darío Herrera. Era rara a sexta-feira que o general não passasse por lá, geralmente entre 16 e 19 horas, para conversar com alguns de seus principais colaboradores, bebericando um bom uísque. Entre os habitués desses *viernes de soltero*, estavam o ministro do Trabalho, Adolfo Ahumada, o reitor da Universidade do Panamá, Elígio Salas, Jorge Ritter, do Ministério de Relações Exteriores, entre outros. O general havia conhecido esse grupo, do qual fazia parte Rómulo Escobar, em enfrentamentos com a Guarda Nacional, quando ainda era de estudantes.

* * *

Chegamos a um acampamento de uma das empreiteiras que construía a estrada Panamericana e caiu uma tremenda tempestade tropical. Abrigados no barracão, tomamos *sancocho* — um sopão de galinha, mandioca, cará, inhame e batata —, para aquecer o corpo. Quando estiou, pouco depois, chegou um helicóptero da Força Aérea Panamenha (FAP) para levar-nos de volta. O carro-casa não conseguiria avançar na lama. De novo na casa de Rori, ficamos conversando, comendo e bebericando até uma da manhã. Omar levantou-se, olhou para mim: *"Te quedas a dormir, Pablo. Mañana temprano nos vamos a Coclesito."* Respondi que era impossível, que precisava ir-me para, no dia seguinte, desde a primeira hora da manhã, estar coordenando o vôo para levar os grupos de teatro ao festival em São Paulo. Aí ele se lembrou do motivo de minha viagem e quis saber os detalhes.

El vuelo de la solidariedad

Quando Ruth Escobar começou a organizar o Terceiro Festival Internacional de Teatro, entendendo que era necessária a presença de representantes da América Latina, sabendo de minhas andanças por essas plagas, pediu ajuda. Concordamos que era necessária a presença do grupo de Atahualpa del Chioppo, do *Teatro Galpón* do Uruguai, uma das melhores trupes do continente, inteiramente asilada no México. O teatro que era de Ruth, na rua dos Ingleses, no Bixiga, na cidade de São Paulo, chama-se Galpão em homenagem a Atahualpa. Ruth conseguira recursos para trazer delegações da França, da Itália e outros países, mas não estava conseguindo para trazer o grupo uruguaio. No México, ela comentou essa dificuldade com Gabriel García Marquez quem sugeriu que falasse sobre isso com Omar Torrijos.

Liguei para o general Torrijos, atendeu Chuchu Martinez, expliquei a situação. Era preciso, além do grupo uruguaio, trazer um grupo de Cuba, para mostrar que a revolução produzia arte de primeira qualidade. Sugeri também um grupo da Nicarágua, com o sentido de solidariedade para com a Revolução Sandinista, que, com dificuldade, se firmava no poder. Um grupo do Equador, pela qualidade do teatro popular de rua. E, por que não, um grupo do Panamá. Chuchu pediu que ligasse de novo em meia hora. Liguei, ele colocou Torrijos na linha. Depois das saudações lhe digo: "Omar, necessito seu avião." Sem nenhuma outra pergunta ele me disse de bate-pronto: *"Vente a buscarlo."*

Com Chuchu, em sucessivos telefonemas combinamos os detalhes da operação. E como resultado, lá estava eu explicando para o general a importância do festival de teatro e da presença dessas delegações para contribuir no desenvolvimento de uma consciência solidária no duro processo de abertura que ocorria no Brasil. Ele ficou satisfeito. Pensou um pouco, olhou firme para mim: *"vete a Calle 50. Ahí eres rey."* Uma clara alusão de que ali eu poderia usar dos recursos de comunicação e valer-me de sua autoridade para fazer os arranjos finais para o que já chamávamos de *Vuelo de la Solidariedad*. Um de seus escoltas me levou de jipe. Chuchu já não estava em Cerro Azul. Na casa de segurança da Calle 50, quando me preparava para dar uma cochilada, chegou o comandante sandinista Tomás Borge, ministro do Interior da Nicarágua. Iria reunir-se de manhã com Omar Torrijos e em seguida com Edén Pastora, um dissidente que estava criando problema para o governo da Frente Sandinista. O general promovia o encontro tentando uma conciliação. ou seja, Omar ainda se considerava um quadro da revolução sandinista.

Quinta-feira, 30 de julho de 1981, ainda não havia despontado o sol, fui para a base aérea de Tocumen. Além da tripulação, era o único passageiro quando o avião Electra da Força Aérea Panamenha aterrissou em Manágua. Aí embarcariam as delegações cubana e nicaragüense. Só que não adiantarm os esforços nem mesmo do pessoal do Itamarati. O governo de Figueiredo negou visto para os artistas cubanos. Com a trupe nica a bordo, seguimos para San José de Costa Rica, onde embarcou o grupo de Atahualpa, vindo do México. De novo no Panamá, embarcaram os grupos panamenho e equatoriano. Daí seguimos para São Paulo e depois de 14 horas de vôo, com escala para reabastecer em Manaus, chegamos a Viracopos, na região de Campinas. Não autorizaram a aterrissagem em outro aeroporto, alegando que o avião era militar. Um ônibus contratado por Ruth levou todo o grupo para o Hotel Danúbio, na avenida Brigadeiro Luís Antonio, na cidade de São Paulo.

Dia 31 foi dia livre para os participantes. A abertura solene do festival seria na noite de 1º de setembro, no Teatro Municipal de São Paulo, com a presença de todas as delegações. À tarde, fui ao Hotel Danúbio para ver como estavam os preparativos para a estréia. Estava no saguão do hotel, olhando as pessoas, procurando algum conhecido. À direita, várias pessoas estavam assistindo um jogo de futebol na televisão. Com o rabo do olho percebi que o jogo foi interrompido e um locutor começou a dar as últimas notícias. Por curiosidade profissional, fiquei ligado e escutei: *"Omar Torrijos, o homem forte do Panamá, morreu num acidente de aviação"*.

Foi como se eu tivesse recebido um soco no estômago e uma pancada na cabeça ao mesmo tempo. Viram-me subindo as escadas aos prantos e solavancos. Com grande esforço me recompus. O chefe da delegação panamenha era o cineasta Pedro Rivera, diretor do Grupo Experimental de Cinema Universitário (Gecu). Pedi que encontrassem Pedro e a tripulação do Electra para uma reunião. Concordamos com que o festival devia seguir seu curso. A abertura se transformou numa bela e emotiva homenagem ao general Omar Torrijos. No dia seguinte, Pedro, eu e a tripulação achamos que deveríamos estar presentes ao velório e ao enterro do general. O capitão pediu e obteve autorização de seus superiores e o Electra voltou ao Panamá com dois passageiros a bordo.

O comandante do avião, acostumado a pilotar com o general a bordo, não se conformava. Era muito amigo do piloto que morreu junto com Omar e também gostava do general. Ainda em São Paulo, ele falara por rádio com seus companheiros de armas, todos traumatizados, que lhe relataram o ocorrido. No dia 30, depois de uma reunião com Tomás Borge e Eden Pastora, Omar saíra da Calle 50 rumo a Coclé, província na região central do Panamá. Passou o dia aí e aproveitou para ir a um dentista porque um dente o incomodava. No dia seguinte, convocou sua escolta para levá-lo de avião a Coclesito. Não chegaram. Na última comunicação do piloto, estavam contornando um morro para embicar rumo à pista de pouso. Um golpe de vento por trás, um foguete, uma explosão a bordo, ninguém sabe. O avião caiu na mata em lugar de difícil acesso. Houve explosão e incêndio. Dos restos calcinados da aeronave, recolheram restos do que fora o general.

A urna funerária foi colocada na catedral, no Casco Viejo de Panamá, área histórica da cidade, declarada patrimônio da humanidade pela Unesco. Pelas ruas que preservam construções do período colonial, a população fazia fila para, junto com governantes e líderes de países da América Latina e da Europa, para prestar sua última homenagem ao líder. Da Catedral até o cemitério, o féretro constituiu a manifestação de massa mais impressionante que vi em toda minha vida. Por todas as ruas, a massa era compacta e todo o mundo expressava uma dor verdadeira, chorando, falando de Omar. Num dado momento, o helicóptero da FAP, com o número um, que todos sabiam que transportava o general, passou em vôo rasante sobre a multidão. Foi um delírio. Todos olhavam para o céu a gritar: Omar! Omar!. Ninguém aceitava que estivesse morto.

Imagens

Gostaria de poder ilustrar cada fato registrado nestas reportagens retrospectivas. Ocorre que, quando se está no olho do furacão, nem sempre se está em condições de fazer o registro fotográfico. Além disso, tanto na Bolívia como no Peru, perderam-se incontáveis negativos e fotos produzidas durante minhas andanças por esse mundo. Outras tantas imagens ficaram em arquivos dos meios em que trabalhei. E tampouco me deram tempo para uma pesquisa iconográfica. Do que tinha à mão selecionei procurando reforçar o testemunho.

O autor

No Olho do Furacão em Imagens

Paulo Cannabrava Filho e sua Leica, aos 19 anos, em foto do sargento Brito (FAB), no cerrado paulista em 1955.

Em foto do autor, em primeiro plano a Puya raimondi em fazenda colonial no altiplano boliviano, província de La Paz, 1970.

Momentos em que o Palácio Quemado foi ocupado pelas forças revolucionárias comandadas pelo general J.J. Torres, a 9 de outubro de 1970.

O general J.J. Torres, em seu primeiro ato como presidente.

O jornalista Ted Córdoba assume como ministro secretário.

Manifestação em apoio a Torres em 1º de maio de 1971. Em agosto o governo revolucionário foi derrubado por um golpe de direita.

A 8 de outubro de 1970, soldados em aliança com operários e camponeses tomaram o poder na Bolívia, e instalaram o primeiro Soviet em terras americanas. Torres no discurso de posse comprometeu-se levar o processo até onde o povo desejasse. Em agosto de 1971, contragolpe da direita acabou com o sonho. Iberê Cannabrava, com 10 anos, registrou no desenho escolar a emoção de ver o edifício da Universidade bombardeado.

A Revolução Peruana, iniciada em outubro de 1968, criou o conceito de propriedade social em que os trabalhadores tinham a propriedade e a gestão das empresas. À direita, o autor com o general Jorge Fernandes Maldonado, ministro das Minas e Energia; abaixo, com o general Miguel Angel de La Flor, ministro das Relações Exteriores.

Do terraço do diário *Expreso* o autor observa a procissão do Senhor dos Milagres, que congrega mais de um milhão de peruanos todos os anos em impressionante manifestação de fé.

Manifestação de apoio à Revolução Peruana, diante da Presidência da República, no início de 1975, quando o general Velasco Alvarado estava hospitalizado e ameaçado de ser deposto. Cannabrava está entre o jornalista brasileiro Neiva Moreira e o escritor uruguaio Mário Benedetti. Abaixo, Bia Cannabrava, de óculos no centro, como delegada convidada ao Congresso de Mulheres Peruanas em agosto de 1972.

Bia Cannabrava levou a música brasileira para os quatro cantos da América Latina e Caribe e se integrou com intérpretes e autores da canção revolucionária. Acima, em 1970, canta acompanhada ao violão por Harold Olmos, correspondente da Associated Press em la Paz. Com o gravador, Albert Brun, diretor regional de France Presse. À direita, recital no Café Teatro Cocolido, em Lima, 1976. Abaixo, apresentação em penha folclórica no Panamá, acompanhada ao "contrabalde" por Ricardo Ledesma, em 1978. Ao lado, entrevista ao poeta e músico nicaraguense Carlos Mejia Godoy para a revista *Cuadernos del Tercer Mundo*, em 1979.

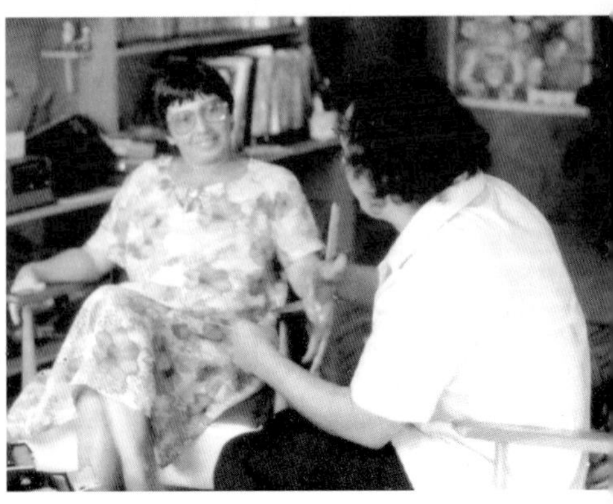

Acima, ensaio da cantora brasileira "Marina" em 1968
e abaixo recital no auditório da Casa das Américas, em Cuba, em 1969. O grupo que a acompanhava era integrado por Sergio Vitier, violão; Eduardo Ramos, contrabaixo; Federico Brito, violino; Sala - que também é fotógrafo - percussão.

Iberê, Iatã e Bia, no alto com Clara Charf, abaixo com o autor, nos jardins do Hotel Nacional de Cuba, em Havana em 1977.
Com a lagosta de mais de dois quilos, pescada na baía de Batabanó, em 1968, Curzio Lao.

Aspecto da plenária da VI Cúpula dos Não-Alinhados, em Havana, em 1979. Vê-se, entre outros, Boumedienne, da Argélia, Bros Tito, da Iugoslávia, Omar Torrijos, do Panamá.

"El camino del comunismo es crear riqueza con la conciencia"... Essa foi a consigna da grande manifestação em apoio à Revolução Cubana em julho de 1969, em que Fidel discursou diante de mais de um milhão de pessoas.

Entre 1968 e 1979, o general Omar Torrijos conduzia a luta pela conquista da soberania sobre o canal do Panamá e realizava uma revolução social. Na foto ao lado, em sua residência, o escritor colombiano García Marquez e, na outra, o ator de cinema John Wayne, ambos da frente de apoio a essa luta. Abaixo, Romulo Escobar Betencourt, o principal assessor político de Omar.

Em 1973, após reunião do Conselho de Segurança da ONU, o autor percorreu com Torrijos o território do Panamá, realizou série de reportagem para *Expreso* e para *Cuadernos del Tercer Mundo*, além de um documentário para a televisão peruana. Na foto ao alto, o autor em 1979 durante a Operação "Ai que miedo!"

O apoio panamenho foi decisivo para a vitória da Frente Sandinista de Libertação Nacional, na guerra contra a tirania de Somoza. Logo após o triunfo, em julho de 1979, o general Omar Torrijos, em visita a Nicarágua, foi aclamado como herói nacional. Na foto, comandantes sandinistas mostram a Torrijos lança-morteiro de fabricação artesanal utilizado pela guerrilha.

Dora Maria Tellez Argüello, em 1978, comandou a tomada do Palácio Nacional, início da ofensiva final da guerrilha sandinista que obteve a libertação de presos políticos. Foto durante entrevista realizada na Costa Rica em 1978, Dora acompanhada do comandante Camilo Ortega.

Grupo de combatentes sandinistas chegando a Manágua após o triunfo da Revolução, em julho de 1979. Foto realizada, provavelmente, por Carlos García, com a câmara do autor.

O comandante Tomás Borge, recém-libertado das masmorras somozistas, em momento de descontração na residência do autor na cidade do Panamá, em agosto de 1978.

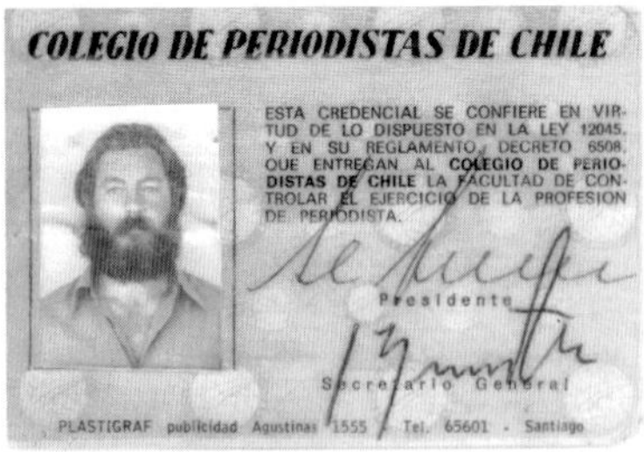

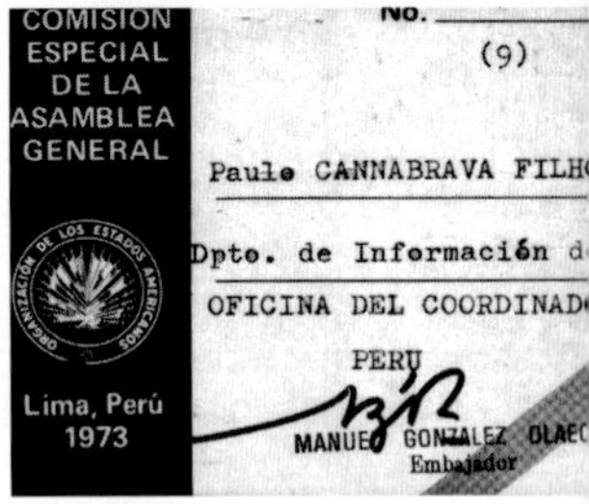

A assembléia conjunta dos sindicatos dos gráficos, dos jornalistas e demais trabalhadores do diário *Expreso*, de Lima, era o órgão superior de decisão e de direção executiva da empresa, transformada em cooperativa pela Revolução Peruana. Cannabrava exerceu as funções de repórter especial, editorialista, editor de internacionais e membro do conselho editorial durante os cinco anos em que trabalhou no jornal. Abaixo, em 1972, o autor entrevista Abdelazis Bouteflika, na época ministro de Relações Exteriores do governo revolucionário da Argélia.

Na página ao lado, o autor, em 1963, observado por Fúlvio Abramo e Aquilino da Freitas, membros do conselho editorial do diário *A Nação*.
A foto abaixo é uma manifestação de jornalistas contra a ditadura, no início de abril de 1968. Na semana seguinte, o autor, de malha escura à direita, deixou o país para escapar da repressão.

ABADO, 6 DE ABRIL DE 1968

Jornalistas iniciam, nas escadarias do Municipal, a passeata rumo à praça da Sé

Prontidão no Rio é relaxada mas pode voltar se preciso

O ESTADO DE S. PAULO

Estados voltam à normalidade

Das Sucursais e dos correspondentes

A situação no meio estudantil é de calma geral em todo o País, com exceção de João Pessoa, onde se verificaram graves incidentes entre os estudantes e a Polícia, tendo sido inclusive apedrejado o palácio do govêrno (ver primeira página). Nas demais capitais não houve manifestações de rua e o policiamento permanece ainda em estado de alerta.

Em Belo Horizonte, as Escolas e Faculdades das Universidades Federal e Catolica continuaram ontem ocupadas por elementos da Policia Militar, conforme decisão tomada em conjunto pelos reitores e autoridades policiais.

Em reunião dos diretores das Faculdades e Escolas da Universidade Federal de Minas Gerais com o reitor Gerson Boson, ficou ontem decidido que: 1 — As Escolas e Faculdades, bem como suas dependencias, deverão estar abertas, em pleno funcionamento, a partir do dia 15; 2 — Para servir a todos os universitarios, deverão funcionar, a partir de segunda-feira, os restaurantes da Escola de Engenharia e das Faculdades de Medicina, Filosofia e Ciencias Economicas; 3 — A par...

...tro dos Estudantes Universitarios — CEU.

Anteontem á noite, os estudantes concentrados no CEU descobriram no resturante um policial do DOPS disfarçado, que foi detido e conduzido para fora da cidade, com os olhos vedados.

Em Crato, a policia dissolveu uma passeata improvisada, após a missa em sufragio do estudante Edson Luís.

Em Salvador, inauguram placa

Os estudantes de Salvador, reunidos ontem pela manhã em seu restaurante, deliberaram colocar placa com o nome de seu colega Edson Luís e conseguiram que as autoridades competentes dessem a um viaduto a ser inaugurado o nome do estudante desaparecido.

Apesar da situação calma, as autoridades baianas continuam preocupadas, na expectativa de novos incidentes.

Manaus celebra missa, em luto

Os estudantes de Manaus co parecerам à missa em sufra do colega Edson Luís, celebra na matriz de São Sebastião, c mordaças e trajando luto. Ap o ato religioso, realizaram des le até a sede da União dos tudantes do Amazonas, na m completa ordem, vigiados pel autoridades do Exercito e da licia Militar.

Curitiba assiste a passeata pacífica

Dois mil universitarios pa naenses realizaram anteont passeata pacifica pelas ruas c trais de Curitiba. A manifesta foi coordenada por um elemen da extinta UNE, não se tendo gistrado incidentes.

O transito ficou impedido avenida João Pessoa e a poli limitou-se a observar a distan discretamente.

a batalha para declaração do sitio – "a medida menor"

OUTUBRO 5 SABADO

A NAÇÃO

EDIÇÃO MATUTINA

em dia com o assunto frase solta

Chuvas de Janot chegaram

Governo respeita direito de greve

PAG. 2

GOVERNADORES

Declarações de Moura Andrade (foto) a "A NAÇÃO", em Campinas:

"Se perdurarem as greves, a Casa das Leis, movida por um impulso violento e até certo ponto justificavel, aprovará o estado de sitio. Por isso, estou mantendo contatos com lideres ferroviarios: ou acabam com a greve, ou a greve acabará com a democracia".

EDEMONDES BEAUCHAMP

CHATEAUBRIAND ENALTECE REPORTER E "A NAÇÃO"

A propósito da entrevista que concedeu a A NAÇÃO, sôbre a visita do marechal Tito, o embaixador Assis Chateaubriand, telegrafou ao diretor-redator-chefe deste jornal enaltecendo a atuação do reporter que conseguiu romper a cortina de colibris da Casa Amarela e obter que seu dono atendesse à curiosidade do jornalista. Assis Chateaubriand premiou Paulo Cannabrava Filho e os leitores com uma peça jornalistica de raro sabor satirico.

E' a seguinte a integra do telegrama do diretor da Cadeia Associada:

"Nabor Caires de Brito, Rua Barão de Iguape, 360, Capital.

Entrevista magnifica. — Abrace maravilhoso Cannabravinha. O menino tem poder sedução peculiar verdadei o reporter.

Parabens estupenda A NAÇÃO, obra seu prodigioso talento jornalistico. Chateaubriand".

Momentos altos da carreira do jornalista Cannabrava no Brasil em 1963: no comando da Operação Chuva, em outubro, e defendendo a visita do marechal Tito da Iugoslávia ao Brasil, em setembro, como repórter especial de *A Nação*.

O recorte do *Estadão* assinala o regresso ao Brasil do autor e sua família, em março de 1980, após 12 anos de exílio.

Sábado, 8-3-80 — O ESTADO DE S. PAULO

CURTAS

"RECEBA o ilustre senador cordial abraço pelo natalício de Vossa Excelência, com votos de felicidades pessoais". Texto do telegrama enviado ontem pelo presidente Figueiredo ao senador Tancredo Neves, presidente do Partido Popular.

A CÂMARA Municipal de Petrópolis, no Estado do Rio, vai reunir-se na próxima terça-feira para julgar a cassação do mandato do prefeito Jamil Sabrá, acusado pelo Conselho de Contas dos Municípios de irregularidades administrativas.

APENAS 12 pessoas assistiram ontem à condecoração, com a Ordem do Ipiranga, do sociólogo Gilberto Freire, no gabinete do governador Paulo Salim Maluf.

O PALÁCIO DO Planalto confirmou ontem a viagem do presidente Figueiredo a São Paulo, na próxima quinta-feira, para assistir à instalação da 1ª Feira Nacional da Pesca, no Anhembi.

DESTAQUE POLÍTICO

"É isso aí. O turcão não negocia com comunas. Lugar de comuna é ao lado de Prestes e Arraes, na Rússia ou em Cuba. E mentiroso também não entra aqui".

Deputado estadual Manoel Sala

O PARTIDO DOS Trabalhadores vai promover neste domingo, a partir das 9 horas uma festa política, com comício e forró. Será na praça Lucas Galvão, bairro de Presidente Altino, em Osasco.

O DEPUTADO Caio Pompeu de Toledo informou ontem que o Partido Popular estará estruturado em mais de 200 municípios paulistas até o final deste mês.

ATÉ AGORA, a Comissão de Anistia do Ministério da Educação e Cultura recebeu 200 pedidos de reintegração, feitos por professores e funcionários, punidos por atos institucionais ou complementares. A comissão entregará um relatório ao ministro Eduardo Portela até o final de abril, para que ele decida a respeito de todos os casos.

AS BASES DO PMDB da Capital e de 41 municípios de São Paulo reúnem-se hoje às 9 horas, na Assembléia Legislativa, para a discussão da reformulação partidária e outros assuntos políticos. O encontro será encerrado amanhã, às 18 horas.

O JORNALISTA e escritor Paulo Canabrava Filho retornou ontem a São Paulo, após 12 anos de exílio. Ele veio com sua mulher e dois filhos e disse que a abertura política no Brasil é inevitável e que novos rumos do País serão determinados pelo povo. Canabrava foi acusado de pertencer à Aliança Libertadora Nacional. Julgado, a Justiça Militar absolveu-o em 1975. O jornalista afirmou que pretende morar em São Paulo e trabalhar em jornais.

Índice onomástico

Siglas

ABC	America Broadcasting Company
ABI	Associação Brasileira de Imprensa
ADN	Ação Democrática Nacionalista
AFP	Agence France Presse
ALFIN	Operação de Alfabetização Integral
ALN	Aliança Libertadora Nacional
AP	Ação Popular
APRA	Aliança Popular Revolucionária Americana
ASIN	Ação do Sistema de Informação Nacional
CAEM	Centro de Altos Estudos Militares
CC	Comitê Central
CDRs	Comitês de Defesa da Revolução
CENIMAR	Centro de Informações da Marinha
CEPAL	Comissão Econômica para a América Latina
CGT	Comando Geral dos Trabalhadores
CGTP	Central Geral dos Trabalhadores do Peru
CIA	Agência Central de Inteligência
CIE	Centro de Informações do Exército
CIME	Comitê Internacional para as Migrações Européias
CISA	Centro de Informações da Aeronáutica
CNEP	Confederação Nacional de Empresários Privados (Bolívia)
COB	Central Operária Boliviana
COMIBOL	Corporação Mineira da Bolívia
CONDEPA	Consciência de Pátria
CONTAG	Confederação Nacional dos Trabalhadores na Agricultura
CPC	Centro Popular de Cultura
CTP	Central de Trabalhadores do Peru

CUB	Central Universitária Boliviana
CUT	Central Única dos Trabalhadores
DAE	Departamento de Águas e Energia
DENTEL	Departamento Nacional de Telecomunicações
DINA	Administração da Inteligência Nacional (Chile)
DOI-Codi	Destacamento de Operações de Informações — Centro de Operações de Defesa Interna
DOPS	Departamento de Ordem Política e Social
DPA	Agência Deutch Press
EAD	Escola de Arte Dramática
ECN	Exército Cristão Nacionalista
EGP	Exército Guerrilheiro do Povo
ELN	Exército de Libertação Nacional
ERP	Exército Revolucionário Popular
EUA	Estados Unidos da América
FAB	Força Aérea Brasileira
FALN	Forças Armadas de Libertação Nacional
FAO	Conferência das Nações Unidas para a Alimentação e Agricultura
FAP	Força Aérea Panamenha
FBP	Federação de Bancários do Peru
FLN	Frente de Libertação Nacional
FMI	Fundo Monetário Internacional
FPP	Federação de Jornalistas do Peru
FPTC	Federação Provincial de Trabalhadores do Callao
FRELIMO	Frente de Libertação de Moçambique
FSB	Falange Socialista Boliviana
FSLN	Frente Sandinista de Libertação Nacional
FTAP	Frente de Trabalhadores de Arte Popular
FTM	Federação de Trabalhadores Mineiros
FTP	Federação de Trabalhadores da Imprensa
IADESIL	Instituto Americano para o Desenvolvimento do Sindicalismo Livre
INTERPOL	Organização Internacional de Polícia Criminal
IPC	Instituto de Pesquisas Científicas
IPES	Instituto de Pesquisas e Estudos Sociais
IPM	Inquérito Policial Militar
IPS	Inter Press Service News Agency

ISAIC	Instituto Cubano de Arte e da Indústria Cinematográfica
ITT	Internacional Telephone and Telegraph
JC	Juventude Comunista
JCC	Juventude Comunista de Cuba
JID	Junta Interamericana de Defesa
JS	Juventude Socialista
MAPU	Movimento de Ação Popular Unitária
MDB	Movimento Democrático Brasileiro
MIR	Movimento de Esquerda Revolucionária
MNR	Movimento Nacionalista Revolucionário
MPLA	Movimento pela Libertação de Angola
MRE	Movimento Revolucionário Espartaco
NBC	National Broadcasting Company
OBAN	Operações Bandeirantes
OEA	Organização dos Estados Americanos
OLAS	Conferência da Organização Latino-Americana
OLP	Organização pela Libertação da Palestina
ONU	Organização das Nações Unidas
ONUDI	Conferência das Nações Unidas para o Desenvolvimento Industrial
OPEP	Organização dos Países Exportadores de Petróleo
PAIGC	Partido da Independência da Guiné e do Cabo Verde
PC do B	Partido Comunista do Brasil
PCB	Partido Comunista Boliviano
PCB	Partido Comunista Brasileiro
PCBR	Partido Comunista Brasileiro Revolucionário
PCC	Partido Comunista Cubano
PCI	Partido Comunista Italiano
PCML	Partido Comunista Marxista Leninista
PCU	Partido Comunista Uruguaio
PCUS	Partido Comunista da União Soviética
PDC	Democracia Cristã Revolucionária
PMDB	Partido do Movimento Democrático Brasileiro
PNUD	Programa das Nações Unidas para o Desenvolvimento
POR	Partido Operário Revolucionário
PP	Partido do Povo (Nicarágua)
PRD	Partido Revolucionário Democrático
PRELA ou PL	Prensa Latina

PRIN	Partido Revolucionário da Esquerda Nacional
PSB	Partido Socialista Boliviano
PSD	Partido Social Democrático
PTB	Partido Trabalhista Brasileiro
PUA	Pacto de Unidade Sindical
RAI	Rádio e Televisão Italiana
RDA	República Democrática Alemã
RFA	República Federal Alemã
SAIS	Sociedades Agrárias de Interesse Social
SBPC	Sociedade Brasileira para o Progresso da Ciência
SINAMOS	Sistema Nacional de Mobilização Social
SNI	Serviço Nacional de Informação
SOFOFA	Sociedade de Fomento Fabril
SUPRA	Superintendência de Reforma Agrária
TBC	Teatro Brasileiro de Comédia
TFR	Tribunal Federal de Recursos
TIAR	Tratado Interamericano de Assistência Recíproca
UCBC	União Cristã Brasileira de Comunicação
UDN	União Democrática Nacional
UFRJ	Universidade Federal do Rio de Janeiro
UMSA	Universidade de San Andrés (Bolívia)
UNCTAD	Conferência das Nações Unidas para o Comércio e Desenvolvimento
UNE	União Nacional dos Estudantes
UNESCO	Conferência das Nações Unidas para a Educação e Cultura
UNICAMP	Universidade Estadual de Campinas
UNICEF	Conferência das Nações Unidas para as Crianças
UP	Unidade Popular
UPI	United Press Internacional
UPMP	União Popular de Mulheres Peruanas
URSS	União das Repúblicas Socialistas Soviéticas
USIS	Serviço de Informação dos Estados Unidos
USP	Universidade de São Paulo
VPR	Vanguarda Popular Revolucionária

Bibliografia

Livros e/ou autores mencionados neste livro e também alguns recomendados pelo autor

ALVES, Marcio Moreira. *Suor e alegria: Trabalhadores em Cuba*. São Paulo: Seara Nova, 1975.

ARQUIDIOCESE DE SÃO PAULO. *Brasil: Nunca Mais*. Petrópolis: Vozes, 1985.

BELLI, Gioconda. *Linea de fuego*. Havana: Casa de las Américas, 1978.

BELLI, Gioconda. *O país sob minha pele: Memórias de amor e guerra*. Rio de Janeiro: Record, 2002.

BENEDETTI, Mario. *Cuentos Completos*. Buenos Aires: Seix Barral, 1995.

BOAL, Augusto. *Hamlet e o filho do padeiro: Memórias imaginadas*. Rio de Janeiro: Record, 2000.

BORGE, Tomás. *El amanecer no es una tentación*. Manágua: Nueva Nicaragua, 1975.

BORGE, Tomás. *La ceremonia esperada*. Manágua: Nueva Nicaragua, 1990.

BORGE, Tomás. *La paciente impaciencia*. Manágua: Vanguardia, 1989.

CALLONI, Stella. *El hombre que fue yacaré*. Buenos Aires: Papeles de Coghlan, 1998.

CALLONI, Stella. *Memórias de Trashumante*. Buenos Aires: Papeles de Coghlan, 1998.

CALLONI, Stella. *Operación Cóndor*. Cidade do México: La Jornada, 2001.

CALLONI, Stella & CRIBARI Rafael. *Disparen sobre contadora*. Montevidéu, La Hora, 1987.

CANNABRAVA FILHO, Paulo. *Breve storia della política di assressione USA in América*. Milão: Jaca Book, 1975.

CANNABRAVA FILHO, Paulo. *Militarismo e imperialismo no Brasil*. Buenos Aires: Tiempo Contemporâneo, 1970.

CANNABRAVA FILHO, Paulo. *Sulla strada di Sandino: Nicarágua* 1978. Milão: Jaca Book, 1978.

CANNABRAVA FILHO, Paulo, GONZALES LANA, Manuel & PARRA DEL CAMPO, Carlos. *Chile, Anatomia de um golpe*. Lima: Editorial Horizonte, 1977.

CASTRO, Fidel. *Discursos*. Havana: Instituto Cubano del Libro, 1975.

CASTRO, Fidel. A *história me absolverá*. São Paulo: Alfa Omega, 1986.

COUTO e SILVA, Golbery. *Geopolítica do Brasil*. Rio de Janeiro: José Olympio, 1967.

DEBRAY, Régis. *Revolução na Revolução*. Havana: Casa de las Américas, 1967.

ESCOBAR BETHANCOURT, Rômulo. Torrijos: *Colonia americana no!*. Bogotá: Carlos Valencia, 1981.

ESCOBAR BETHANCOURT, Rômulo. *Torrijos: Espada y pensamientos*. Cidade do Panamá: Grafis, 1982.

GREENE, Graham. *Um lobo solitário*. Rio de Janeiro: Globo, 1986.

GUARDIA, Glória. *Pablo Neruda: Un compromiso humano que no muere*. Cidade do Panamá: Inac, 1975.

GUEVARA, Ernesto "Che". *Obras: 1957-1967 (2 vol.)*. Havana: Casa de las Américas, 1970.

HERNÁNDEZ, Miguel. *Poesía*. Barcelona: Plaza & Janés, 1999.

HITLER, Adolf. *Minha Luta (Mein Kampf)*. São Paulo: Morais, 1983.

MANSILLA TORRES, Jorge "Coco Manto". *Animalversiones: Zoopatologías de ciertas bestias*. La Paz: Muela del Diablo, 2001.

MANSILLA TORRES, Jorge "Coco Manto". *Pienso Luego Exílio*. La Paz: Universidad Mayor de San Andrés, 1986.

MARIGHELLA, Carlos. *Mini manual do guerrilheiro urbano*. Mimeo. 1970.

MARIGHELLA, Carlos. *Porque resisti à prisão*. São Paulo: Brasiliense, 1994.

MARTINEZ, José de Jesus (Chuchu). *Mi general Torrijos*. Cidade do Panamá: Centro de Estudos Torrijista, 1995.

MARX, Karl. *Elementos fundamentales para la crítica de la economia política (Grundisse)*. Cidade do México: Siglo XXI, 1987.

MIR, Luís. *A revolução impossível*. São Paulo: Best Seller, 1994.

MORAIS, Fernando. *Chatô, o rei do Brasil*. São Paulo: Companhia das Letras, 1994.

MOREIRA, Neiva. *Modelo Peruano*. Rio de Janeiro: Paz e Terra, 1975.

NERUDA, Pablo. *Antologia poética*. Rio de Janeiro: José Olympio, 1977.

NETO, Agostinho. *Poemas*. Lisboa: Casa dos Estudantes do Império, 1961.

NETO, Agostinho. *Sagrada Esperança*. Lisboa: Sá da Costa, 1974.

NUÑEZ JIMENEZ, Antonio. *Informe de la expedición*. Havana: Academia de Ciências de Cuba, v. 1, 1988.

PINOCHET, Augusto. *Ensayo sobren un estudio preliminar de geopolíticade Chile en el año 1965*. Santiago: Centro de Documentación Histórica, 1979.

PINOCHET, Augusto. *Geopolítica*. Santiago: Barcelona Empresa Industrial Gráfica, 1992.

QUENTAL, Antero. *Poesia Completa (2 vol.)*. Lisboa: Círculo de Leitores, 1991.

RIBEIRO, Darcy. *O povo brasileiro*. São Paulo: Companhia das Letras, 1996.

SOUZA, Herbert de. *Memórias do exílio*. São Paulo: Livramento, 1976.

TAVARES, Flávio. *Memórias do esquecimento*. São Paulo: Globo, 1999.

TORRIJOS, Omar. *Papeles Del General*. Cidade do Panamá: Centro de Estudos Torrijistas, 1984.

TORRIJOS, Omar. *La quinta frontera*. Cidade do Panamá: EDUCA, (Prólogo Gabriel García Marquez, Epílogo Grahan Grenne), 1978.

TORRIJOS, Omar. *Una revolución diferente: Mensajes a la historia, Quarto aniversario de la revolución panameña*. (Discursos de Omar Torrijos). Cidade do Panamá: Editora de La Nación, 1972.

VALEJO, César. *Antologia*. Barcelona: Plaza & Janés, 1999.

VELASCO ALVARADO, Juan. *El Peru y una estrategia para los No-Alineados*. Lima: Diario Oficial "El Peruano", 1975.

VELASCO ALVARADO, Juan. *A revolução nacionalista no Peru*. Rio de Janeiro: Paralelo, 1973.

VELASCO ALVARADO, Juan. *La voz de la revolución (2 vol.)*. Lima: Sinamos, 1972.

VIERA, César. *Em busca de um teatro popular*. São Paulo: Tuov, 1978.

VIÑAS, David. *De los montoneros a los anarquistas*. Buenos Aires: Carlos Pérez Editor, 1971.